Trois essais sur le comportement animal et humain

Ouvrages de
Konrad Lorenz

Aux éditions du Seuil

Essais sur le comportement
animal et humain
1970

Aux éditions Flammarion

L'agression

Il parlait avec les mammifères,
les oiseaux et les poissons

Tous les chiens,
tous les chats

Konrad Lorenz

Trois essais sur le comportement animal et humain

Les leçons de l'évolution de la théorie du comportement

Traduit de l'allemand
par C. et P. Fredet

Éditions du Seuil

En couverture :
Photo Nina Leen - Life Magazine Time Inc.

Ces trois essais ont été précédemment publiés dans l'ouvrage *Essais sur le comportement animal et humain - Les Leçons de l'évolution de la théorie du comportement*, aux éditions du Seuil (titre original : *Über tierisches und menschliches Verhalten. Aus dem Werdegang der Verhaltenslehre*).

ISBN 2-02-000626-X

Sur la formation du concept d'instinct

(1937)

Actuellement, quand deux biologistes tentent de discuter du problème de l'instinct, on est étonné de constater qu'ils ne se comprennent pas : chacun associe au mot d'instinct un concept différent. Le fait de concevoir différemment une même chose, qui complique considérablement les échanges entre savants, s'explique probablement en grande partie par le fait qu'il est fondamentalement impossible de donner une définition absolue d'un phénomène biologique et, également, par la conscience imparfaite qu'on a de ce phénomène. La croyance erronée selon laquelle on peut aborder le problème des actes instinctifs autrement que par des voies purement inductives et selon laquelle on pourrait de même faire des déclarations sur l'instinct sans avoir procédé à différentes recherches expérimentales préalables, demeure à l'origine de la plupart des déclarations, au demeurant faciles à réfuter, que de grands théoriciens ont formulées sur l'instinct. Cette même raison a également entraîné la formation de concepts de l'instinct peu maniables, et en particulier trop *larges,* qui gênent considérablement la progression de la recherche analytique.

Il n'entre nullement dans mes vues d'énumérer ici, même de manière incomplète, toutes les conceptions antérieures de l'instinct. Mon but serait plutôt de mettre en évidence l'inexactitude, ou tout au moins le caractère contestable de certaines conceptions avancées par de grands théoriciens de l'instinct et qui sont encore en faveur de nos jours. Je voudrais surtout montrer combien ces erreurs sont liées souvent à des façons trop vagues et imprécises de concevoir la notion d'instinct. C'est en fondant ma critique *sur des faits* que surgit spontanément un concept plus précis et plus étroit.

Qu'il existe effectivement des faits pouvant être utilisés pour l'élaboration d'un concept d'instinct plus maniable, voilà qui est rendu plus vraisemblable encore par une constatation : *tous ceux qui connaissent les animaux par la pratique*, qu'ils soient gardiens de zoo, amateurs ou observateurs formés à la biologie, se comprennent facilement quand ils en viennent à s'entretenir du problème de l'instinct; en effet ils traitent d'un concept ayant un contenu remarquablement concordant même s'ils désignent ce concept par des mots différents.

J'ajouterai un mot sur la terminologie en usage. « Instinct » n'est qu'un mot abstrait. La seule chose sur laquelle il nous est permis de nous prononcer, c'est l'acte instinctif, et c'est de lui seul que nous traiterons. Heinroth, pour éviter l'ambiguïté du mot « instinct », a employé le terme d' « acte spécifique de pulsion » *(arteigene Triebhandlung)* au lieu d' « acte instinctif » *(Instinkthandlung),* ce qui est sans aucun doute la meilleure désignation. Ce qui m'incite à revenir au terme d' « acte instinctif », c'est le fait que le mot « pulsion » *(Trieb),* ou le mot anglais « *drive* », s'est introduit récemment dans les milieux où se dessine précisément la tendance à nier l'existence de ce que nous entendons par ce mot. Pour éviter toute confusion avec les concepts de pulsion (inexacts à mon avis) des behaviouristes américains et ceux des psychanalystes, j'ai abandonné le mot allemand en faveur du mot latin.

Qu'il me soit permis de donner un bref aperçu des conceptions qui seront l'objet de mes critiques. Regrouper les auteurs en fonction de leurs erreurs communes pourrait aisément donner l'impression d'une sous-estimation que je voudrais éviter. C'est pourquoi je tiens à souligner expressément que je dois énormément à ces auteurs et que je ne sous-estime absolument pas leurs mérites qui souvent résident dans un domaine différent de celui qui est abordé dans ce chapitre.

Un point de vue très répandu et généralement adopté par les biologistes et plus encore par les psychologues, est celui selon lequel le comportement instinctif serait un antécédent aussi bien phylogénétique qu'ontogénétique de ces comportements moins rigides que nous désignons comme comportements « appris » ou « rationnels », ou bien que nous rassemblons, à l'exemple des américains modernes, sous la terminologie plus large de « comportement finalisé », (*zweckgerichetetes Verhalten*).

C'est essentiellement à Herbert Spencer que nous devons cette hypothèse. Il a longuement insisté dans son ouvrage « Instinct et Expérience » *(Instinkt und Erfahrung)* sur la manière dont se constitue le comportement dit « rationnel » : à savoir par l'influence cumulative de l'expérience sur des processus à l'origine purement instinctifs. C'est de Spencer qu'est extraite cette phrase, toujours citée par ses partisans : « La complication progressive des instincts qui, comme nous l'avons vu, entraîne une atténuation de leur caractère purement automatique, entraîne simultanément un début de mémoire et de raison. »

C'est parce qu'ils raisonnent logiquement à partir de ces conceptions que d'autres auteurs, comme Tolman Russel, Alverdes, et jusqu'à un certain point également Whitman et Craig, en viennent à contester la possibilité d'établir une délimitation précise entre l'acte instinctif et les autres comportements, et à considérer l'acte instinctif, de même que toute fraction d'acte formant le maillon d'une chaîne plus importante d'actes instinctifs, comme un comportement « finalisé ». Cette conception trouve son expression la plus claire dans la formule d'Alverdes, A = F (K,V) qui signifie que tout acte animal est égal à la fonction d'un facteur constant et d'un facteur variable.

La théorie de l'instinct de McDougall se rattache à celle de l'école de Spencer et de Lloyd Morgan dans la mesure où elle considère également l'acte instinctif comme un comportement finalisé *(purposive behaviour)*. Elle suppose en outre l'existence d'un nombre limité d'instincts supérieurs, (ils seraient au nombre de 13), qui utiliseraient en quelque sorte les instincts subordonnés comme moyens en vue d'une fin. C'est dans ce rapport Moyen — Fin que les partisans de cette théorie voient la preuve de la finalité de l'acte instinctif. Ces conceptions ont rapidement fait école en Amérique. Les concepts de « *first order drives* » et de « *second order drives* » qui ont, du jour où le terme d' « instinct » est devenu démodé, remplacé dans ce pays les désignations d'origine de McDougall, se retrouvent chez de nombreux auteurs récents de langue anglaise.

A la théorie de Spencer et de Lloyd Morgan et à toutes les conceptions fondées sur elle, s'oppose la conception de l'acte instinctif comme *réflexe en chaîne (Kettenreflex)*; son principal représentant se trouve être H.C. Ziegler, qui donne de l'acte instinctif une définition histologique fondée sur la théorie dite « des circuits ». La théorie de l'acte instinctif comme réflexe en chaîne s'est largement répandue dans les milieux des zoologistes.

Je ne citerai que brièvement dans cette introduction la théorie behaviouriste de l'instinct, dont Watson est, à mon avis, le principal représentant. Il faut totalement méconnaître le comportement animal, — ce qui est malheureusement le cas de bon nombre de chercheurs américains en laboratoire, pour tenter d'expliquer pratiquement tous les comportements animaux comme des assemblages de réflexes conditionnés. L'existence de coordinations de mouvements innés et hautement spécialisés est globalement niée par les behaviouristes. Comme cette négation n'est due qu'à l'insuffisance de leurs connaissances, il me paraît a priori inutile de chercher à la réfuter.

1. La théorie de Spencer et Lloyd Morgan

Je limiterai en substance ma critique à deux principes de cette théorie : premièrement, au principe selon lequel l'acte instinctif serait susceptible d'être influencé par l'expérience individuelle; deuxièmement, au principe selon lequel il y aurait une transition imperceptible entre les actes instinctifs les plus différenciés et l'acte appris et rationnel.

La première objection (et sans doute la plus importante en fonction de mes principes de recherches) que je ferai à l'hypothèse d'une influence adaptative de l'expérience sur les actes instinctifs, est que le matériau d'observation sur lequel est fondée cette théorie, ne résiste pas à l'examen. Morgan cite l'apprentissage du vol chez les jeunes oiseaux, comme cas type de modification adaptative d'un acte instinctif par « expérience personnelle ». Ce faisant, il néglige la possibilité d'expliquer la modification et l'amélioration des coordinations de mouvements par un *processus de maturation (Reifungsvorgang).* Or, l'acte instinctif d'un jeune animal, tout comme un organe, peut être tout aussi bien amené à entrer en fonction *avant* son achèvement définitif qu'*après.* Le développement d'un organe et celui de la coordination des mouvements instinctifs déterminant son utilisation, ne sont pas forcément simultanés. Quand le développement de l'acte précède celui de l'organe, le phénomène est facile à observer. C'est ainsi par exemple que les poussins de tous les Anatidés ont des ailerons de très petite taille et parfaitement inutilisables. Cependant il est possible de déclencher chez eux, dès les premiers jours de leur vie, une réaction de combat au cours de laquelle ils montrent exactement la même coordination de mouvements que les animaux adultes de leur espèce : ils frappent de leurs ailerons déployés l'ennemi qu'ils ont saisi avec leur bec et qu'ils tiennent à une certaine distance de frappe. Mais la coordination innée de ces mouvements est adaptée *a priori* à la taille de l'oiseau adulte et, pour cette raison, le jeune oiseau tient son adversaire si loin de lui qu'il ne peut l'atteindre de ses ailes minuscules!

Quand, en revanche, le développement de l'organe est terminé *avant* celui de l'acte instinctif correspondant, les rapports ne sont pas aussi évidents. Chez de nombreux oiseaux les ailes des petits sont mécaniquement aptes à fonctionner bien avant que les coordinations de mouvements du vol n'aient accédé à la maturité. Quand ces coordinations approchent de la maturité et sont sur le point de rattraper le développement de l'organe qui les a précédés, le processus ressemble tout à fait, extérieurement, à un processus d'apprentissage. Mis à part le fait que le résultat final est toujours d'une rigidité absolue, aucun signe extérieur ne nous indique que nous avons affaire là à un processus de maturation progressant sur une voie strictement prévisible. C'est pour cette raison qu'il est utile de procéder à des expériences. L'Américain Carmichaël a conservé sous narcose, pendant un certain temps, des embryons d'Amphibiens, ce qui ne ralentissait pas leur développement physique, mais avait pour effet de les immobiliser totalement. Lorsqu'il les « réveilla » à un stade ultérieur de leur développement, il apparut que leurs mouvements natatoires ne se distinguaient en rien de ceux d'animaux de contrôle normaux ayant exercé ces mouvements pendant plusieurs jours. Mon élève Grohmann a tenté des expériences analogues avec des pigeons domestiques qu'il élevait dans des caisses très étroites en forme de tuyau et dans lesquelles ces oiseaux ne pouvaient jamais déployer leurs ailes. Il avait par ailleurs tracé une courbe prenant en considération de jeunes pigeons ayant grandi normalement, en procédant de la manière suivante : ayant repéré divers endroits situés à des distances variables du pigeonnier et où les jeunes pigeons se posaient lors de leur premier envol, il porta en ordonnée la distance parcourue et en abcisse l'âge des pigeons. Il en résulta une courbe parfaitement constante pour les petits pigeons ayant grandi normalement. Quant aux animaux emprisonnés, malgré l'atrophie musculaire dont ils avaient inévitablement souffert, la pente de leur courbe fut plus forte que celle des animaux de contrôle. C'est dans un temps très court, souvent même en quelques heures, que les oiseaux rendus à la liberté traçaient une courbe semblable à celle de leurs frères élevés normalement. Il y eut même un cas extrême où un animal d'expérience, délivré de sa caisse vingt-sept jours après la date normale, s'envola des mains de l'expérimentateur et atteignit à son premier vol l'endroit le plus éloigné enregistré jusqu'alors, déterminant ainsi sur le graphique, non plus une courbe, mais une ligne verticale.

Il semble que ces expériences de Carmichaël et de Goldmann permettent d'exclure avec certitude l'hypothèse d'un apprentissage quant au processus de développement qui nous intéresse. Si, en revanche, il nous fallait prouver l'existence d'un processus d'apprentissage, excluant l'hypothèse d'une maturation, il n'y aurait qu'un seul critère valable : le développement progressif des coordinations devrait se produire de façon variable selon les expériences variées auxquelles est soumis l'animal. Or, on n'a jamais observé rien de tel dans le domaine animal, et moins encore en ce qui concerne l'apprentissage du vol par les jeunes oiseaux. Jamais le vol d'un jeune oiseau grandissant en captivité ne s'est développé autrement que celui d'un oiseau vivant en liberté : on n'a jamais observé que certaines coordinations de mouvements se soient développées en s'adaptant aux conditions spatiales proposées. On pourrait parler d'une telle adaptation si un jeune faucon pèlerin par exemple, développait mieux qu'à l'air libre, dans un espace limité, les coordinations de mouvement du vol « sur place ». Or il n'en est rien.

Il y a un autre exemple souvent invoqué à l'appui de l'hypothèse d'une modification adaptative de l'acte instinctif par une quelconque expérience personnelle. Son inexactitude a déjà été démontrée par Altum, mais elle survit néanmoins dans la littérature spécialisée. Il s'agit de la thèse selon laquelle des oiseaux plus âgés et expérimentés construiraient mieux leur nid que les jeunes oiseaux. Elle repose sur une observation mal interprétée d'oiseaux captifs. Il se trouve qu'avec le temps, et particulièrement après la pariade, les oiseaux captifs manifestent souvent une amélioration notable de leur état général. Or, dès que, physiquement parlant, ils se trouvent un tant soit peu en deçà de leur état normal, des « *lacunes* » se produisent fréquemment chez eux dans le domaine des actes instinctifs subtils, donc précisément dans celui de la construction du nid. Ces « lacunes » disparaissent et font place à un comportement normal dès que s'améliore leur état physique. C'est sur ce phénomène, et non sur une quelconque expérience personnelle, que repose le fait que chez les oiseaux captifs, la première couvée rate très souvent mais que les suivantes réussissent parfaitement. La preuve de l'exactitude de cette affirmation m'a été fournie par trois couples de bouvreuils pivoine que je possédais lorsque je n'étais encore qu'un jeune étudiant. La première année, deux de ces couples vécurent dans une grande volière, le troisième, chez un de mes amis, dans une cage. Les deux premiers couples construisirent des nids très médiocres qui l'un et l'autre, se brisèrent en tombant avant l'éclosion des petits, tandis que le couple en cage ne construisit absolument rien, bien que s'étant accouplé à maintes reprises. L'année suivante, les trois couples cohabitèrent dans la volière et tous trois construisirent des nids tout à fait semblables, sans malfaçon, et spécifiques. J'aurais été incapable de dire quels étaient les oiseaux qui construisaient pour la première fois. Je suis, quant à moi, convaincu que tous les cas où l'on a pu affirmer que les oiseaux plus âgés construisaient mieux que les jeunes, reposent sur le même phénomène.

Les auteurs citent toujours ces deux exemples qui tendraient à prouver le caractère influençable de l'acte instinctif par l'expérience, ainsi que quelques autres tout aussi faciles à réfuter, dans des termes qui laissent croire qu'ils pourraient citer d'innombrables faits à l'appui de la même thèse. Or, quand à force de rencontrer toujours les mêmes exemples, on devient méfiant, et quand on est incapable d'en trouver de nouveaux dans sa propre expérience, on prend conscience de la fragilité de l'hypothèse qu'ils tendraient à accréditer.

Il faut assez bien connaître la variabilité de l'acte instinctif et les lois régissant cette variabilité pour éviter d'imputer à l'expérience et à l'apprentissage des phénomènes qui, en réalité, sont provoqués par des facteurs tout à fait différents. Il me faut donc traiter brièvement ici de ces phénomènes.

En premier lieu, bien des actes instinctifs, et particulièrement les plus simples d'entre eux, comme la coordination des mouvements de la marche, sont susceptibles de « régulations ». Mais plasticité régulative ne doit pas être assimilée à apprentissage et expérience. Elle est le fait également de nombreux organes, et, singulièrement, des *moins différenciés*. Les expériences de Bethe sur l'aptitude à la régulation des mouvements de la marche chez les animaux les plus variés, ont montré que les régulations dans tous les cas où elles subsistent se manifestent dans leur perfection *immédiatement* après l'intervention mutilante, et ne sont donc pas influencées par l'expérience. Bethe emploie à plusieurs reprises l'expression de « plasticité » pour désigner l'aptitude de régulation qu'il constatait. Il n'y aurait rien à objecter à cette expression; seulement Morgan, Alverdes et d'autres y ont vu la possibilité d'une modification adaptative de l'acte instinctif par l'expérience, et c'est précisément l'existence de cette possibilité que les expériences de Bethe n'ont pas démontrée. Au contraire, le résultat d'une de ses expériences va même *à l'encontre* d'une telle supposition : un chien dont les deux nerfs sciatiques avaient été cousus en croix l'un à l'autre, réussit, dès le rétablissement de leur fonctionnement, à coordonner parfaitement et tout à fait normalement les mouvements de la marche. En revanche, en ce qui concerne sa sensibilité, il n'y eut aucune régulation, l'animal réagissant constamment à des excitations douloureuses émises sur une patte de derrière, avec l'autre patte. L'apparition d'une régulation dans le domaine moteur, liée à son absence dans le domaine sensible, est la preuve la plus claire du fait que l'expérience ne joue aucun rôle dans la formation d'une régulation motrice.

Il y a un deuxième phénomène, assimilé souvent à tort à une influence régulative de l'expérience et qui est le suivant : ce qui a été vécu antérieurement à l'acte instinctif, donc « l'expérience » au sens large, peut déterminer *l'intensité* avec laquelle telle réaction répondra à telle excitation d'une force donnée, et même indiquer quelle réaction est déclenchée généralement par une excitation déterminée.

Considérons d'abord les différences d'intensité dans le déroulement d'actes instinctifs. On doit se garder de croire que ces actes ne se manifestent qu'absolument ou pas du tout. Pratiquement tous les actes instinctifs d'une espèce animale sont perceptibles dans le comportement d'un individu de cette espèce, ne serait-ce éventuellement que sous la forme d'une réaction d'intensité très faible, donnant une *indication faible* sur les chaînes d'actes auxquels elle correspond; ces indications disent à l'observateur averti dans quelle direction, si l'intensité de la réaction était suffisante, s'effectueraient les actes de l'animal. Comme ils nous dévoilent pour ainsi dire les « intentions » de l'animal, ces commencements d'actes sont souvent désignés par « mouvements d'intention ». Si nous faisons abstraction du fait que, chez certaines formes sociales d'animaux, ces mouvements d'intention ont acquis une signification secondaire, comme « moyen de compréhension » destiné à transmettre un état d'esprit d'un animal à l'autre, il nous faut bien reconnaître qu'ils n'ont aucune valeur conservatrice de l'espèce. Entre les mouvements d'intention à peine ébauchés, uniquement perceptibles par celui qui connaît bien le comportement en question, et les processus achevés, destinés à remplir la fonction conservatrice de l'espèce de la réaction, il y a *toutes les sortes de transitions imaginables.* Un Héron bihoreau, posé au début du printemps sur des branchages, indique au spécialiste que ses réactions de reproduction sont en train de s'éveiller, uniquement parce qu'il passe sans transition du repos le plus absolu à une excitation apparente, qu'il se penche, saisit une brindille dans son bec et exécute, même une seule fois, la coordination des mouvements de la construction du nid, pour retomber, un instant plus tard, « apaisé », dans le repos précédent. Si nous observons plus attentivement encore, il est possible que, l'année suivante, nous reconnaissions les premiers actes de la construction du nid plus tôt encore, que nous apprenions à interpréter dans ce sens le simple fait, pour l'oiseau, de fixer une branche en se penchant d'une certaine façon dans une position souvent prise ultérieurement dans le nid. A partir de ces actes préliminaires, à peine ébauchés, se développe imperceptiblement, au cours des jours et des semaines suivantes, le processus des actes de construction menant à la réalisation d'un nid.

L'existence de tels degrés d'intensité permet de répondre à la question : l'animal a-t-il conscience ou non de la finalité de son acte? Le fait qu'il puisse tout aussi bien se satisfaire d'une suite d'actes inachevés et sans aucun rôle biologique que du déroulement complet d'actes atteignant leur but, nous donne à penser que ce but n'est pas le facteur directement déterminant des actes de l'animal et ne peut pas être assimilé à une finalité offerte à l'animal en tant que sujet. Cela est particulièrement net quand l'animal, réagissant avec une intensité assez forte mais cependant encore insuffisante pour atteindre l'accomplissement de l'acte, interrompt celui-ci *juste avant* d'atteindre le but biologique. Dans les conditions de la captivité, de tels actes instinctifs inachevés et absurdes sont beaucoup plus fréquents, chez certains animaux, que les actes instinctifs achevés, phénomène qui est lié, comme je l'ai déjà dit, à une insuffisance de la condition physique générale. Ce sont ces imperfections et ces absurdités qui attirent le plus souvent notre attention sur le caractère instinctif d'un acte. Il est difficile de mieux convaincre le non-spécialiste de l'absence de toute représentation d'une finalité chez un animal accomplissant un acte instinctif, qu'en lui montrant les actes demeurant inachevés. L'observation du bihoreau cité plus haut indique très clairement que l'oiseau n'éprouve aucun besoin, même obscur, de l'accomplissement biologique de son acte, donc de la réalisation d'un nid, mais éprouve le besoin *que se déroule la réaction correspondante* et que ce besoin est satisfait même si la réaction a été d'une intensité minime, sous forme d'un seul déplacement d'une branche par exemple.

On comprend mal qu'en présence de ces faits, de nombreux auteurs persistent à comparer, et même à confondre, la finalité de l'acte effectué par l'animal et le sens biologique du comportement instinctif inné c'est-à-dire son sens conservateur de l'espèce. Je comprends encore moins qu'un auteur comme Russel puisse écrire dans un ouvrage sur l'acte instinctif, paru en 1934 : « Il (l'acte instinctif) est poursuivi ou bien jusqu'à ce que le but soit atteint, ou bien jusqu'à ce que l'animal soit épuisé. » C'est en réalité le contraire qui est vrai, ce qui a d'ailleurs été mis depuis longtemps en évidence par les Anglais et estimé à sa juste valeur : Eliot

Howard a fait de l'acte instinctif qui demeure inachevé par manque d'intensité, l'objet d'une étude fondamentale et a étayé ses affirmations d'un grand nombre d'exemples rassemblés dans l'observation de la nature.

Toutes les différences d'intensité dans le déroulement d'actes instinctifs sont très importantes pour l'étude de l'influence de l'expérience car, comme nous l'avons déjà dit, l'intensité avec laquelle se déroule un acte est fonction de ce qui l'a précédé. Par l'action répétée d'une situation excitatrice demeurant identique à elle-même, l'intensité avec laquelle se déroulera un acte instinctif peut aussi bien être abaissée par la fatigue ou l'accoutumance qu'élevée dans d'autres cas par l'addition des excitations.

Les réactions instinctives modifiées par la fatigue ou l'accoutumance à l'excitation nous fournissent des courbes régulières et sans failles. A l'addition cumulative des excitations, l'animal réagit plutôt d'une manière analogue à celle qui est enregistrée lorsqu'il y a accroissement de l'excitation; on peut alors observer une augmentation brutale de l'intensité de la réaction. Ce sont ces courbes régulières et sans failles produites par l'accoutumance à l'excitation qui fournissent la preuve de la cohésion des différents degrés d'intensité d'une réaction. Les manifestations d'une réaction correspondant à deux degrés d'intensité très éloignés l'un de l'autre, peuvent donc paraître très différentes. L'existence de toutes les transitions ainsi que l'impossibilité de les délimiter les unes des autres, nous contraignent à en traiter globalement.

Un exemple bien connu de diminution de l'intensité d'une réaction par accoutumance à l'excitation nous est fourni par les réactions de fuite d'animaux sauvages en train de s'apprivoiser. Les excitations provoquées par l'approche de l'homme en deçà d'une certaine distance de l'animal provoquent des réactions d'intensité décroissante jusqu'à ce que les violents mouvements de fuite originels cèdent la place à un léger tressaillement ou même à une absence totale de réaction.

Le fait qu'une excitation proposée à plusieurs reprises demeure objectivement identique ne signifie aucunement que les différents comportements de réponse soient de simples manifestations d'intensité différente d'un seul et même acte instinctif. L'animal, pendant qu'il s'accoutume à l'excitation, se comporte exactement comme si c'était l'intensité de l'excitation qui allait en décroissant. C'est ainsi que la même excitation peut déclencher des réactions *différentes* liées de fait à des excitations de force différente. Il peut arriver qu'après le recul progressif de l'intensité d'une réaction, surgisse brutalement une autre réaction. Un couple de cygnes sauvages, par exemple, s'envole vers son nid à l'approche d'un humain. Mais les cygnes s'apprivoisent progressivement, et l'intensité de cette réaction de fuite diminue jusqu'à faire place finalement à la réaction de défense du nid à laquelle elle barrait le chemin jusqu'alors. Nous assistons alors à la transformation brutale d'un acte de fuite peu intensif en une réaction de combat très intensive. Les animaux ne se comportent pas seulement comme si l'intensité de l'excitation reçue s'affaiblissait, mais littéralement comme si l'être humain provoquant l'excitation diminuait de taille : à une situation demeurant objectivement identique, ils manifestent d'abord la réaction qu'ils auraient eue en liberté en présence d'un humain ou d'un loup, puis celle que ces animaux sauvages auraient eue en présence d'une belette, d'une corneille ou tout au plus d'un renard.

Dans tous les cas que nous venons de voir, la manière de se dérouler d'un acte instinctif est effectivement influencée par l'expérience individuelle. Celle-ci détermine dans une certaine mesure l'intensité avec laquelle l'acte se déroulera, ainsi que la nature de cette réaction face à une excitation donnée. On peut même dire que, dans certains cas, cette influence revêt un caractère adaptatif. Mais j'insiste encore une fois sur le fait que ce qui constitue le fondement de la théorie de Spencer et Morgan, à savoir la modification adaptative d'un acte par son apprentissage, n'a jamais été démontré. L'apprentissage ne provoque jamais un comportement *nouveau,* qui ne soit héréditairement établi et déterminé d'avance dans une combinaison précise de mouvements. L'intensité décroissante avec laquelle se manifeste la réaction de fuite d'un animal qui s'apprivoise, n'engendre pas une seule combinaison de mouvements qui ne corresponde à un degré déterminé de la réaction et qui ne puisse être déclenchée *à tout moment,* donc sans être précédée de la moindre expérience, par une excitation déterminée, plus ou moins forte. Les réactions correspondant à des excitations d'intensité déterminée restent semblables à elles-mêmes avec une fidélité proprement photographique, indépendamment du moment historique de leur déclenchement.

Cet argument vaut également pour le cas où deux actes instinctifs différents sont déclenchés par une excitation demeurant objectivement la même. Là encore, aucune combinaison de mouvements ne se manifeste, qui ne soit *à tout moment* susceptible d'être déclenchée d'une manière parfaitement semblable par une excitation choisie pour lui correspondre, comme nous l'avons montré avec l'exemple du couple de cygnes.

Une autre objection à la théorie de Spencer et Lloyd Morgan découle de la conception trop vague que ces auteurs ont du concept d'instinct. Ils négligent un phénomène bien précis qui nous permet de cerner plus étroitement la notion d'actes instinctifs et dont nous devons la connaissance à une observation méticuleuse d'actes en train de se former chez de jeunes animaux, les oiseaux en particulier.

Un très grand nombre de comportements d'animaux supérieurs se caractérisent par le fait que dans une chaîne homogène d'actes fonctionnels, c'est-à-dire orientés vers une finalité unique, conservatrice de l'espèce, *se succèdent sans transition des maillons instinctifs innés et des maillons acquis individuellement.* J'ai déjà désigné ce phénomène par « alternance instinct-dressage » et insisté sur le fait qu'il existe des alternances analogues entre actes instinctifs et comportements intelligents. Comme il ne s'agit ici que de l'influence de l'expérience, ce sont les alternances instinct-dressage qui nous intéressent. La nature d'une telle alternance réside dans le fait que dans le déroulement d'une chaîne d'actes par ailleurs innés et instinctifs, est inséré un acte de dressage qui doit être acquis par chaque individu au cours de son développement ontogénétique. A cet effet, la chaîne d'actes innée, possède une lacune (eine Lücke) constituant, à la place d'un acte instinctif, une « faculté d'acquérir ». Cette faculté peut être d'une nature très spécifique et avoir trait à une modification très précise de l'espace vital; elle peut se manifester comme une faculté d'adaptation à une variabilité de ce dernier. Je songe à la faculté de dressage d'abeilles, dressage qui, comme von Frisch a pu le montrer, peut être assimilé à une adaptation à la floraison de diverses plantes.

Les lacunes réservées dans la chaîne d'actes innés à ce qui doit être acquis sont naturellement remplies, dans les conditions de la liberté, d'une manière propre à assurer la continuité indispensable au point de vue biologique. En revanche, dans les conditions de la captivité, on peut souvent observer, même sans intention de la part de l'expérimentateur, des troubles ou des absences de l'élément acquis. Ce sont précisément ces troubles et ces absences qui ont pu nous faire prendre conscience de l'existence de deux composantes à l'intérieur d'un comportement fonctionnellement homogène.

Un très bon exemple d'alternance instinct-dressage nous est fourni par les réactions d'apport et d'utilisation du matériau du nid chez les corvidés. Chez les grands corbeaux, de même que chez les choucas, la première partie de la série complexe d'actes nécessaires à la construction d'un nid se présente ainsi : les oiseaux commencent par porter dans leur bec tous les objets imaginables et par les traîner avec eux en volant sur de très grandes distances. Ce transport d'objets variés est d'abord chez les corvidés une réaction totalement autonome et indépendante des actes de construction ultérieurs. Aussi longtemps que l'oiseau demeure soumis à cette seule réaction, il ne manifeste aucune préférence pour le matériau propre à la construction d'un nid. Mes corbeaux et mes choucas commençaient toujours par transporter des débris de tuile dont ils disposaient largement sur le toit de notre maison. Et pourtant ils avaient à leur disposition au même endroit des brindilles (qui auraient été propres à leur construction). Ils ne marquaient leur préférence pour ces dernières que lorsque survenait un autre acte instinctif de la construction du nid : le mouvement spécifique de poussée latérale par secousses avec lequel la plupart des oiseaux cherchent à relier le rameau au nid. Simultanément avait lieu le dressage pour le choix de l'emplacement que, pour plus de clarté, nous ne considérerons pas ici. Seul le matériau pour lequel le mouvement de construction a été élaboré dans la phylogénèse, tel que branches, brindilles ou autres éléments semblables, se prête à la coordination de mouvements de poussée latérale. La réaction se poursuit jusqu'à ce que, ou bien l'action s'éteigne, ce qui est presque la règle au commencement de la construction du nid, ou bien l'objet à insérer dans la construction s'accroche quelque part et oppose une certaine résistance au mouvement de poussée par secousses : cet aboutissement de la réaction apporte visiblement un soulagement à l'animal, et comme il ne se manifeste qu'après l'apport d'un matériau utilisable et conforme, les oiseaux apprennent avec une rapidité surprenante à préférer celui qui est biologiquement « adéquat ».

L'observation d'un tel comportement donnerait inévitablement à une personne ayant déjà assisté à un dressage volontaire par l'homme, le sentiment qu'il s'agit là d'un processus parfaitement analogue. Or l'expérience prouve que dans le cas d'un dressage volontaire par l'homme, certaines excitations, désignées par « excitations récompense » ou « excitations châtiment » (*Lohn oder Strafreize*) même par les auteurs qui cherchent à éviter les expressions subjectives, ont un effet sur l'animal. Nous sommes donc amenés à nous demander, lorsque nous considérons la fraction d'une alternance revenant au dressage, quels sont les facteurs pouvant avoir cet effet de récompense ou de châtiment sur l'animal.

Wallace Craig, le premier, dans son ouvrage « *Appetites and aversions as constituents of instincts* » a insisté sur le fait que l'animal provoque, ou du moins « essaye » de provoquer le déroulement de ses actes instinctifs par un comportement que nous désignons par « comportement finalisé » (*Zweckgerichtetes Verhalten*). Par ce terme, nous entendons, avec Tolman, tous les comportements qui *sont susceptibles d'une modification adaptative tout en conservant une finalité identique.* Cette définition objective de la finalité est extrêmement importante pour nous car elle nous permet de distinguer entre acte de dressage et acte intelligent, et ce, bien qu'elle constitue un concept supérieur englobant tous les comportements non-instinctifs. Il faut avouer que ni Craig, ni Tolman ne se soucient d'une telle distinction. Bien plutôt, ils considèrent, comme le souligne le titre de l'ouvrage de Craig tout comportement comme finalisé dès l'instant où l'animal cherche à parvenir à l'excitation nécessaire pour que soit déclenché l'acte instinctif, alors que nous le distinguons de ce dernier comme quelque chose de fondamentalement différent de lui.

Mise à part cette différence de conception, il faut souligner que le fait même de l'alternance instinct-dressage parle remarquablement en faveur de l'exactitude des affirmations de Craig. On peut difficilement imaginer preuve plus claire de l'aspiration au déroulement de l'acte instinctif que celle consistant à montrer que l' « appétit » pour un acte instinctif est susceptible de dresser l'animal à un comportement déterminé, aussi bien que l' « appétit » pour un morceau de viande permet de dresser un lion de cirque à un comportement donné! La formule selon laquelle un animal « aurait de l'appétit » pour un acte instinctif ou, éventuellement, pour une situation excitatrice amenant cet acte à se déclencher, est extraordinairement frappante dans certains cas; néanmoins, étant donné que le mot « appétit » a, en allemand, une signification plus étroite que l'expression de Craig « Appetite behaviour », je serais tenté de traduire cette dernière par « comportement d'appétence » (*Appetenz verhalten*) et d'utiliser par la suite ce mot comme synonyme de « comportement finalisé ».

J'estime que la nécessité d'isoler le comportement d'appétence de l'acte instinctif, comme quelque chose de fondamentalement spécifique, découle de la réalité même de l'alternance. Nous avons la possibilité, et donc le devoir, de diviser des comportements homogènes au point de vue fonctionnel d'une part en une fraction finalisée et modifiable par l'expérience, d'autre part en une fraction qui ne l'est pas, acquise uniformément par tous les individus d'une même espèce, au même titre que les organes corporels.

Il nous est impossible de distinguer d'un processus de dressage le comportement par lequel une jeune pie grièche acquiert la connaissance de l'épine. Le fait de constater que ce processus se *trouve inséré à la même place* dans un comportement déterminé que nous considérions jusqu'alors comme « un » « acte instinctif », sans que le reste du comportement en soit influencé, ne nous autorise absolument pas à étendre le concept d'acte instinctif au point d'englober cet acte de dressage reconnu comme tel. Ce comportement de dressage n'est d'ailleurs pas le seul type de comportement finalisé se présentant en alternance avec des actes instinctifs.

En 1898, Charles Otis Whitman disait déjà : « Habitude et instinct se combinent et s'influencent de toutes les manières possibles et si ces combinaisons et influences peuvent être d'une grande portée théorique elles ne doivent en aucun cas être prises comme fondement de théories. Toute théorie de l'instinct doit évidemment considérer en premier lieu l'*acte instinctif pur* ». A mon avis, tous les auteurs qui affirment que l'animal a une conscience intelligente de la finalité de son acte instinctif, et que l'expérience a une influence adaptative sur lui, pèchent par le fait qu'ils ont pris comme fondement de leurs théories des « combinaisons » qu'ils n'ont pas analysées. C'est ainsi que sont attribuées à l'acte instinctif toutes les propriétés des comportements en alternance avec lui, qu'ils soient acquis ou intelligents et qui non seulement sont d'une nature différente, mais lui sont encore opposés.

Il nous faut toujours tenter de pousser l'analyse le plus loin possible et, à mon avis, la réalité des alternances est une hypothèse possible de travail. Je crois pouvoir avancer comme telle l'idée selon laquelle tous les comportements hautement complexes des animaux supérieurs et de l'homme, effectivement fondés sur « une base instinctive », mais englobant cependant une part de compréhension influençable par l'expérience, doivent être interprétés comme des alternances. Même si ces séries complexes d'actes défient, et défieront peut-être toujours le petit nombre de méthodes de recherches dont nous disposons, ce n'est pas une raison pour ne pas maintenir strictement la séparation conceptuelle des deux composantes. Ce n'est qu'en maintenant cette séparation que l'on peut faire progresser l'analyse. Refuser la séparation conceptuelle des deux composantes sous prétexte qu'il y a des comportements animaux et humains difficiles à décomposer reviendrait à peu près à vouloir abandonner le concept de cotylédon sous prétexte qu'il y a chez les plantes des organes fonctionnant d'une manière homogène et chez lesquels il n'est plus possible, à un certain point de l'étude, de déterminer quelles sont les cellules provenant d'un cotylédon déterminé. On a fait à ma théorie de la séparation le reproche d'être « atomistique » et incompatible avec la conception moderne d'unité biologique. Cette assertion est aussi peu fondée que le serait l'affirmation selon laquelle il serait nuisible à la conception d'unité de distinguer dans la peau entre le derme et l'épiderme. Pas plus qu'il n'est possible de refuser le concept de cotylédon sous prétexte qu'un cotylédon ne participe pas seul à l'unité fonctionnelle d'un organe, il n'est pensable de nier que dans une série d'actes fonctionnellement homogènes ils participent le plus souvent de l'instinct, du dressage *et* de l'intelligence sous forme d'une alternance. Pour que progresse l'analyse ultérieure des actes animaux et humains, seuls nous intéressent les comportements nous permettant de dégager, comme nous y invite Whitman, une des trois composantes à l'état pur. Ceux qui étudient l'instinct doivent donc tout d'abord considérer les actes instinctifs purs ainsi que les alternances les plus simples et les plus faciles à observer.

L'exclusion des comportements finalisés contenus dans les alternances nous contraint à concevoir le concept d'instinct d'une manière beaucoup plus étroite. De très nombreux comportements, jouant un rôle dans les séries d'actes animaux et se manifestant en alternance avec des actes instinctifs, sont en réalité « ces mouvements donnant une direction », qui orientent l'animal vers un but déterminé dans l'espace ou l'en détournent. Le mouvement qui oriente l'animal dans l'espace ne peut pas, par principe, être un acte instinctif inné, puisque sa coordination ne pourrait évidemment pas être déterminée dans la manifestation unique d'un cas particulier. Ce mouvement est donc la manifestation la plus primitive et la moins évoluée de tous les comportements non-instinctifs. Il représente la racine phylogénétique de tout comportement d'appétence. Nous désignons habituellement et dans les cas très simples ces mouvements qui orientent l'animal par le terme de « taxies »; il nous faut cependant prendre nettement conscience de ce que ce comportement ne se distingue pas aisément du comportement intelligent. Quand une grenouille réagit, à la vue d'une mouche, par un mouvement qui l'oriente, c'est-à-dire en dirigeant d'abord ses yeux, puis son corps, symétriquement à la mouche, par des petits mouvements des pattes, il nous est tout à fait possible de décrire ce comportement de ses yeux et de son corps en employant les termes en vigueur pour décrire les taxies. Mais il ne nous est pas possible de distinguer ce comportement d'un comportement régi par la forme la plus simple de l'intelligence. En observant la série ininterrompue de comportements correspondants allant, en suivant une progression linéaire, des protozoaires jusqu'à l'homme, il nous faut bien constater que nous ne pouvons pas faire la distinction entre taxies et comportements régis par l'intelligence la plus simple, celle-ci se limitant chez notre grenouille à la prise de conscience formulée en termes humains : « la mouche est là ».

Les taxies, au sens le plus étroit, doivent être considérées par principe comme des comportements finalisés, du seul fait qu'ils dénotent la variabilité postulée par Tolman tout en conservant une finalité immuable. Cette finalité donnée à l'animal comme sujet, c'est la recherche d'une situation excitatrice nécessaire au déclenchement de l'acte instinctif, situation qui est déjà atteinte chez la grenouille en question, lorsqu'elle prend une position symétrique par rapport à sa proie.

La disponibilité instinctive innée à répondre à une combinaison déterminée d'excitations joue un rôle primordial pour un grand nombre d'alternances. Des combinaisons déterminées d'excitations agissent souvent comme *des clefs* en déclenchant de manière très spécifique des réactions déterminées; ces mêmes réactions peuvent ne pas être déclenchées par des combinaisons d'excitations très semblables. Il existe donc une corrélation qui, un peu comme une serrure complexe, ne répond qu'à des combinaisons déterminées d'excitations et déclenche l'acte instinctif. J'ai désigné ailleurs ces corrélations réceptrices par « schémas déclencheurs innés ».

Les schémas déclencheurs innés ont une importance particulière dans les actes instinctifs ayant pour objet un congénère. Dans ce cas particulier, on peut constater que, pour une espèce animale déterminée, la spécialisation croissante des schémas déclencheurs innés va de pair avec le développement et la spécialisation de certains actes instinctifs et de certains organes dont la signification biologique consiste à provoquer des comportements innés sociaux au sens large. J'ai désigné brièvement par « déclencheurs » ces actes instinctifs ainsi que les couleurs et les structures qui leur servent de support. Des systèmes complexes de déclencheurs et de schémas innés constituent chez de nombreux animaux, et en particulier chez les oiseaux, la base de toute la sociologie et garantissent le comportement homogène et biologiquement significatif devant le partenaire sexuel, le petit, bref, devant tout congénère.

Les schémas déclencheurs innés jouent donc souvent un grand

rôle dans les alternances. Une alternance peut tout aussi bien commencer par la réponse à un schéma inné, et se poursuivre par un comportement finalisé, qu'elle peut également être déclenchée par un élément acquis. La grenouille que je viens de prendre pour exemple répond à un schéma déclencheur instinctif inné et manifeste immédiatement un comportement finalisé sous forme d'un mouvement adapté à la situation. Il se peut en revanche qu'un animal réponde à un facteur déclencheur acquis par un acte instinctif pur et non finalisé. Un canard, par exemple, à la vue d'un fusil pour lequel il ne possède évidemment pas de schéma inné, mais qu'il a appris à craindre, peut réagir avec la coordination de mouvements innée et non finalisée de la plongée sous l'eau. Dans une alternance, le comportement instinctif inné et le comportement finalisé peuvent donc l'un comme l'autre se limiter à l'aspect récepteur ou à l'aspect moteur de la réaction.

Comme nous le voyons, l'analyse de tous les comportements animaux d'appétence nous amène à constater qu'un grand nombre de comportements homogènes au point de vue fonctionnel se décomposent en comportements d'appétence et en actes instinctifs auxquels tendent ces comportements d'appétence. Mais il ne faut pas perdre de vue le fait que ces séries de comportements qui s'enchaînent les uns aux autres, existent en nombre limité dans chaque cas particulier d'une alternance. Il est faux de croire que chaque chaîne d'actes se divise en un nombre illimité de petites finalités infinitésimales et en autant de comportements d'appétence. Tolman émet cette hypothèse, et part du point de vue que la suite des actes, à *chaque* moment, dépend de l'orientation donnée par des excitations supplémentaires qu'il désigne par « *behaviour supports* » ou supports du comportement. Il néglige les faits, devant naturellement être démontrés, selon lesquels à l'intérieur de toute alternance se trouvent des séries d'actes hautement différenciés, dénués de toute variabilité « finalisante », totalement indépendants des « *behaviour supports* » et privés de toute forme d'appétence; bref, il néglige précisément l'existence de ce que nous appelons « acte instinctif ». A son avis, l'élément inné (*das Angeborene*) se limite au jalonnement d'un parcours par des finalités intermédiaires auxquelles l'animal aspire les unes après les autres par un comportement d'appétence. Ce point de vue est tout à fait valable pour certaines alternances caractérisant les mammifères supérieurs chez lesquels la fraction d'actes instinctifs réels est à tel point réduite que ceux-ci n'ont plus, pour prendre une comparaison, qu'une fonction analogue à celle qu'aurait la présentation à un animal d'un mets favori pour l'inciter à exécuter un acte. Comme Tolman ne connaît de son propre fait que des mammifères supérieurs et n'a pu observer en tant qu' « actes instinctifs » que des alternances de ce dernier type, sa définition de l'acte instinctif par « chain appetites » ou « enchaînement d'appétences » (*Kette von Appetenzen*) s'explique mais ne concerne absolument pas ce que nous considérons comme l'essentiel de l'acte instinctif. C'est un élément important de l'acte instinctif qu'il puisse constituer la finalité d'un comportement d'appétence, mais le fait de négliger la possibilité d'une alternance conduit nécessairement à interpréter tous les comportements auxquels se mêle un tant soit peu d'instinct, comme des « actes instinctifs ». C'est ainsi que s'estompe la distinction entre acte instinctif et comportement finalisé et que la voie est durablement barrée à toute progression ultérieure de la recherche analytique, car cette conception nous interdit de prélever et de décrire les propriétés et les caractéristiques significatives de ce que *nous* désignons par « acte instinctif ».

Alverdes assimile également, avec toutes les conséquences que cela comporte, les alternances, aussi complexes soient-elles, à l'acte instinctif. Il dit expressément : « Certains auteurs considèrent l'acte instinctif chez l'homme et chez l'animal comme fondamentalement différents. Il faut leur opposer le fait que, dans toute l'activité de la raison, se mêle une part importante d'instinct et de pulsion; inversement il n'y a pas d'acte instinctif qui se produise purement automatiquement : au contraire, outre une composante fixe et invariable, celui-ci se compose toujours d'une part variable plus ou moins déterminée par la situation ». Il y a un élément valable dans cette affirmation d'Alverdes, c'est qu'à toute activité de la raison participe un élément instinctif. En ce qui concerne en revanche l'intervention dans *tout* acte d'une composante variable et déterminée par la situation, Alverdes est victime, à mon avis, du même fallacieux processus de pensée que Tolman, lorsque ce dernier suppose que tout acte est influencé par des excitations extérieures lui donnant sa finalité.

L'expérience susceptible de démontrer de la manière la plus probante l'indépendance totale de l'acte purement instinctif par rapport aux excitations « supports du comportement » au sens de Tolman, est celle que j'ai l'habitude de désigner par « réaction à vide » (*Leerlaufreaktion*). Si un acte instinctif n'a pas été déclenché pendant un certain temps, le seuil à partir duquel agissent les excitations nécessaires à son déclenchement s'abaisse considérablement. Nous reviendrons sur ce phénomène à propos de la théorie réflexe de l'instinct et de sa critique. Le seuil d'abaissement des excitations déclencheuses peut tomber si bas que la réaction longtemps contenue éclate finalement *sans* excitation apparente. *Il n'y a guère de caractéristique plus frappante de l'acte instinctif que la propriété qu'il a d'exploser dans le vide faute d'excitation déclencheuse* et indépendamment des excitations extérieures de Tolman. Il semble très curieux que celui-ci, à l'appui de son argumentation concernant la finalité de tout comportement animal, ait pu écrire : « Animal behaviour cannot 'go off' in vacuo », ce qui signifie : « le comportement animal ne peut pas se produire dans le vide ». C'est donc lui qui, par son allusion à ces comportements « à vide », nous incite à trouver en eux la preuve de la non-finalité de certains comportements.

Cette réaction à vide nous éclaire parfaitement sur les fractions d'une série d'actes qui sont instinctives et innées et particulièrement quand celles-ci sont longues et hautement spécialisées. C'est ainsi que j'eus autrefois en ma possession un jeune Etourneau sansonnet qui effectua sous forme de réaction à vide tout le déroulement d'une chasse à l'insecte, et ceci avec une foule de détails que j'avais moi-même considérés jusqu'alors comme des mouvements finalisés et non instinctifs. Il se posa sur la tête d'une statue de bronze dans notre salon et inspecta « le ciel » à partir de cet observatoire en vue d'y découvrir quelque insecte. Soudain, bien qu'il n'y eût aucun insecte sur le plafond, tout son comportement dénota qu'il avait aperçu une proie en train de voler. Il exécuta des yeux et de la tête un mouvement latéral comme s'il suivait un insecte du regard; son attitude se figea, il s'envola, happa, revint à son observatoire et exécuta avec son bec tous les mouvements que font de nombreux oiseaux mangeurs d'insectes pour tuer leur proie en la frappant contre le point d'appui sur lequel ils sont posés. Il exécuta ensuite plusieurs mouvements de déglutition, après quoi son plumage devint plus souple, il se secoua à plusieurs reprises comme il avait l'habitude de le faire après s'être réellement rassasié. Tout son comportement imitait d'une manière si parfaite le déroulement des actes destinés à remplir le rôle biologique de la chasse à l'insecte, toute son attitude était si convaincante qu'à plusieurs reprises je grimpai sur une chaise pour examiner s'il n'y avait pas réellement quelque petit insecte que je n'aurais pas vu jusqu'alors. Il n'y en avait pas. C'était surtout le fait de suivre du regard un point mouvant, inexistant en réalité, qui me faisait penser d'une manière contraignante au comportement de certains malades mentaux ayant des hallucinations optiques, et qui m'amenait à me demander à quelles apparitions subjectives était liée, chez l'oiseau, la réaction à vide. Le comportement de cet étourneau prouvait que l'attrait de la mouche était le seul comportement d'appétence ayant joué un rôle dans la suite des actes.

Tout comme Tolman, Craig entend par « acte instinctif » le déroulement complet d'un comportement, y compris la recherche finalisée de la situation excitatrice déclencheuse. Du fait qu'il englobe cette recherche finalisée dans l'acte instinctif comme en étant *une partie composante,* il considère également celui-ci comme un comportement finalisé. Contrairement à d'autres auteurs, Craig affirme cette idée, fondamentale pour nous, selon laquelle ce serait *le déroulement même d'un acte instinctif (consummation of instinctive action) qui serait la finalité d'un comportement finalisé.* Il ouvre ainsi largement la voie à la division de l'acte en deux éléments : le comportement d'appétence et cette coordination de mouvements non-finalisés, exécutée pour elle-même et que nous désignons par acte instinctif. Même si Craig partage en partie le point de vue de Tolman concernant les « *chain appetites* », il se rapproche cependant beaucoup de notre conception des alternances lorsqu'il dit : « Quand l'acte est en grande partie instinctif, il a l'aspect de réflexes en chaîne. La plupart des réactions de cette chaîne, prétendûment innées, ne le sont pas en réalité, ou du moins pas absolument, en ce qui concerne les chaînons se trouvant au commencement ou au milieu de la série : elles doivent être acquises selon le principe du tâtonnement et de l'erreur. *Mais le dernier chaînon, celui qui réalise la finalité de l'acte (consummatory action) est toujours inné* ».

Donnons un exemple : l'acquisition de la nourriture par un faucon pèlerin repose pour l'essentiel sur des coordinations de mouvement innées. Le comportement d'appétence se limite à la recherche progressive, selon le principe du tâtonnement et de l'erreur, d'une situation excitatrice à partir de laquelle pourront se déclencher les actes instinctifs remarquablement spécialisés de l'acquisition de la proie, propres à cet oiseau. Une fois cette situation réalisée, *la finalité* à laquelle aspire l'animal en tant que sujet, *est déjà atteinte*; les coordinations de mouvements qui suivront, abstraction faite de quelques-uns d'entre eux, seront purement instinctives. On peut, de fait, les observer assez souvent sous forme de réaction à vide. Chez l'homme au contraire, tout l'élément moteur de la fonction « acquisition de nourriture », conservatrice de l'espèce, est abandonné au comportement finalisé. Ne sont instinctives, donc « désirables » (*lustvoll*), donc constitutives de la finalité de toute la série des actes, que les réactions de la mastication, de la salivation, de la déglutition, etc. Notons bien que ce sont précisément les situations excitatrices qui déclenchent le mieux une de ces fonctions que nous considérons comme particulièrement « stimulatrices de l'appétit ». Donc, même chez l'homme, du moins dans de très nombreux cas, ce n'est pas le but biologique de l'acte qui en constitue la finalité, mais seulement le déroulement de réactions instinctives.

On a reproché à ma théorie de l'alternance instinct-dressage de mal se distinguer du réflexe conditionné de Pavlov. S'il en est ainsi, pourquoi ai-je choisi un vocabulaire différent? O. Koehler a dit de la nomenclature de Pavlov qu'elle était un « délayage de la notion de réflexe », critique à laquelle je donne mon assentiment. Lorsque je traiterai, plus loin, de la théorie assimilant l'acte instinctif à un réflexe, j'insisterai encore sur les raisons obligeant celui qui étudie l'instinct à concevoir le réflexe avec concision et précision. Certes, le processus du « conditionnement » n'est pas facile à distinguer d'un véritable processus d'apprentissage, même si l'acte auquel il donnera ultérieurement lieu est d'une nature extrêmement simple et certainement réflexe, comme c'est le cas de la salivation des chiens de Pavlov; et pourtant, c'est au fond une hypothèse hardie, et non justifiée, que de supposer que le processus d'acquisition par conditionnement repose sur un mécanisme aussi simpliste. Certes, on est dans certains cas contraint de l'admettre, en constatant par exemple que le réflexe pupillaire de l'homme peut être, chose surprenante, conditionné par un bruit. Mais c'est extrapoler hâtivement que d'admettre que, lors des nombreuses expériences tentées avec des chiens, ne sont pas intervenus des processsus plus évolués, plus complexes, allant plus loin dans le domaine de la conscience. L'expression « réflexe conditionné » nous fait perdre de vue l'importance et la complexité de ces processus. Si nous voulons persister à employer les termes d' « apprentissage » et de « dressage », il nous faut logiquement désigner par « processus d'apprentissage ou de dressage » le phénomène d'acquisition lié au réflexe conditionné, ou bien, comme le font les behaviouristes de langue anglaise, parler de « conditionnement » au lieu d'apprentissage ou de dressage, même quand il s'agit de processus hautement différenciés. Je ne vois pas ce qui pourrait nous empêcher de parler d'une « alternance réflexe-dressage », et, à mon avis, cette distinction servirait autant au concept de réflexe qu'à celui de dressage. Le fait que Pavlov lui-même néglige la dualité des composantes du processus d'acquisition, s'explique probablement par l'intention, si caractéristique de cet auteur, d'éviter tous les termes psychologiques du problème. Mais alors pourquoi n'a-t-il pas vu qu'en omettant cette dualité, il aboutissait à un élargissement du concept de réflexe engendrant sa propre destruction? Voilà qui demeure incompréhensible.

Avant d'abandonner les alternances, je tiens à rappeler un processus curieux d'acquisition consistant à combler les « lacunes » existant dans certains actes instinctifs, par l'insertion d'une aptitude à acquérir. Il s'agit de certains actes instinctifs, ayant trait aux congénères chez l'oiseau. C'est un fait bien connu que l'oiseau élevé à l'écart de ses semblables, fixe ses actes instinctifs sociaux au sens large sur n'importe quel objet de son environnement, le plus souvent sur l'être humain qui s'occupe de lui, ou sur un quelconque être vivant, ou bien, à défaut d'êtres vivants, sur des objets inanimés. Ces oiseaux ne réagissent ultérieurement en aucune manière à leurs véritables congénères.

Le processus de fixation de l'objet des actes instinctifs ayant trait au congénère diverge sur quelques points fondamentaux de ces véritables processus d'apprentissage que nous avons rencontrés lorsque nous avons étudié comment étaient comblées certaines lacunes de l'instinct par des alternances instinct-dressage. Ces particularités m'ont amené à créer pour ce processus un terme particulier; je l'ai désigné dans mon ouvrage antérieur par « sensibilisation » (*Prägung*).

Il manque tout d'abord à ce processus d'acquisition par « sensibilisation » toutes les caractéristiques fondamentales du dressage. L'animal n'agit pas en effet selon le principe du tâtonnement et de l'erreur; il n'est pas non plus attiré vers le comportement adéquat par l'attrait d'une récompense ou la crainte d'un châtiment. La sensibilisation est au contraire réalisée pendant une période très limitée dans le temps, au contact de certaines excitations qui détermineront le comportement ultérieur de l'animal et, fait important, sans que ce comportement ait été exercé au moment de la sensibilisation. Cette dernière circonstance exclut avec certitude l'hypothèse d'un apprentissage, ce qui est particulièrement net quand il s'écoule un laps de temps assez long entre la sensibilisation à un objet et l'exécution de l'acte instinctif. C'est ainsi, d'après les observations que j'ai pu faire jusqu'à présent, que l'objet des actes instinctifs sexuels des choucas, *Coloens mondulus spermologus,* est déjà déterminé pendant la période que le jeune oiseau passe au nid. De jeunes choucas pris en charge par des humains au moment où ils deviennent aptes à voler, détournent sur ces derniers les actes instinctifs orientés normalement vers leurs parents, à l'exception toutefois de leur comportement sexuel. Ce dernier n'est orienté sur l'homme que quand l'animal est pris en charge beaucoup plus tôt. Un canard de Barbarie, *Caïrina moschata,* couvé par un couple d'oies cendrées pendant sept semaines environ et réuni alors à ses quatre frères, se montra lié pour toutes ses réactions sociales à ses frères, donc à des congénères. Quand pourtant, l'année suivante, ses réactions d'accouplement s'éveillèrent, celles-ci furent orientées sur l'espèce de ses parents d'adoption qu'il n'avait pas vus depuis près de dix mois.

Une deuxième caractéristique du processus d'acquisition par sensibilisation réside dans le fait qu'il est lié à un stade très déterminé du développement du jeune animal, comme je l'ai montré pour les choucas et les canards de Barbarie. Nous sommes en mesure d'apporter des précisions assez grandes sur la durée de la période de réceptivité en ce qui concerne la sensibilisation à l'objet de la réaction de poursuite chez certains nidifuges. Chez les jeunes canards col-vert (*Anas plarhynchosa*), faisans dorés (*Phasianus*) et perdrix grises (*perdrix perdrix*), la période de réceptivité ne dure que quelques heures. Elle commence juste après le séchage du poussin.

La troisième particularité de la sensibilisation à l'objet d'actes instinctifs liés au congénère est son irréversibilité. Une fois la période physiologique d'acquisition terminée, l'oiseau se comporte exactement comme s'il avait une connaissance innée de l'objet de ses actes. Celle-ci *ne peut,* autant que nous le sachions, *être oubliée.* Or, comme l'a souligné Bühler, l'oubli est une caractéristique fondamentale de ce qui est appris, car oublier c'est désapprendre. Il n'est naturellement pas possible, étant donné l'état relativement peu avancé de nos connaissances, d'établir d'une manière probante l'irréversibilité du processus de sensibilisation. Nous ne pouvons justifier nos hypothèses qu'à partir du petit nombre d'observations réunies, pour la majeure partie fortuitement, et qui, en tout état de cause, n'ont fourni qu'une orientation à nos recherches.

Le fait d'avoir mis en relief les trois caractéristiques du processus de sensibilisation indique déjà quels sont les parallèles que je vais m'efforcer de dégager : le fait de pouvoir être sensibilisé par un quelconque être vivant, le fait que ce processus soit lié à des phases étroitement limitées de l'ontogénèse et soit irréversible : voilà trois signes qui distinguent la sensibilisation de l'apprentissage et la rapprochent, en un parallèle qui n'est pas sans signification, des processus d'acquisition que nous connaissons dans les mécanismes du développement. On est précisément tenté d'utiliser ici la terminologie de la mécanique du développement et de parler d'une détermination de l'objet de l'acte instinctif par induction.

Quelle que soit la valeur de ces analogies, elles montrent cependant que dans l'ontogénèse de l'acte instinctif, jouent des facteurs tout à fait semblables à ceux jouant un rôle dans le développement ontogénétique d'organes, ou du moins leur ressemblant beaucoup plus qu'à ceux qui ont un rôle dans le développement psychique. Il est donc important de constater que *la formation d'un acte instinctif ressemble à celle d'un organe.*

Il me semble avoir énuméré ainsi tout ce que nous sommes en mesure de dire au sujet de la variabilité des actes instinctifs et des rapports de cette variabilité avec l'expérience et l'intelligence. Je me crois autorisé à affirmer que de toutes les observations faites jusqu'à ce jour, *aucune* n'est venue à l'appui de l'hypothèse selon laquelle l'acte instinctif serait susceptible de subir une modification adaptative du fait de l'expérience et de l'intelligence de l'individu isolé.

Nous en arrivons donc au deuxième point de la théorie de Spencer et Lloyd Morgan, à l'hypothèse selon laquelle, *du point de vue phylogénétique,* l'acte instinctif, en se différenciant, se transformerait graduellement en un comportement conscient et intelligent. Il y a deux questions auxquelles je voudrais tenter d'apporter quelques éclaircissements : que devient l'acte instinctif dans la phylogénèse; quels rapports a-t-il avec les comportements acquis et intelligents?

Lorsque nous tentons de reconstituer le développement phylogénétique d'un acte instinctif, nous sommes renvoyés à une science qui n'est pas la même que lorsque nous étudions la phylogénèse d'un organe. La paléontologie ne nous apporte pas grand chose car elle nous permet tout juste d'entrevoir la répétition ontogénétique de types ancestraux. Certes il y a quelques exceptions à ce principe. C'est ainsi, par exemple, que nous supposons que chez les pipits, les alouettes, les corvidés et certains passereaux qui posent une patte devant l'autre sur le sol, et qui par conséquent marchent ou courent au lieu de sautiller, ces mouvements sont une acquisition secondaire et ne constituent pas un comportement primitif, contrairement au sautillement des deux pattes de la majorité des passereaux. Le fait de marcher, dans la classe des oiseaux, passe couramment pour un comportement primitif, mais le fait que les jeunes pipits, alouettes et corbeaux, tout juste aptes à voler, progressent en sautillant comme les autres passereaux pendant un certain temps avant d'acquérir la coordination de la marche pas à pas, semble confirmer mon hypothèse d'antériorité phylogénétique du sautillement par rapport à la marche.

Dans certains cas, le comportement des hybrides nous renseigne quelque peu sur la phylogénèse d'actes instinctifs. Nous savons que les hybrides ne constituent pas des intermédiaires entre les espèces des parents, tant en ce qui concerne les comportements instinctifs que certains signes physiques, mais marquent un retour en arrière à des degrés antérieurs de l'histoire de la lignée. C'est ainsi que Heinroth a pu établir qu'un couple hybride de Tadorne de Belon et d'oie du Nil avait une cérémonie rituelle de salutations correspondant parfaitement à une cérémonie très répandue chez les anatidés, donc chez un type d'origine beaucoup plus ancienne, bien que chez les deux espèces mentionnées, les signes avant-coureurs de l'accouplement soient totalement différents de ceux des anatidés, beaucoup plus élaborés et même distincts pour chacune des deux espèces.

Mais en fait nous sommes renvoyés, lorsque nous analysons la phylogénèse des actes instinctifs, à l'étude de leur présence dans le système zoologique. Nous nous attaquons là à un domaine dont les dimensions correspondent à peu près à celles de l'anatomie comparée. De nos jours ce domaine est pratiquement inexploré. Il n'y a eu, à ma connaissance, jusqu'à présent que quatre ouvrages traitant de ce sujet : deux de Heinroth, un de Whitman et un de Kramer, qui se sont donné pour but exclusif d'analyser systématiquement l'évolution d'actes instinctifs dans un groupe sélectionné d'espèces. En outre, Verwey, dans son célèbre ouvrage sur les hérons bihoreaux, a étudié l'évolution de certains actes instinctifs dans le groupe des hérons. Aussi dérisoire que soit cette littérature eu égard à l'immensité du domaine inexploré, on s'accorde cependant à reconnaître qu'elle a apporté un élément positif d'une extrême importance pour nous : elle a incontestablement prouvé que tout acte instinctif dont on pouvait retrouver la trace dans un secteur plus ou moins étendu du système zoologique, pouvait être considéré comme un signe taxinomique, au même titre que la forme la plus extérieure de n'importe quel élément du squelette ou d'un quelconque organe. En étudiant ces groupes dont l'appartenance à un système de parenté commun est, dans une certaine mesure, bien connue par ailleurs, il apparaît que, dans de très nombreux cas, un comportement instinctif déterminé se manifeste comme un signe *particulièrement stable* (*besonders konservatives* Merkmal), tout en appartenant, avec les mêmes manifestations, à un nombre de formes *plus étendu* que n'importe quel organe corporel. Dans de très nombreux groupes de ce type, c'est-à-dire disposant d'un même acte instinctif, il n'y a pas un seul organe, pas même une seule combinaison d'organes se trouvant réellement sans exception chez tous les représentants du groupe; en revanche, bien souvent un acte instinctif se retrouve chez toutes les espèces particulières constituant le groupe. J'emprunte à un ouvrage moderne de zoologie le « diagnostic » suivant, déterminant l'appartenance au genre, en lui-même très déterminé, *Columbae :* nidicole carinate, bec court, renflé au niveau des narines, ailes moyennes, pointues, ou fissipèdes. Aucun des signes ci-dessus nommés ne se trouve communément chez toutes les espèces dites « *Columbae* ». La tourterelle couronnée, *Goura,* n'est pas un nidicole; *Didunculus* a un bec courbe; en revanche des ailes courtes, arrondies, du type gallinacé, se retrouvent chez *Goura,* et quantité d'espèces vivant au sol, n'ont absolument pas des pattes courtes. Donc, il n'est aucune espèce à laquelle s'applique un diagnostic valable sans exception. Si, en revanche, nous caractérisons les *Columbae* par le fait que, pendant le temps de la couvée, le mâle demeure posé sur les œufs depuis le début de la matinée jusqu'au soir, et la femelle pendant le reste du temps, il n'y a plus aucune espèce de la forme *Columbae* qui fasse exception à ce comportement. Je ne veux aucunement proposer une systématique qui viserait à n'utiliser que les actes instinctifs comme signes taxinomiques, mais je veux montrer que l'acte instinctif peut, parmi d'autres signes à prendre en considération, servir de signe taxinomique.

Tout ceci est particulièrement valable pour l'ensemble des actes instinctifs hautement spécifiques, dont la fonction consiste à *déclencher des réactions sociales* chez le congénère. Si l'on étudie comparativement ces actes de déclenchement à l'intérieur d'une unité systématique plus importante, il apparaît qu'ils représentent des signes caractéristiques plus constants, plus invariables que d'autres actes instinctifs. Cela tient semble-t-il au fait que, à travers les actes de déclenchement et les actes de réponse correspondants, existe une sorte de « convention » (ein « Ubereinkommen ») valable pour une espèce donnée et qui, en tant que telle, est particulièrement indépendante des facteurs de l'environnement : le fait que le battement de la queue des animaux de race canine soit un signe de paix alors que le même mouvement chez la race féline signifie une menace, est une pure « convention » entre déclencheur et schéma inné de l'espèce animale concernée; la convention pourrait tout aussi bien, en ce qui concerne sa fonction, être inversée. Ce n'est pas sa fonction qui détermine l'acte déclencheur à telle convention et non à telle autre. Comme la forme particulière de l'acte déclencheur (de même que celle d'un alphabet chiffré ou morse), n'est déterminée qu'historiquement, la similitude de deux actes de déclenchement signifie pratiquement toujours *homologie*. Il est très peu vraisemblable que chez deux espèces animales de souches différentes, la similitude des cérémonies déclencheuses soit le résultat d'une convergence. A l'appui de cette affirmation, il y a le fait que, en comparant la manière d'agir de groupes plus vastes, nous trouvons souvent des séries intégrales d'actes présentant un rapport intérieur si évident que nous sommes plus convaincus de l'existence de rapports génétiques entre les membres de ces groupes que par n'importe quel phénomène d'anatomie comparée. La possibilité d'exclure avec certitude les phénomènes de convergence autorise dans de nombreux cas le chercheur étudiant l'instinct à conclure à des rapports génétiques, avec plus de certitude que cela n'est possible au morphologiste étudiant la phylogénie.

Nous avons déjà indiqué en traitant des différences d'intensité des réactions instinctives, que les amorces d'actes, qui ne sont en fait que des ébauches inachevées d'actes déterminés, peuvent en fait acquérir une signification secondaire : elles transmettent d'un individu à l'autre, chez les espèces sociales, certains « états d'esprit ». Leur fonction première, dans de tels cas, est sans doute la « compréhension » instinctive, la « résonance » aux mouvements d'intention du congénère. Ainsi le mouvement d'intention, originellement vide de sens, reçoit une nouvelle signification. Sur cette base, le mouvement d'intention se différenciant, on peut en arriver à un acte de déclenchement. Parallèlement à ce processus de différenciation des facteurs excitateurs, la capacité de résonance se différencie en un schéma déclencheur plus précis, jusqu'à un corrélat récepteur dont de nombreux détails correspondent au mode particulier de déclenchement.

C'est, selon toute vraisemblance, un tel processus de développement qu'ont suivi les réactions assurant le vol en groupe chez certaines espèces sociales de canards. Chez le canard col-vert les actes de déclenchement précédant l'envol de la bande, ressemblent à s'y méprendre à un élan pris pour l'envol mais retenu au dernier moment. Une personne qui connaîtrait un peu les oiseaux mais qui ignorerait la signification spéciale de ce mouvement comme déclencheur, en déduirait que l'oiseau est sur le point de s'envoler. La tête et l'avant du corps sont légèrement poussés vers le haut, le corps est ramassé comme pour s'élancer dans un véritable envol, mais chose curieuse, avec une nuance cependant. Chez l'oie cendrée, en revanche, le mouvement s'est beaucoup éloigné de la forme originelle du mouvement d'intention et ne dévoilerait pas, à qui ignorerait sa signification, la volonté d'envol de l'oiseau. Il consiste en un mouvement spécifique par brèves secousses latérales du bec, comme si l'oie voulait secouer de l'eau qui y serait restée. Le rapport avec le mouvement d'intention du canard col-vert est cependant rendu très vraisemblable par l'analyse du comportement d'autres anatidés présentant diverses formes intermédiaires du mouvement. C'est ainsi que le mouvement d'envol de l'oie du Nil, *Alopochen,* comme celui d'*Anser,* est limité à la tête. Ce n'est pas un mouvement latéral, mais comme chez le canard col-vert, un mouvement de bas en haut. La juxtaposition de tous ces comportements est très instructive. Qui connaîtrait le comportement d'*Alopochen,* comprendrait à coup sûr directement aussi bien celui d'*Anas* que celui d'*Anser.*

Il est possible dans certains cas de situer la période de formation des actes instinctifs par rapport aux structures corporelles de l'espèce concernée. C'est ainsi par exemple, qu'un très grand nombre de canards de l'espèce *Anas,* très apparentés, parmi lesquels figurent entre autres nos canards col-vert familiers, ont une cérémonie sociale de pariade très hautement différenciée et très semblable. Ces espèces ne sont pas colorées absolument de la même manière et pourtant on peut constater que les dessins et les couleurs frappants, propres au sexe mâle chez ces espèces, ont un rapport avec la cérémonie de la pariade : ces dessins et couleurs se trouvent en effet situés aux endroits qui apparaissent de manière particulièrement nette pendant les mouvements communs à toutes ces espèces. Comme certaines espèces exécutent les mêmes mouvements lors de la pariade *sans* posséder de signes colorés, je crois pouvoir affirmer que *les mouvements,* déterminés instinctivement, *sont antérieurs* aux dessins et couleurs qui, chez d'autres espèces, renforcent leur effet déclencheur. Il y a même un cas où nous pouvons fixer approximativement l'âge de ces mouvements : c'est dans le cas de la cérémonie de salutations, commune à tous les bihoreaux *Nycticorax* et à une espèce en voie de disparition, celle du bihoreau sud-américain *Cochlearius. Les structures corporelles renforçant cette cérémonie* sont totalement différentes chez le *Cochlearius* et le *Nycticorax,* mais sont ainsi disposées cependant qu'elles produisent leur plein effet lors des mêmes coordinations de mouvements. Comme on peut formuler certaines conjectures sur la période de différenciation de l'espèce *Cochlearius par rapport à l'espèce Nycticorax,* nous sommes en mesure de situer approximativement l'ancienneté d'un acte instinctif!

Il me semble avoir suffisamment montré à l'aide de ces quelques exemples, qui sont hélas une part essentielle de l'ensemble de nos connaissances, qu'il faut, pour étudier l'instinct, admettre qu'il s'agit, comme dans le cas de l'anatomie comparée, d'une science descriptive. Nous devons donc d'abord *réunir* et *décrire* les actes instinctifs des différents animaux. Les réunir suppose déjà une certaine expérience, sans laquelle nous ne pourrions savoir si un acte est inné ou non. L'observation d'animaux en liberté ne nous apporte le plus souvent rien à ce sujet, ce qui implique la nécessité d'élever des animaux, et de les élever avec des soins particuliers car le moindre préjudice corporel qui leur est porté entraîne des pertes importantes dans le domaine des actes instinctifs. C'est pourquoi le simple fait de rassembler quelques connaissances sur les actes instinctifs est difficile et surtout onéreux. En outre, la description claire, nécessaire pour rendre avec exactitude le déroulement d'un comportement, pose les plus grandes difficultés. Elle suppose d'abord la recherche d'une nomenclature accessible et homogène. La description qui naît sous la plume du zoologiste rappelle souvent celle de l'ancienne morphologie. On désigne les actes instinctifs tout à fait comme des organes, en y adjoignant le nom de celui qui en a fait la première description. On parle ainsi du « gobage Verweyien » du héron cendré. D'autre part, on ne décrit jamais une réaction comme il le faudrait : « telle ou telle espèce a l'habitude d'agir de telle ou telle manière », mais toujours « cette espèce *possède* telle ou telle réaction ». En dehors du problème de la nomenclature, existe également celui de la compréhension des observations d'autrui et de la comparaison de ces observations. C'est un triste spectacle de voir des savants, parfaitement sérieux, devoir se livrer à des imitations vocales et gestuelles du comportement animal, pour se faire comprendre. Pour sortir de cette situation critique, il n'y a naturellement qu'un moyen, c'est l'image photographique et si possible le film. Utilisant ces procédés, je projette actuellement une étude ayant pour objet le comportement social de pariade chez des canards de l'espèce *Anas,* dont j'ai déjà parlé. J'ai l'intention d'étudier les cérémonies très semblables d'espèces éloignées, ainsi que celles d'hybrides, en constituant des films qui viendront à l'appui de mes affirmations, souvent contestées, sur l'homologie d'actes instinctifs. J'estime, en effet, que le comportement intermédiaire de l'hybride parle en faveur d'une véritable homologie de deux actes instinctifs des espèces des parents.

Si nous considérons l'ensemble des faits dont nous disposons dans le système zoologique sur les manifestations instinctives, il nous faut avouer qu'ils sont, sans exception, tout comme les faits que nous pourrions recueillir sur leur ontogénèse, de nature à nous faire établir un parallèle entre le développement des actes instinctifs et le développement des organes. Nous sommes tout à fait d'accord avec Whitman qui, dès 1889, a dit que les actes instinctifs, du point de vue phylogénétique, se développaient d'après les mêmes lois et *pendant les mêmes périodes* que les organes. Quels sont les facteurs qui régissent le développement phylogénétique d'organes et celui d'actes instinctifs? Nous n'en savons rien. Tout ce que nous pouvons affirmer, c'est que rien ne permet de compter l'expérience personnelle comme un de ces facteurs.

Une question totalement différente intéresse les rapports phylogénétiques de l'acte instinctif avec les comportements appris et intelligents. Nous avons plus haut combattu très vivement le point de vue de Spencer selon lequel l'acte instinctif très complexe et hautement différencié ouvrirait la voie à des comportements variables.

Si nous recherchons ce qui étaye l'affirmation selon laquelle l'acte instinctif serait l'antécédent phylogénétique des comportements appris et intelligents, nous ne trouvons qu'un argument : le fait que c'est parmi les mammifères supérieurs, disposant des actes instinctifs les plus différenciés, que se sont développées les plus grandes capacités « d'intelligence ». Mais l'argument ne vaut que pour les mammifères. Il suffit de considérer, même très superficiellement, le système zoologique pour être convaincu qu'entre la spécialisation relativement grande de l'acte instinctif et le développement de l'aptitude à apprendre et à comprendre, il n'y a aucun rapport qui puisse être exprimé d'une manière aussi élémentaire. Tout au plus, pourrait-on dire qu'il y a une relation inversement proportionnelle dans le développement des deux types de comportement, ce qui ne serait vrai en fait que pour des cas extrêmes : par exemple les insectes vivant en colonies d'un côté, les anthropoïdes de l'autre. Pour les formes, particulièrement différenciées dans l'une et l'autre direction, on peut certainement dire à juste titre qu'un développement et une spécialisation importants des actes instinctifs *ralentissent* le développement des comportements variables, et, qu'inversement, le développement de ces derniers suppose une réduction considérable des actes instinctifs. Chez les mammifères supérieurs, la formation de l'intelligence et la régression des actes instinctifs ont certainement eu lieu parallèlement; et le substitut fonctionnel des comportements déterminés instinctivement, sous la forme d'un comportement finalisé plastique, permet de supposer que le comportement intelligent s'est développé à partir des comportements instinctifs. Mais si nous ne considérons plus les Mammifères mais les Insectes, perspective qui n'est pas plus partiale que celle de Spencer, nous obtenons des résultats absolument inverses car, chez ces animaux, se sont certainement développées, à partir de formes dont la variabilité de comportement était plus grande, des formes ayant des systèmes d'actes instinctifs hautement spécialisés. L'aptitude d'un cafard à des actes de dressage n'est pas inférieure à celle d'une abeille, et, à certains égards, la dépasse peut-être. Si nous voulions reprendre ici la progression logique de Spencer, nous en viendrions à dire que les actes instinctifs se sont développés à partir du comportement appris et intelligent, théorie qui correspondrait à celles de l'école de Lamarck : je pense à la « théorie de l'habitude » de Romanes.

Si nous cessons de considérer des formes extrêmes comme les Insectes et les Anthropoïdes, et si nous prenons en considération des formes d'animaux très apparentées ayant des actes instinctifs très semblables, il apparaît que l'aptitude à un comportement appris et fondé sur la compréhension peut être remarquablement différente, chez ces formes, malgré la similitude de leurs actes instinctifs. Pour tenter d'expliquer ce phénomène, je prendrai l'exemple de la réaction de dissimulation chez deux corvidés très proches, les grands Corbeaux et les choucas, encore réunis dans la même famille dans la nomenclature ancienne. Ces oiseaux ont exactement la même coordination de mouvements instinctifs pour dissimuler leurs restes de nourriture. Et pourtant, les deux espèces *utilisent de manière différente* des mouvements absolument identiques. Quand un choucas a dans son gésier un débris de nourriture à cacher, il manifeste de l'appétence pour une situation lui permettant de le cacher, donc pour n'importe quel petit trou de n'importe quelle nature. Ce comportement d'appétence se limite en général à un mouvement vers le trou ou le recoin le plus profond et le plus obscur parmi ceux qui sont à sa portée. Le choucas est incapable d'apprendre par expérience que la signification de sa réaction de dissimulation disparaît quand il se laisse voir par d'autres choucas pendant qu'il cache. De même il ne parvient jamais à comprendre que certains endroits, accessibles en volant, sont impraticables par ses amis les hommes, et que les objets volés y seraient en sécurité. En revanche, le grand Corbeau comprend dès son plus jeune âge que la réaction de dissimulation ne permet de retrouver la nourriture que quand personne n'assiste à son exécution. De même, il suffit que l'homme ôte à plusieurs reprises de la cachette l'objet dissimulé pour que l'oiseau abandonne celle-ci et recherche une nouvelle cachette plus élevée et inaccessible, sinon en volant. Les coordinations de mouvements du corbeau sont à peine moins rigides que celles du choucas. Il est également facile de montrer par expérience que chez le corbeau tout comme chez le choucas la réaction de dissimulation est à elle-même sa fin, dans la mesure où elle peut être exécutée à satiété sans signification et sans raison d'être dans les conditions de la captivité. Il est également possible de montrer que l'oiseau ne possède absolument pas la notion de cachette au sens de « lieu rendant invisible ».

La différence de comportement entre le corbeau et le choucas se limite donc à cette fraction de la chaîne d'actes que nous avons désignée par comportement d'appétence, donc, dans l'exemple ci-dessus, à une prise de position insérée dans une chaîne d'actes instinctifs. Nous avons donc affaire, chez ces deux espèces, à deux alternances très différentes, dont la part instinctive est absolument identique. Ce qui a subi une modification décisive, ce sont les comportements non-instinctifs insérés qui, à partir d'une simple taxie, sont devenus des comportements appris, et peut-être même intelligents, à condition toutefois d'admettre que le comportement du choucas est plus ancien que celui du corbeau. Alors que nous devons admettre que la modification phylogénétique des actes instinctifs, d'après ce que nous savons de leur évolution dans le système, se fait à un rythme extrêmement lent, tout comme la modification d'un quelconque organe corporel conservatif, il semble que l'apparition d'actes de compréhension dans le système se fasse de manière totalement inattendue et *brutale*. Cette « brutalité » du développement des capacités psychiques, à laquelle l'homme doit son avance prodigieuse sur ses parents zoologiques les plus proches, nous la trouvons souvent, à un moindre degré, dans le domaine animal. On pourrait citer une foule d'exemples montrant que, chez des formes zoologiquement proches, peuvent se trouver des différences surprenantes dans l'aptitude aux actes d'apprentissage ou de compréhension, comme c'était le cas pour le choucas et le corbeau.

Puisque certains auteurs, comme nous l'avons vu, étendent si loin le concept d'acte instinctif que le comportement d'appétence y est englobé comme une simple fraction du comportement instinctif, ils ne font qu'être logiques avec eux-mêmes lorsqu'ils affirment qu'un comportement supérieur intelligent se développe à partir de cela même qu'ils ont désigné par acte instinctif. Toujours est-il qu'on regrette que quelqu'un comme Craig, qui a si bien vu que les actes instinctifs se divisaient en comportement d'appétence et fonction instinctive, n'ait pas constaté que seul le comportement d'appétence était susceptible d'être rapproché du comportement appris et intelligent et pouvait être considéré comme son antécédent.

Cette affirmation, à laquelle le professeur Craig ne devrait presque rien avoir à objecter, essayons de l'expliquer maintenant. Je pense qu'en principe tout comportement animal, à condition d'être homogène du point de vue fonctionnel, se divise en comportement d'appétence et en fonction instinctive. Les deux types de comportement ont ceci de commun qu'ils peuvent l'un et l'autre avoir pour signification biologique la conservation de l'espèce. L'un comme l'autre peuvent atteindre une spécialisation plus ou moins grande, très souvent l'un aux dépens de l'autre et, dans certains cas même, jusqu'à disparition totale de l'autre. Des animaux exécutant des actes instinctifs hautement spécialisés, comme les abeilles par exemple, sont à tel point intégrés dans des situations excitatrices déclencheuses que, lors de l'exécution de leurs actes instinctifs, il nous est impossible de constater le moindre comportement d'appétence, destiné à provoquer la situation excitatrice nécessaire au déclenchement de la réaction correspondante. Dans le cas extrême opposé, l'acte instinctif, dont l'aboutissement représente la finalité subjective de la chaîne d'actes, peut se retirer à tel point à l'extrémité de la chaîne que l'élément moteur qui doit exécuter le travail nécessaire à la conservation de l'espèce, se trouve entièrement abandonné au comportement finalisé. Plus les aptitudes mentales d'une espèce sont grandes, plus la réalisation de l'acte peut être confiée au comportement finalisé, jusqu'à ce que l'aboutissement toujours instinctif de la chaîne d'actes ne soit plus qu'une situation affective ou émotive. Chez un tisserin, les aptitudes mentales les plus élevées suffisent à amener la situation excitatrice dans laquelle les déroulements instinctifs hautement spécialisés de la construction du nid pourront être déclenchés. Le comportement d'appétence participant à la construction du nid se limite donc, chez cet animal, abstraction faite de quelques interventions ultérieures, à atteindre la situation excitatrice constituée par la présence d'un matériau adéquat, une brindille en forme de fourche, etc. Un être humain, dans une situation biologique à peu près analogue, exécute tout le travail nécessaire pour l'acquisition d'un abri, avec un comportement finalisé. La finalité instinctive de la chaîne d'actes est l'aspiration à se trouver à l'abri, chez soi.

Je considère comme un signe *fondamental* de l'acte instinctif le fait qu'il maîtrise des tâches auxquelles les aptitudes mentales d'une espèce animale ne suffiraient pas. Et déjà pour cette raison, il semble impossible qu'un animal puisse perfectionner ses propres actes instinctifs par l'apprentissage ou l'entendement. Il ne nous est absolument pas possible d'affirmer si, en principe, l'acte instinctif est invariable et immuable par l'apprentissage ou l'entendement. Mais il nous faut constater qu'une telle modification adaptative n'a jamais lieu chez aucun animal, car l'exécution des tâches réalisées par des actes instinctifs dépasse *toujours* de loin les aptitudes mentales de l'espèce. L'aptitude à résoudre une tâche conservatrice de l'espèce par l'apprentissage ou l'entendement ne subsiste jamais *à côté* de la présence d'une coordination de mouvements instinctifs maîtrisant la même tâche. La raison en tient vraisemblablement à ce que, si l'aptitude à résoudre une tâche par l'apprentissage ou l'entendement s'était présentée une fois dans la phylogénèse d'une espèce animale, cette solution aurait été, en raison de sa plasticité adaptative au sens de la conservation de l'espèce, *de beaucoup préférée* à l'exécution de la même tâche par des actes instinctifs rigides. C'est d'ailleurs dans ce phénomène que réside sans doute la raison de la régression des actes instinctifs chez les espèces intellectuellement supérieures.

Il semble aussi que l'existence d'un acte instinctif soit un obstacle au développement de l'exécution du même acte ou de la même fonction par apprentissage ou entendement. Du moins en va-t-il ainsi chez l'homme. Considérons le comportement d'êtres humains supérieurs et doués dans d'autres circonstances d'un sens critique développé, lors de la réaction certainement instinctive du choix de l'époux « par amour », et nous serons convaincus de l'exactitude de cette affirmation. L'exemple cité ci-dessus du choucas et du corbeau semblerait bien prouver que, même sans réduction du chaînon instinctif inné d'une chaîne d'actes, un certain perfectionnement intellectuel est possible sur une fraction du comportement. Mais pour qu'un perfectionnement plus grand encore puisse avoir lieu, il est vraisemblable que les actes instinctifs doivent finalement céder le pas au comportement intelligent.

En substance, je me représente le processus de réduction de la manière suivante : *au cours* des fractions d'alternances purement instinctives, se produisent *de nouvelles lacunes* où s'insèrent des comportements d'appétence. C'est également le point de vue de Whitman qui, à propos des réductions d'instincts faciles à constater chez les animaux domestiques, écrit la chose suivante : « Chez les espèces non domestiquées, il y a une part d'instinct qui demeure invariable, alors qu'elle est plus ou moins *réduite* chez les espèces domestiquées; c'est pourquoi celles-ci agissent avec relativement plus de liberté, et simultanément avec un risque plus grand de dérèglement ou d' « imperfection » (Fehler). Les « imperfections de l'instinct », loin d'être « le signe » d'une régression psychique, représentent selon moi la manifestation première d'une plasticité plus grande de coordination des mouvements innés. » Ailleurs Whitman dit que l'entendement exprime l'aspiration à « faire éclater » les actes instinctifs *(to break up instinctive actions)* et ailleurs encore, il déclare : « La plasticité de l'instinct n'est certes pas l'entendement, mais elle est la porte ouverte à la grande éducatrice qu'est l'expérience pour provoquer tous les prodiges de l'entendement. » Si nous substituons à l'expression de « plasticité » le concept plus étroit « d'aptitude à acquérir » *(Fähigkeit zum Erwerben)* insérée dans une série de coordination de mouvements instinctifs, nous sommes pleinement d'accord avec Whitman sur ce point.

Il ne faut pas perdre de vue que la régression (*die Rudimentierung*) de la part instinctive de tout acte animal ou humain, est limitée. Je songe à la phrase de Wallace Craig citée p. 29 selon laquelle l'aboutissement de la série d'actes serait toujours instinctif. Dans de très nombreux cas, même chez l'homme, la finalité du comportement demeure de nature instinctive et les comportements d'appétences qui tendent à sa réalisation sont l'aspiration à des situations excitatrices déclencheuses. Je pense au fait par exemple, que les mets excitant le plus l'appétit sont nettement ceux qui provoquent avec une particulière intensité les excitations déclencheuses de la salivation, de la mastication ou de la déglutition. Certains mets sont particulièrement attrayants bien qu'ils ne déclenchent qu'une seule de ces fonctions mais avec une acuité très grande : les huîtres par exemple, agréables à avaler ou bien certaines pâtisseries, presque insipides mais agréables à mastiquer à cause de leur propriété croquante. Dans d'autres cas, on en arrive, comme je l'ai analysé, à une disparition complète du mouvement instinctif, la finalité instinctive de l'acte se limitant à une situation excitatrice « affectante » et à laquelle l'animal aspire, mais ne déclenchant aucun mouvement.

Lors de l'accomplissement d'une tâche déterminée, fixée par l'espace vital de l'animal, comportement d'appétence et déroulement instinctif participent pour une part plus ou moins grande, l'importance de l'un des types de comportement signifiant toujours diminution et recul de l'autre. En ce sens, la différenciation plus ou moins grande de l'un ou l'autre type exprime « la direction du développement » *(die Entwicklungsrichtung)* de l'acte animal. La spécialisation dans une direction est certainement irréversible et exclut un développement ultérieur dans l'autre direction. Elle entraîne certainement toujours une réduction des comportements différenciés dans l'autre direction.

Nos conclusions touchant les rapports phylogénétiques entre actes instinctifs et comportement finalisé sont par conséquent en contradiction avec les points de vue de l'école de Spencer et Lloyd Morgan, comme l'étaient également nos conclusions concernant l'influence d'expériences individuelles sur le développement ontogénétique d'actes instinctifs.

2. La théorie de l'instinct de McDougall

La théorie de l'instinct de McDougall se rattache à celle de Spencer et Lloyd Morgan dans la mesure où elle admet toutes les transitions possibles entre acte instinctif d'une part et comportement appris ou intelligent d'autre part. Nous avons également affaire chez cet auteur, à une conception particulièrement large du concept d'instinct. Tout comportement, auquel participe un tant soit peu d'instinct, est tout bonnement considéré par McDougall comme un comportement essentiellement finalisé *(essentially purposive behaviour).*

Mais ces deux théories se distinguent avant tout par le fait que McDougall admet « des instincts hiérarchiquement plus élevés », utilisant des mécanismes moteurs inférieurs *(motor mechanisms)* comme moyens en vue de la réalisation de leur finalité. En Amérique, où l'usage du mot instinct est maintenant démodé, les termes de « *first order drives* » et de « *second order drives* », ce qui signifie « pulsions de premier ordre et de second ordre » sont employés dans le même sens ou dans un sens très analogue, tout comme les expressions d' « instinct », de « mécanismes moteurs » de McDougall. C'est dans les rapports entre ces deux niveaux de comportement, c'est-à-dire dans l'utilisation d'une coordination innée de mouvements par un instinct hiérarchiquement supérieur et finalisé que McDougall et les auteurs modernes voient la preuve d'un véritable finalisme de l'instinct de premier ordre.

McDougall groupe, d'un point de vue purement fonctionnel, les actes instinctifs humains et animaux en treize instincts supérieurs. Il ne prend guère en considération la phylogénèse des actes instinctifs, non plus que leur évolution dans le système zoologique, et ne fait aucunement entrer en ligne de compte le fait que des actes instinctifs, analogues au point de vue fonctionnel, puissent se produire indépendamment les uns des autres chez différentes familles animales. Les phénomènes d'homologie, si importants pour nous, ainsi que les problèmes de zoologie comparée, ne l'intéressent pas. C'est pourquoi c'est la fonction qui détermine pour lui, non seulement la répartition, mais la nature même de l'instinct. C'est pourquoi aussi il ne dit jamais qu'on « pourrait » répartir les actes instinctifs humains et animaux en tant ou tant de groupes fonctionnels, mais il affirme assez dogmatiquement l'existence de ces treize groupes.

Examinons tout d'abord de plus près le concept d'instinct supérieur et inférieur. McDougall admet par exemple l'existence d'un instinct parental *(parental instinct)* s'exprimant par toutes les coordinations innées de mouvements instinctifs des soins à la couvée. Nous avons déjà expliqué, en traitant des alternances de comportement instinctif et de comportement finalisé, combien, dans les conditions normales, les fractions purement instinctives et les fractions de comportement d'appétence sont homogènes au point de vue fonctionnel. Nous avons également vu avec quelle facilité cette homogénéité est brisée par la suppression d'un maillon, apparemment insignifiant, de la chaîne. Citons un autre exemple à ce sujet : j'ai pu prouver expérimentalement, sur de jeunes canes conduisant leurs petits, que les différentes réactions de soins qu'elles leur manifestaient, étaient totalement indépendantes les unes des autres et n'étaient rassemblées en une unité fonctionnelle homogène que par le fait que les signes déclencheurs provoquant ces réactions se trouvaient réunis sur le petit de la même espèce. L'homogénéité se trouvait détruite dès que ces facteurs déclencheurs étaient présentés sur des objets *séparés*. C'est ainsi qu'une cane de Barbarie, *Caïrina moschata,* prend la défense d'un petit canard col-vert comme si c'était un de ses propres petits, mais le traite avec hostilité juste après l'avoir courageusement sauvé des mains de l'expérimentateur. Ce comportement s'explique par le fait que le cri d'alarme du poussin, déclenchant la réaction de défense comme un réflexe, est presque identique chez le canard col-vert et le canard de Barbarie, alors que les dessins spécifiques de la tête et du cou, provoquant les réactions de soins, sont assez différents chez les petits des deux espèces. Le fait que l'unité fonctionnelle de la sphère de fonction commandée par un prétendu « instinct parental », puisse être détruite par la suppression d'un petit

signe corporel, prouve, à mon avis, l'autonomie et l'égalité des fractions d'actes participant à sa réalisation. *Nous ne serions autorisés à admettre l'existence d'un instinct supérieur à toutes les réactions composantes que si nous pouvions observer dans ses effets un agent régulateur dépassant l'aptitude de régulation expérimentalement démontrable des réactions composantes.* Or nous n'avons jamais observé que « l'instinct de premier ordre » soit susceptible ni de régulariser les perturbations intervenant du fait des réactions composantes, ni de reconstituer l'unité en recoordonnant les diverses réactions. C'est pourquoi nous différons de McDougall sur ce point. Notre hypothèse est qu'un grand nombre de réactions autonomes composantes ne se transforment en une unité fonctionnelle que parce que le « plan de construction et de fonction » des espèces, constitué phylogénétiquement, les a rassemblées en une unité. Cette hypothèse peut sembler hardie à celui qui ne connaît les actes instinctifs que dans leur déroulement normal et lorsqu'ils remplissent leur mission biologique, mais ignore les actes manqués si faciles à provoquer expérimentalement et qui parlent si clairement en faveur de l'hypothèse que nous soutenons ici.
McDougall parle d'*un* « instinct » dans le cas d'un système d'actes instinctifs rassemblés en vue d'une fonction unique et commune. Il est certainement possible, en se plaçant du point de vue purement fonctionnel, d'entreprendre un tel classement et de ranger par exemple tous les actes instinctifs de soins à la couvée sous la nomenclature « instincts parentaux ». Mais ce qui manque, c'est la possibilité d'utiliser cette expression *au singulier.* Tout ce que nous considérons comme des actes instinctifs, tombe chez McDougall dans le concept de « mécanismes moteurs ».

Prenons un quelconque acte instinctif, faisant partie d'une suite plus longue d'actes homogènes au point de vue fonctionnel. Considérer cet acte comme supérieur ou subordonné à un autre n'est possible qu'à un point de vue très déterminé qui, à ma connaissance, n'a jamais été envisagé par McDougall, mais que nous devons plutôt à Wallace Craig. Prenons un exemple pour être plus clair : admettons qu'un merle, après s'être reposé quelque temps, manifeste une certaine appétence à l'égard de la situation excitatrice dans laquelle seraient déclenchées les coordinations de mouvements de la recherche de nourriture. Le merle va donc se mettre en situation de creuser le sol pour y trouver des vers de terre, ce qui est un comportement propre à son espèce. Ce comportement finalisé implique une foule de coordinations instinctives de mouvements, comme celles de la marche, du sautillement, du vol, etc. L'ensemble, y compris la réaction finale de creuser pour atteindre le ver, situation finale à laquelle il aspire, se présente typiquement comme une alternance. Il nous faut bien constater qu'il existe des actes instinctifs, se produisant dans le déroulement des alternances dont la finalité est constituée par l'aboutissement d'un *autre* acte instinctif. Ces actes instinctifs ne constituent donc pas la finalité d'un comportement d'appétence visant à la réalisation. Ils sont le plus souvent des coordinations simples, — mouvements d'orientation, saisie des proies, picorement, etc. Ces coordinations sont utilisées comme *des instruments,* comme des *organes* dont l'animal peut se servir pour des usages divers. Mais elles ne sont pas là, insistons bien là-dessus, comme les moyens d'un « instinct supérieur »; au contraire, elles sont *les instruments du comportement finalisé,* même si la finalité de ce comportement d'appétence est le déroulement même d'un acte instinctif. Ce qui caractérise ces réactions-instruments, c'est qu'elles sont utilisées, comme le sont les organes, à l'usage de *différentes* appétences, sans en être elles-mêmes modifiées. Pas plus que le bec de l'oiseau ne subit une quelconque modification adaptative lors de ses différents usages (quête de nourriture, combat, construction du nid...), pas plus n'est modifiée la coordination de mouvements de chacune de ces fonctions. Quand un gobe-mouche veut donner la becquée à ses petits, il exécute les mouvements habituels de la chasse aux mouches « pour que » se déroule la réaction de becquée et non celle d'avaler. Mais la coordination de mouvements est la même dans les deux cas. La similitude du mouvement, le fait qu'il n'est absolument pas influençable par l'apprentissage, ressort particulièrement bien de l'exemple suivant : une femelle canari avait l'habitude de consolider les fondations de son nid avec le fourrage vert qui lui était offert. Pour exécuter ces mouvements, l'oiseau posait la patte sur la tige qu'il voulait introduire et façonnait avec son bec les extrémités qui émergeaient jusqu'à ce que celles-ci fussent entortillées et fermement attachées au rameau de base. Comme il s'agissait d'un fourrage que cet oiseau consommait, celui-ci apprit bientôt à tenir les tiges de la patte et à en prélever des petits morceaux pour sa consommation. Il utilisait donc la coordination servant en fait à la finalité biologique de la construction du nid (réaction qui ne donnait pas du tout sous cette forme l'impression d'une réaction-instrument) pour une autre appétence, à savoir celle de la consommation. Les mouvements que l'oiseau exécutait alors ressemblaient tout à fait à ceux d'une mésange, d'un corbeau ou encore d'un passereau tenant avec la patte les gros morceaux de nourriture pour les consommer plus facilement. Mais, chose curieuse, cette femelle canari ne « pouvait » maintenir ainsi sa nourriture avec la patte que pendant le stade biologique de la construction du nid. Vers l'été elle perdit cette aptitude, bien que, volontairement, je lui eusse donné quotidiennement l'occasion de s'exercer en lui présentant de grosses feuilles de salade. Pendant cette période, l'oiseau n'eut pas une fois la réaction de poser sa patte sur l'objet pour le stabiliser : ses aptitudes psychiques ne parvenaient pas à copier cette réaction-outil, bien qu'elles fussent parvenues à provoquer ce mouvement dans un but différent de sa finalité spécifique. Il y a donc une différence considérable entre l'application nouvelle d'un outil inné et la création d'un nouvel outil.

Les observations faites sur une femelle canari prouvent clairement que même les actes instinctifs qui, pour une espèce vivant en liberté, ne sont ni des « réactions instruments » ni des « actes instinctifs de deuxième ordre », peuvent occasionnellement acquérir par l'apprentissage un nouveau domaine d'application et être subordonnés à une appétence d'un autre ordre. En revanche, il se peut que, dans les conditions de l'expérience, des actes instinctifs souvent détournés vers une appétence différente, deviennent une finalité en soi et constituent le but d'un comportement d'appétence particulier, orienté vers lui seul. Pour pouvoir affirmer qu'un acte instinctif est subordonné à un autre et n'est exécuté que pour satisfaire à celui-ci, il faut toujours l'analyser comme un cas particulier. L'affirmation selon laquelle telle réaction n'est qu'un acte instinctif subordonné, est inexacte a priori. C'est pourquoi il semble totalement faux d'associer la « réaction-outil » à un terme autre qu'à celui « d'acte instinctif spécifique », comme le fait Tolman par exemple, qui désigne ce que nous avons appelé ici « acte instinctif subordonné » par « *innate skill* », « savoir-faire inné » (*angeborene Geschicklichkeit*), le différenciant comme tel de l'instinct. Il est difficile de tracer des limites aussi rigoureuses. En effet, de même que les « réactions-outils », qui servent à l'exécution d'une appétence d'un autre ordre, peuvent être recherchées pour elles-mêmes, de même, à l'inverse, certains actes instinctifs, normalement autonomes, peuvent se dégrader en actes instinctifs subordonnés et être utilisés comme outils d'un comportement finalisé nouveau, comme dans le cas du canari-femelle. Le merle cité dans notre exemple précédent ne sautille et ne vole, lorsqu'il est en liberté, que pour se rendre quelque part, alors que le merle en cage, sautille et vole sans répit çà et là. Il ne faut nullement croire cependant que les conditions anormales de la captivité soient nécessaires pour que les coordinations des mouvements de la locomotion deviennent une finalité en soi. Il est impossible d'imposer à un chien ou à un corbeau bien portants un nombre tel de mouvements au service d'un comportement finalisé qu'ils en négligent, dans les moments où ils sont libres, les mouvements qu'ils exécutent spontanément et qui consistent à courir ou à voler. Eliminons totalement dans l'expérience la contrainte de finalité, nous nous apercevons que chez la plupart des animaux les mêmes mouvements sont exécutés sous forme de réactions à vide à une fréquence presque égale à celle qui est obtenue sous la pression de la finalité à atteindre. Ce sont précisément ces réactions-outils-types qui prouvent, en se manifestant dans l'expérience, l'indépendance extrême de la finalité, concluant normalement une chaîne d'actes. Chez l'oie cendrée les mouvements consistant à arracher l'herbe et à creuser le sol du bec, — mouvements auxquels cet oiseau consacre la majeure partie de son temps —, sont totalement indépendants du but biologique, à savoir, dans les deux cas, l'acquisition de nourriture. Qu'on enferme le soir dans un local fermé, une oie cendrée ayant pâturé en liberté tout le jour, elle recommencera après quelques minutes à exécuter tous ses mouvements de quête de nourriture sur les objets les plus divers. Il faut avoir assisté soi-même à l'intensité de ces réactions à vide pour se rendre compte de la puissance et de la force avec lesquelles les mouvements les plus simples sont exécutés. Il est tout à fait impressionnant de voir une bande d'oies cendrées exécuter avec persévérance sur un étang sans aucune végétation les mouvements de plongée en quête de nourriture alors que sur le bord se trouve une bassine pleine précisément de cette nourriture qu'elles recherchent. Les observateurs non avertis font toujours d'étranges suppositions sur ce que ces animaux peuvent trouver dans l'eau claire. Ils ignorent que le fait de plonger son bec, de même que celui de le retirer, peut se produire comme un acte instinctif parfaitement autonome. Il se peut également que l'animal en vienne à éprouver le besoin d'utiliser les coordinations de mouvements d'un acte instinctif comme outil, pour parvenir à la situation excitatrice subordonnée à un autre acte instinctif. Une oie cendrée peut donc très bien plonger son bec dans l'eau *pour* parvenir à la situation excitatrice consistant à manger. Mais quand l'observateur humain, pour garder le même exemple, voit d'abord l'oie plonger son bec, puis la voit manger ce qu'elle a pêché, il suppose sans hésitation qu'elle a plongé *pour* manger, et cela pour la simple raison que, *chez l'homme,* les réactions alimentaires sont instinctives, désirées parce qu'instinctives et que les réactions de recherche de nourriture ne le sont pas. Encore que, strictement parlant, cette assertion ne soit pas sans exception en ce qui concerne l'être humain : c'est ainsi que ma fille, âgée de cinq ans, montrait bien peu d'empressement pour manger des mûres quand celles-ci lui étaient offertes sur une cuillère; en revanche elle les mangeait avec voracité pour peu qu'on l'abandonnât face à un buisson de mûres. On peut véritablement dire qu'elle ne cueillait pas alors des mûres en vue de les manger, mais qu'elle les mangeait en vue de les cueillir, donc qu'elle montrait un rapport exactement inverse au rapport existant habituellement entre les réactions de recherche de nourriture et celles de prise de nourriture. J'ai pu établir que les oies cendrées se comportaient d'une manière tout à fait analogue. Si je leur présentais, dans l'eau à une profondeur convenable, des plantes leur servant de nourriture, à seule fin de les amener à les faire remonter à la surface, elles les saisissaient dans leur bec; elles les mastiquaient alors et finalement les avalaient bien qu'elles fussent rassasiées et incapables de manger ces mêmes plantes si elles leur avaient été présentées à la main. Ce comportement pouvant être interprété chez l'oie comme chez l'homme comme un « phénomène dû à la captivité », représente en fait la norme presque immuable chez de très nombreux animaux. C'est ainsi que chez un grand nombre d'oiseaux de proie disposant, pour rechercher leur nourriture, d'actes instinctifs hautement spécialisés, ces actes de recherche sont convoités avec intensité et constituent la véritable finalité du comportement d'appétence, alors que les réactions purement alimentaires ne signifient qu'un prolongement mécanique de la chaîne d'actes commencée. Si ces oiseaux mangent souvent insuffisamment lorsqu'ils sont captifs, c'est parce que la situation excitatrice, finalité véritable de leur « appétit », fait totalement défaut. C'est vouloir tout ramener à des proportions humaines tout à fait inexactes que de supposer chez l'animal que ce sont des actes instinctifs analogues à ceux de l'homme qui représentent la finalité des comportements d'appétence. Ce sont précisément ces suppositions qui, explicitées ou non, constituent le fondement des théories des auteurs distinguant entre instincts supérieurs et instincts subordonnés. Nous négligeons trop souvent d'analyser chaque cas particulier, car seule l'analyse nous permet d'affirmer que telle réaction est subordonnée à telle autre et utilisée par l'animal comme moyen pour parvenir à la deuxième réaction.

McDougall ne semble pas entrevoir la nécessité d'une telle analyse pour la simple raison qu'il place a priori sur le même plan la signification biologique et la finalité d'une chaîne d'actes dont l'animal est le sujet. Les phénomènes dont nous venons de parler semblent lui être totalement étrangers, comme le prouve cette phrase extraite de la suite de son livre, *Outline of Psychology* (p. 101) : « Il est vraisemblable que tout acte instinctif dépend toujours à quelque degré de l'appétit. L'animal de proie ne chasse que quand il a faim; le chat rassasié se permet parfois des souris, mais pour jouer avec leur queue. » Cette phrase, absolument fausse, peut être rectifiée en quelques mots. L'animal de proie cesse de chasser s'il a totalement épuisé ses réactions de chasse et si, en outre, il est rassasié. S'il a faim, et à supposer qu'il s'agisse d'une espèce intellectuellement évoluée, il exécutera le cas échéant ses réactions de chasse « en vue de manger », même s'il n'a, à ce moment-là, aucune « envie de chasser ». Mais « l'envie de chasser » et l'appétence pour l'acte instinctif correspondant, se produisent d'une manière totalement indépendante des besoins alimentaires de l'animal. McDougall aurait dû pourtant savoir qu'une alimentation suffisante, à condition qu'elle n'empêche pas, par l'obésité, la mobilité de l'animal, n'a aucune influence sur la passion de la chasse d'un chien! Un animal beaucoup moins évolué intellectuellement, le grèbe par exemple, ne chasse que par appétence de la réaction de chasse sans que, si il souffre de la faim, cette réaction se déroule avec plus d'intensité. Cet animal ne mange qu'en fonction de la chasse et se laisserait bientôt mourir de faim si la nourriture lui était offerte d'une manière rendant impossible son acte spécifique d'acquisition de la proie.

Mais ce que nous déplorons le plus chez McDougall, comme du reste chez de nombreux auteurs qui lui sont proches par la pensée, c'est qu'il ne fasse aucune allusion précise à la relation entre instinct et acte instinctif. Les auteurs modernes qui utilisent le terme de « *drive* » (pulsion), n'apportent aucune clarté à ce sujet. Il est curieux que les chercheurs, si rigoureux quand il s'agit de limiter leurs affirmations à ce qui peut être appréhendé objectivement, ne renoncent pas à parler de « l'instinct » alors qu'ils font de *l'acte* animal et de ses règles le seul objet de leurs observations.

Puisqu'il semble que les faits d'observation dont il a été question plus haut aient été ignorés de McDougall, ou du moins qu'il ne les ait pas pris en considération, la question se pose de savoir quels sont les phénomènes dont l'observation l'a amené à supposer l'existence d'instincts supérieurs et d'instincts inférieurs, et à affirmer en particulier qu'il y avait un nombre tout à fait déterminé des premiers. Ce n'est pas l'unité de fonction, conservatrice de l'espèce, d'un groupe d'actes instinctifs, nous l'avons vu, qui peut permettre de telles affirmations; on pourrait tout aussi bien établir d'autres catégories fonctionnelles, comme le fait d'ailleurs le langage courant lorsqu'il parle d'un « instinct de conservation » par exemple. C'est ainsi qu'on exprime les concepts en psychanalyse mais ce n'est pas ainsi, en revanche, que McDougall est parvenu à son concept d'instinct supérieur et portant en lui la finalité d'une chaîne d'actes. Ce serait le sous-estimer que de faire une telle supposition. Ce qui l'a amené plutôt à affirmer l'existence d'un nombre déterminé d'instincts, c'est, en gros, le fait d'avoir vu, — et ce n'est pas le moindre mérite de McDougall —, les rapports étroits existant entre l'acte instinctif d'une part, et l' « affectivité » d'autre part *(Affekt)*; (l'expression anglaise d' « *emotion* » recouvre à mon sens un concept comprenant du « sentiment » *(Gefühl)* et de l'affectivité *(Affekt)*.) C'est dans ces phénomènes subjectifs qu'il a vu les corrélats des instincts et qu'à partir du nombre des sentiments ou « *emotions* » de l'homme, faciles à isoler qualitativement, il a conclu à un nombre déterminé d'instincts. À l'origine donc, les catégories d'instincts ainsi obtenues concernent les mammifères et l'homme et sont ensuite considérées comme les seuls « instincts de premier ordre » existant dans le monde animal.

En ce qui concerne l'idée fondamentale selon laquelle les réactions instinctives sont accompagnées de phénomènes subjectifs, et selon laquelle chaque réaction serait associée à un corrélat spécifique sous forme d'un sentiment ou d'une « *emotion* » déterminée, aucun spécialiste d'animaux ne peut le nier. Verwey par exemple définit l'acte instinctif comme un processus réflexe « accompagné de phénomènes subjectifs » : c'est là une définition de l'instinct un peu hardie mais excellente. Heinroth parle des « états d'âme » *(Stimmungen)* des animaux, qui sont associés à certaines excitations, et forme des mots à partir de la désignation de l'acte instinctif et du mot « *Stimmung* » (*Flugstimmung, Nestbaustimmung,* etc.).

Ces néologismes de Heinroth, qui s'imposent maintenant à nous avec une telle évidence, nous montrent déjà à quel point ce spécialiste des animaux est en désaccord avec les désignations de l'instinct de McDougall. Le nombre et la nature des instincts admis comme supérieurs par ce dernier, sont comme nous l'avons dit, tirés des émotions humaines isolables les unes des autres. C'est dans ce transfert de l'homme à l'animal que réside la source d'erreurs que Heinroth a évité très subtilement dans les expressions qu'il a forgées. Puisque même les maillons apparemment mineurs d'une chaîne d'actes aboutissant à un résultat unique, sont aussi importants, comme pièce autonome de la mosaïque, pour la fonction de l'ensemble que n'importe quel autre maillon semblant essentiel et puisqu'ils peuvent être déclenchés d'une manière absolument indépendante de ceux-ci, il nous faut bien supposer logiquement qu'ils sont accompagnés d'émotions qualitativement différenciées et autonomes. Nous devons donc, dans la plupart des cas, attribuer à l'animal *un nombre beaucoup plus important* d'émotions que nous ne pouvons en attribuer à l'homme dont la vie sentimentale a dû subir un processus de simplification et de réduction analogue à celui qu'ont connu ses actes instinctifs. Les termes empruntés par McDougall à la vie intérieure humaine, sont a priori *trop peu nombreux* pour décrire les actes instinctifs animaux.

Prenons un exemple : la poule *Bankiva (Gallus bankiva*), tout comme la poule domestique, dispose de deux cris d'alarme différents : celui qu'elle pousse après avoir aperçu un animal de proie en vol et celui qu'elle pousse après avoir aperçu un prédateur au sol, incapable de voler. Si l'émotion correspondant au cri d'alarme devant l'oiseau de proie, atteint une certaine intensité, il en découle une réaction de fuite vers le bas, avec aplatissement au sol, si possible sous un abri. Ce type d'émotion est obligatoirement accompagné de regards vers le haut et ne s'exprime, à des intensités plus faibles, que par ce mouvement des yeux. En revanche, la qualité d'émotion correspondant à l'autre cri d'alarme (ennemi au sol), lorsque cette émotion atteint une certaine intensité, amène la poule à s'envoler et, dans la plupart des cas, à se percher dans un arbre, sans rechercher une cachette plus éloignée. Il est impossible de relier ces deux réactions, totalement indépendantes l'une de l'autre, à une expérience unique sans nous rendre coupables d'un anthropomorphisme injustifiable. L'expression « effroi » ne suffit certainement pas à désigner les deux sortes de frayeurs très différenciées de l'oiseau. En admettant, comme le fait McDougall, une qualité unique de frayeur, il devient impossible d'admettre un instinct unique de fuite (« *instinct of escape* », comme l'appelle cet auteur). Nous pouvons donc, comme nous l'avons déjà dit, parler d'instincts au pluriel; au singulier ce n'est qu'un mot vide de contenu.

Les dénominations de l'instinct utilisées par McDougall sont très maniables à condition de les considérer comme dénominations de catégories de réactions rassemblées au point de vue fonctionnel, car les actes instinctifs assurant la fuite devant le danger, le soin des petits,... se retrouvent naturellement chez la plupart des animaux. Mais il faut se garder de prendre le mot pour le concept, et de perdre de vue que chacune de ces dénominations doit être utilisée comme ayant un contenu au pluriel.

3. La théorie réflexe de l'acte instinctif

Diamétralement opposée aux considérations de l'école de Spencer et Lloyd Morgan, nous trouvons la théorie de Ziegler sur l'acte instinctif. C'est lui qui écrit : « J'ai défini la différence entre comportements instinctifs et comportements intelligents de la manière suivante : les premiers sont innés, les seconds sont acquis individuellement. C'est ainsi que j'ai substitué à une définition psychologique une détermination conceptuelle histologique. »

Mettons à part le fait qu'il fait allusion au comportement « intelligent » et qu'il nous est impossible de nous contenter d'une définition aussi succincte. Cette affirmation, qui est peut-être valable comme hypothèse de travail, est aussi difficile à prouver qu'à réfuter. Mais, avant d'analyser cette théorie réflexe de l'acte instinctif, il me semble utile d'insister sur le fait important mais non évident que cette théorie se trouve presque exclusivement défendue par des auteurs d'opinions radicalement mécanistes. Les biologistes non mécanistes prennent au contraire énergiquement parti contre l'hypothèse selon laquelle les actes instinctifs pourraient être expliqués par des processus réflexes. McDougall, entre autres, argumente toujours contre la théorie réflexe des actes instinctifs, comme si admettre celle-ci revenait à mettre au même rang organisme et machine. Ce rigorisme de McDougall s'explique par le fait que les auteurs contre lesquels il s'insurge à bon droit, ont toujours poussé d'une manière hautement dogmatique cette assimilation de l'organisme à une machine. Puisque l'acte instinctif ne représente très certainement qu'une *fraction* des comportements animaux, on comprend mal pourquoi expliquer les actes instinctifs par la physiologie du réflexe reviendrait à « abaisser » l'animal au niveau de la machine. Cela semble tout aussi insensé que de vouloir comparer l'homme à une machine sous prétexte qu'on pourrait expliquer d'une manière presque exclusivement mécanique la fonction d'une partie de son organisme, de l'articulation de son coude par exemple. Que la théorie réflexe de l'acte instinctif ait été défendue par les mécanismes et que le point de vue opposé l'ait été par les vitalistes, a beaucoup nui à la discussion elle-même.

Avant d'aborder la question de savoir jusqu'à quel point notre propre conception de l'acte instinctif est compatible avec la théorie réflexe, il est indispensable d'expliquer un peu cette dernière. Il ne faut pas croire que le mot « réflexe » n'ait jamais été utilisé que pour exprimer un concept strict, mais la confusion de langage n'a pas toujours pris les mêmes proportions qu'en ce qui concerne la désignation de l'instinct. Il est préférable de s'en tenir si possible à une conception *étroite* du réflexe, car il serait illusoire de croire pouvoir répondre aux questions qui se posent, quant à la définition des deux termes, en les assimilant l'un à l'autre par *une simple extension* de la définition de chacun d'entre eux. Il est évident que si nous voulons étendre le concept de réflexe aussi loin que Bechterew — qui désigne tout simplement comme réflexe n'importe quel mouvement affectant un organisme vivant et englobe donc dans ce terme les mouvements des protozoaires, les tropismes des plantes et même les processus de croissance —, l'affirmation selon laquelle l'acte instinctif serait un processus réflexe devient alors du même coup, même si elle est exacte, parfaitement inutile. Qu'il soit possible de forger un concept supérieur à l'acte instinctif et au réflexe tel que nous le concevons couramment et les englobant l'un et l'autre, c'est absolument certain. Mais si nous nous contentons de désigner ce concept par le mot « réflexe », nous nous rendons coupables d'un élargissement de cette notion, détruisant les délimitations acquises par expérience et ne leur substituant rien. Cette critique s'adresse en particulier à la terminologie utilisée couramment par Bechterew. Ce qu'il dit des « réflexes organiques innés », c'est ainsi qu'il désigne les actes instinctifs, est en grande partie contestable.

C'est pour cette raison que, lorsque nous parlerons de la théorie de Ziegler, nous n'utiliserons le concept de réflexe qu'au sens *le plus étroit,* entendant par là un processus fondé sur le substrat anatomique d'un « arc-réflexe » (Reflexbogen), comportant une voie centrifuge et une voie centripète et constitué par une fraction plus ou moins importante du système nerveux central, chargé de la transmission de l'excitation de l'extrémité centripète de l'arc vers son extrémité centrifuge. Et de fait, Ziegler s'imaginait que l'acte instinctif était constitué par de tels processus réflexes susceptibles d'être appréhendés dans leur fondement anatomique.

La première objection que l'on puisse formuler à cette théorie réflexe de l'acte instinctif repose sur *les phénomènes de régulation* qu'on peut constater pour certains actes instinctifs et en particulier pour les plus simples d'entre eux. Je songe aux expériences de Bethe, destinées en grande partie à prouver la fragilité de la théorie du circuit (Bahntheorie). Bethe a pu montrer, par des expériences d'amputation, que les mouvements de coordination de la marche chez les animaux les plus divers, étaient susceptibles d'une grande variété de régulations. Chez les animaux possédant un nombre élevé de pattes, les crabes par exemple, la variété des coordinations de la marche est si grande que Bethe s'insurge à bon droit contre l'hypothèse selon laquelle chacune d'entre elles reposerait sur un « circuit » nerveux particulier *(eine besondere « Bahn »)*. On peut difficilement admettre qu'une écrevisse dispose, pour tous les cas d'amputation expérimentés, d'un circuit spécial tenu en réserve! Mais on peut alors se demander s'il est nécessaire que l'organisme réagisse comme un tout dans le cas de ces processus de régulation « intégraux », ou bien si ces derniers peuvent éventuellement s'expliquer par des systèmes hautement spécialisés de réflexes au sens le plus étroit. Une grenouille décérébrée, — qui ne peut donc pas être considérée comme un organisme intégral, et dont tous les physiologistes interprètent les réactions comme des processus réflexes purs —, réagit intégralement par son « réflexe de frottement », consistant à toucher avec précision de sa patte arrière l'endroit exact où l'excitation a eu lieu, et encore, si cette patte arrière a été immobilisée, à avoir immédiatement recours à l'autre patte de derrière. Les objections émises par Bethe à l'encontre de l'interprétation de l'acte instinctif en fonction de la théorie du circuit, concernent également des processus considérés couramment comme des réflexes par la physiologie.

La preuve de l'existence d'un substrat anatomique sous forme d'un « arc-réflexe » n'est possible avec une certaine exactitude que dans les cas les plus simples. Au cours de leur déroulement dans l'organisme les réflexes étudiés avec précision par les neurologues comme par exemple le réflexe consistant à se protéger le ventre (der Bauchdeckenreflex), ne sont généralement des phénomènes connus que sur un trajet isolé de l'ensemble des processus organiques, de telle sorte que leur explication selon la théorie du circuit au sens strict ne peut être considérée comme valable que pour ce cas particulier. A partir de ces phénomènes très élémentaires et assez compatibles avec la théorie du circuit existent toutes les transitions imaginables jusqu'à ces « réflexes qui, comme le réflexe de frottement » de la grenouille, sont susceptibles de toutes les régulations propres à l'acte instinctif.

L'objection à la théorie réflexe de l'acte instinctif, tirée des phénomènes de régulation, peut également être soulevée à l'encontre de l'interprétation mécaniste d'actes considérés couramment comme des processus réflexes. Dans la tentative de distinguer l'acte instinctif du réflexe, les phénomènes de régulation ne peuvent pas être invoqués, car cela reviendrait à considérer comme acte instinctif des processus tels que le réflexe de frottement de la grenouille. Le petit nombre des réflexes étudiés avec quelque exactitude dans leur fondement anatomique et tissulaire peuvent, dans leur manifestation isolée par l'expérience, être considérés comme des comportements essentiels à la conservation de l'espèce. Si grande que soit leur signification pour le neurologue, ils doivent être considérés par le biologiste comme des phénomènes contingents. En tout cas ils sont, semble-t-il, si apparentés aux processus primordiaux de la conservation de l'espèce que, malgré leur réactivité imparfaite, aucun physiologiste n'a jamais songé à tracer une frontière entre eux. Verworn, dans la définition du réflexe, a même accordé une place essentielle à sa fonction conservatrice de l'espèce. « La nature du réflexe, dit-il, consiste en ceci qu'un élément percevant l'excitation et qu'un élément répondant à cette excitation d'une manière « *appropriée* » (Zweckmässig), sont mis en contact l'un avec l'autre par un lien central, de telle sorte que... etc. » La délimitation dont il a été question plus haut entre l'acte instinctif et le réflexe reviendrait à une définition de chacun des deux concepts d'après le *caractère accessible* ou non du fondement anatomique, et serait assez vaine puisque tout nouveau résultat d'une recherche analytique pourrait faire considérer comme faisant partie du concept de réflexe des processus jusque-là considérés comme des actes instinctifs.

Je voudrais enfin insister sur le fait que les phénomènes de régulation ne fournissent *nullement* un argument décisif contre *l'éventualité* d'une interprétation mécaniste de l'acte instinctif. Il semble tout à fait concevable de construire des automates capables de reproduire les régulations de la coordination de la marche observées par Bethe. Ce genre d'automate serait très certainement d'une réalisation extrêmement complexe, mais il n'y a pas de représentant de la théorie réflexe qui imagine un acte instinctif autrement que sous la forme d'un système de circuits hautement différencié. Pas même Ziegler. Les phénomènes de régulation, au sens strict, ne sont donc pas en contradiction avec la théorie du circuit, mais s'opposent à l'hypothèse selon laquelle un acte instinctif pourrait être déterminé par un chemin conducteur ou par un petit nombre de chemins conducteurs.

Si je me fais ici en quelque sorte le défenseur de la théorie réflexe de l'acte instinctif et si je me reconnais même, avec certaines réserves, un de ses partisans, cela ne signifie pas que je la prise particulièrement comme hypothèse de travail. L'étude des comportements instinctifs exige que nous nous appuyions sur un matériau de faits, d'une tout autre origine que celle du matériau nécessaire à l'étude de la physiologie du réflexe. L'analyse d'un acte instinctif par la méthode de l'analyse du réflexe donne peu de résultats. En effet, la suppression immédiate des actes instinctifs les plus différenciés lors du dommage corporel le plus faible rend tout à fait impossible de tirer une quelconque conclusion de la disparition d'une fonction après intervention de la vivisection. Cette difficulté purement technique diminue considérablement la valeur de la théorie réflexe de l'acte instinctif comme hypothèse de travail.

Une objection analogue à celle fondée sur les phénomènes de régulation et destinée à réfuter la théorie-réflexe de l'acte instinctif, repose sur les différences d'intensité dans le déroulement de réactions instinctives (cf. p. 16). Nous avons vu que les manifestations d'une seule et même réaction peuvent différer considérablement les unes des autres selon l'intensité de l'excitation de l'animal. On peut comme pour les manifestations imperceptibles, affirmer qu'elles existent en nombre infini, et le fait même que leur nombre soit infini peut amener à réfuter l'hypothèse de l'existence d'un substrat anatomique de leur cheminement. Mais en revanche, il y a précisément dans ces niveaux d'intensité une régularité si contraignante, — on est tenté de dire si « mécanique » —, qu'inconsciemment nous viennent sous la plume des comparaisons physiques : c'est ainsi que nous sommes souvent tentés de parler d'une « pression d'excitation » *(Erregungsdruck).*

Une autre propriété de l'acte instinctif qui, sans être à proprement parler une objection à la théorie réflexe, ne peut cependant pas être expliquée par la nature réflexe des réactions instinctives, est l'abaissement du seuil d'une excitation déclenchant un acte instinctif. Cet abaissement du seuil se présente, nous l'avons vu, quand les excitations normalement nécessaires au déclenchement d'une réaction se font attendre un certain temps. Il provoque finalement une apparition brutale de l'acte instinctif, sans rapport avec une quelconque « excitation »; c'est ce phénomène que nous avons appelé « réaction à vide ». Il est impossible de dissocier les phénomènes de ce type du schéma excitation-réaction du réflexe; les manifestations « à vide » exigent donc de la part du défenseur de la théorie réflexe de l'acte instinctif, une explication supplémentaire.

Il est vraisemblable que cette explication réside dans le rapport existant entre l'abaissement du seuil de l'excitation déclencheuse et la recherche de ces excitations dans le comportement d'appétence. Indépendamment de leur coopération purement fonctionnelle, le rapport entre abaissement du seuil et comportement d'appétence réside dans les phénomènes subjectifs, liés à tout comportement instinctif et acquérant sans conteste un accroissement sensible de leur intensité après l'assez long « refoulement » *(Stauung)* de ce comportement. Sur le plan pratique, nous prenons conscience de ces phénomènes quand a lieu une altération quelconque de la réaction. « Avec cette boisson dans le corps, écrit Goethe, tu verras bientôt Hélène dans toutes les femmes », ou bien, plus prosaïquement, notre réflexe de salivation, lorsque nous n'avons pas mangé pendant un certain temps, répond même à l'odeur d'un mets qui exciterait normalement notre dégoût. Eliot Howard affirme que le champ de perception *(perceptual field)* d'un animal se modifie avec la différence d'intensité d'une réaction : c'est dire sous une autre forme ce que je tente d'exprimer ici.

L'abaissement du seuil de l'excitation déclencheuse, selon Craig, serait une manifestation de l' « *Appetit* » dont le principal effet serait la recherche finalisée de cette excitation, donc le comportement d'appétence. Comme Craig classe cette recherche de l'excitation dans le concept d'acte instinctif en la considérant comme une partie de ce dernier, son raisonnement semble tout à fait logique; tous deux ont en effet une même conséquence, à savoir l'accroissement de la *disponibilité* de l'animal pour l'acte en question. Mais notre conception plus étroite de la notion d'instinct nous contraint à analyser plus à fond ces comportements identiques sur le plan fonctionnel, et à séparer nettement d'une part l'abaissement du seuil de l'excitation déclencheuse comme propriété de l'acte instinctif et d'autre part le comportement d'appétence, recherche d'une excitation. Les rapports qui, comme je l'ai signalé plus haut, existent éventuellement entre ces deux types de comportement, n'ont aucune influence sur cette séparation des concepts, pas plus qu'ils ne sont en contradiction avec elle.

Dans les exemples choisis plus haut pour éclairer l'aspect subjectif de ces comportements, le phénomène évoqué ne consiste pas seulement en un abaissement du seuil d'excitations déclencheuses, mais également en une diminution de la sélectivité de l'organisme, en une disponibilité plus grande pour répondre à des excitations non adéquates. Dans les comportements orientés sur un objet et dans le cas où l'objet adéquat et biologiquement exact fait défaut assez longtemps, il en résulte que la réaction s'attache à un autre objet, même s'il n'est pas tout à fait adéquat. Les actes instinctifs se déroulant au contact d'un objet de remplacement provoquent, tout comme les déroulements biologiquement adéquats, une remontée immédiate du seuil d'excitation anormalement bas, voire un retour du seuil à la normale. Cette remontée du seuil d'excitation, ou, si l'on veut, cet accroissement de la sélectivité perceptive de la réaction, a la conséquence suivante : la réaction à une situation excitatrice non adéquate ne peut se renouveler qu'un très petit nombre de fois. Un acte instinctif qui a été exécuté souvent et longtemps au contact de l'objet normal, ne peut être exécuté que très brièvement ou qu'un petit nombre de fois au contact d'un objet de remplacement. C'est ainsi que Lissmann a pu montrer que les réactions de combat de *Betta splendens* mâles, tenus à l'écart de leurs congénères, pouvaient tout d'abord être déclenchées par des leurres tout à fait grossiers, mais que ceux-ci perdaient très vite leur efficacité, et d'autant plus vite que ces objets de remplacement ressemblaient moins à l'adversaire spécifique. Un héron bihoreau, au nid duquel nous avions pris le petit pour le placer en liberté dans un pré, réagit à cette situation excitatrice anormale en le couvant un instant pour se relever immédiatement et s'éloigner de lui. Peu après, il le défendit *une fois* contre un paon mâle mais, malgré la persistance de la menace exercée par cet oiseau sur le petit, il se détourna immédiatement de ce dernier, pour aller quémander quelque nourriture à la personne qui se tenait silencieusement non loin de là. Quand nous rapportâmes le petit dans le nid, il y fut bruyamment salué, longuement et avec une intensité particulière, y fut couvé et défendu sans relâche et avec la plus grande âpreté.

Je ne suis généralement pas très partisan de choisir des symboles empruntés au domaine de la physique pour représenter des phénomènes biologiques, car on est alors par trop tenté de croire avoir causalement et analytiquement compris un processus dont, en réalité, on ne possède qu'une représentation imparfaitement correspondante. Je crois toutefois, sous cette réserve, être en droit de choisir une comparaison tirée de la physique pour montrer comment se comportent les actes instinctifs et les excitations déclencheuses pendant, et entre leur exécution. Nous avons déjà parlé à plusieurs reprises de « pression de l'excitation » *(Erregungsdruck)* et effectivement l'animal, lorsque le déroulement de l'acte est ininterrompu, se comporte exactement comme si une quelconque énergie spécifique à la réaction *était accumulée*. C'est comme si un gaz était longuement aspiré dans un récipient, au sein duquel la pression serait en croissance continuelle jusqu'à ce que, dans certaines conditions bien déterminées, ce gaz se détende et libère une décharge. Je symboliserais les différentes excitations conduisant à cette décharge par des robinets laissant se déverser à nouveau hors du récipient le gaz accumulé. L'excitation adéquate, ou mieux la combinaison adéquate d'excitations, correspond à un seul robinet capable d'abaisser la pression dans le récipient au niveau de la pression extérieure. A toutes les autres excitations, plus ou moins inadéquates, correspondent des robinets qui, par l'intermédiaire d'une soupape à ressort, ne laisse passer le gaz que vers l'extérieur et seulement lorsque la pression intérieure atteint un certain niveau. Ainsi ces robinets ne permettent-ils jamais à la pression régnant à l'intérieur du récipient de se détendre absolument, et ceci d'autant moins que le ressort de la soupape obstructive est plus résistant, c'est-à-dire que l'excitation déclencheuse de remplacement est plus différente de la situation excitatrice normale et adéquate. Il est facile de concevoir par ce symbole pourquoi l'acte instinctif déclenché par des excitations inadéquates ne peut se dérouler avec la même intensité que l'acte déclenché par l'excitation adéquate. Mais notre comparaison est impropre sur un point important, car elle ne permet pas, ou du moins elle permet mal de représenter la réaction à vide. Le surgissement élémentaire et presque explosif de cette réaction, qui fatigue l'animal presque jusqu'à l'épuisement, n'est pas représenté d'une manière assez convaincante par un relâchement brutal de la pression, provoqué par une sorte de soupape supplémentaire de sécurité; il serait préférable de le symboliser par un éclatement de tout le récipient.

Ce comportement de l'acte instinctif, qui fait penser de manière si contraignante à des processus d'accumulation, se conçoit aisément dans toutes les réactions concernant *un besoin* du corps : prise de nourriture solide et liquide, dépôt des excréments et reproduction. On sait très exactement dans la plupart de ces cas comment l'excitation intérieure conduit, par la voie d'un système plus ou moins compliqué d'indicateurs, jusqu'au besoin subjectif et enlève à l'excitation extérieure une part plus ou moins importante de déclenchement de la réaction. Mais il nous faut insister sur le fait que l'animal se comporte de manière totalement analogue dans pratiquement *toutes* les réactions instinctives, même celles pour lesquelles on peut exclure avec certitude l'existence d'une excitation intérieure. Il est particulièrement frappant de constater combien, par exemple, les réactions négatives de fuite et de défense de nombreux animaux sont indépendantes d'une quelconque excitation intérieure. C'est pour ces réactions qu'il est le plus facile de démontrer l'abaissement du seuil des excitations déclencheuses car elles se présentent couramment chez les animaux captifs et en particulier ceux qui ont grandi soignés par l'homme. J'ai pu démontrer que chez les oiseaux, des individus élevés ainsi dès leur plus jeune âge manifestaient un abaissement notoire du seuil de l'excitation provoquant la fuite et ce particulièrement pour les espèces chez lesquelles cette réaction était déclenchée non pas par la perception visuelle d'un ennemi « reconnu » instinctivement comme tel, mais plutôt par le cri d'alarme et surtout par la frayeur et par l'envol des parents. Ces jeunes oiseaux, protégés par l'homme et soustraits par là même à *tout* déclenchement adéquat de la réaction de fuite, ne peuvent pour ainsi dire pas « se défaire » de celle-ci. Ils manifestent une propension, fort gênante pour qui s'occupe d'eux, à prendre les moindres excitations de remplacement comme prétexte à une panique tout à fait dangereuse et à un déchaînement sans raison apparente. De nombreux ongulés, et particulièrement certaines antilopes, se comportent d'une manière tout à fait analogue. Chez ces animaux ce sont, comme l'a affirmé Antonius, les individus élevés à l'état isolé par l'homme, qui se précipitent contre les clôtures avec assez de force pour se tuer parfois, dans une panique aveugle et inexplicable.

Nous avons indiqué que la réaction à vide se caractérise en général par une forte agitation, et même par une agitation extrême dans le cas de certains actes instinctifs, la fuite par exemple. On peut dire que quand une réaction est souhaitée avec peu d'intensité et quand, simultanément, sont offertes des circonstances extérieures optima, la réaction se déroule selon le processus décrit p. 16, limitée parfois à une ébauche et n'aboutissant qu'imparfaitement; alors qu'en cas de pression intérieure élevée, et quand les circonstances extérieures sont insuffisantes ou même inexistantes, on peut observer des actes aboutissant à un résultat erroné. Dans le premier cas, l'imperfection du déroulement de l'acte empêche ce dernier d'aboutir à sa finalité conservatrice de l'espèce. Il est évident que dans le deuxième cas, c'est la rigidité du déroulement, parfait en lui-même, mais dépourvu de toute faculté d'adaptation, qui rend impossible l'accomplissement de sa signification biologique. *Ces deux cas extrêmes prouvent clairement l'absence totale de tout rapport entre la signification biologique d'un comportement instinctif et la finalité visée par l'animal en tant que sujet.* Dans un des cas la finalité de la réaction conservatrice de l'espèce, n'est pas atteinte parce que, bien que toutes les conditions extérieures soient remplies, la « pression d'excitation » intérieure de l'animal ne suffit pas à lui « faire franchir » la série des actes constituant la chaîne; dans l'autre cas, il exécute avec la plus grande ardeur la suite ininterrompue de ces actes, bien que fassent défaut toutes les excitations prétendues nécessaires comme « supports du comportement » et même souvent les conditions purement physiques du déroulement.

A première vue, le fait que la chaîne d'actes se déroule intégralement lors de la réaction à vide, peut sembler venir à l'appui d'une explication mécaniste conforme à la théorie du circuit. Mais l'abaissement du seuil d'excitation, processus essentiel de toute réaction à vide, demeure quelque chose de totalement étranger au schéma excitation-réaction simple du réflexe, et exige, comme je l'ai déjà dit, une explication particulière. Tout comme les phénomènes de régulation, déjà mentionnés, l'abaissement du seuil n'est pas en contradiction avec l'affirmation selon laquelle celle-ci suffit à expliquer l'acte instinctif.

A la question : les phénomènes d'abaissement du seuil peuvent-ils amener à l'idée qu'il existe une séparation nette entre l'acte instinctif et le réflexe au sens étroit, il nous faut répondre par la négative. Les phénomènes de fatigue sont concevables comme des processus analogues mais pour des causes inverses; pendant la détente qui suit d'assez longs efforts, les tissus servant aux fonctions animales les plus diverses dénotent un accroissement progressif de l'excitabilité, un abaissement du seuil des excitations déclencheuses, manifestation quantitativement très différente, cependant indiscutablement analogue. Ce phénomène n'est donc pas le privilège du substrat anatomique de l'acte instinctif.

La propriété la plus importante du déroulement instinctif des mouvements, et qui ne s'explique pas non plus par le schéma excitation-réaction propre au réflexe, réside dans le fait qu'il est orienté par ces comportements que nous avons déjà décrits p. 22 comme étant des comportements *finalisés* ou d'*appétence*. Que l'aboutissement de l'acte instinctif constitue la finalité du comportement finalisé, *n'est pas* en soi contradictoire avec la nature de chaîne de réflexes de ses coordinations de mouvements. Mais on ne comprend pas, de prime abord, comment il se peut que l'animal aspire à l'aboutissement de ces réflexes en chaîne particuliers, ce qu'il ne fait pas du tout pour *tous* ses réflexes. Il ne vient à l'idée de personne de désirer la situation excitatrice dans laquelle son réflexe rotulien pourrait être déclenché. Le réflexe, un peu comme une machine au repos, se caractérise par sa constante disponibilité : il ne se met en marche que quand certaines excitations-clefs agissent sur les récepteurs de l'animal. Le fait que la réaction se présente pour ainsi dire d'elle-même, qu'elle mette l'animal dans un état d'agitation extrême et l'amène à *rechercher* activement ces excitations-clefs n'appartient pas à la nature du réflexe, sans être toutefois *en contradiction* avec la nature réflexe de l'aboutissement final. Dans le cas le plus simple, cette recherche n'est rien de plus qu'une agitation motrice, et donne bien effectivement l'impression d'une recherche selon le principe du tâtonnement et de l'erreur; dans le cas-limite opposé, cette recherche peut être accompagnée des performances les plus élevées de l'apprentissage et de l'intelligence existant dans le domaine animal. Cette agitation de l'animal, cette *stimulation* qui est à la recherche, — avec ou sans finalité —, d'une situation excitatrice très déterminée correspondant au schéma déclencheur inné de la réaction désirée, voilà ce que je désigne par le mot « impulsion » *(Trieb)* tout en étant conscient de ce que ce concept soit encore moins en usage que celui d'acte instinctif.

Il y a sans aucun doute deux facteurs amenant directement l'animal à aspirer *(anstreben)* à la situation excitatrice déclencheuse d'un acte instinctif : le premier est constitué par cette impulsion, cette poussée *(Trieb)* que nous venons d'analyser; le second par les « sensations de plaisir » provenant d'une expérience antérieure et qui accompagnent l'aboutissement d'un acte instinctif. Bien qu'il soit difficile de donner à ces phénomènes subjectifs une explication causale, il est possible de leur trouver une interprétation finaliste, du point de vue de la conservation de l'espèce. L'animal subit une impulsion et, en même temps, est « attiré » pour que se déroulent les coordinations de mouvements nécessaires à la conservation de l'espèce. Nous avons déjà vu (p. 26) la manière selon laquelle, lors des alternances instinct-dressage, le désir de la fonction agit comme un appât, amenant le sujet à franchir la série des actes aboutissant à la conservation de l'espèce. Il semble que, sans cette double motivation, le comportement d'appétence ne serait pas mené à terme et qu'une espèce animale serait condamnée à une disparition rapide.

Alors que ni les phénomènes de régulation, ni les excitations déclenchant l'abaissement du seuil, ne nous ont permis de délimiter les concepts d'acte instinctif et de réflexe, il apparaît que l'aspiration de l'animal à la fonction finalisée, aboutissement du comportement d'appétence, peut servir de définition à l'acte instinctif. Il peut sembler choquant, au premier abord, qu'une telle définition de l'acte instinctif ait recours au subjectif pour se formuler; c'est pourquoi, une fois encore, il faut insister sur le fait que le comportement finalisé se définit selon Tolman, comme il a été dit p. 22, d'une manière totalement objective. La définition de l'acte instinctif comme « aboutissement réflexe désiré » (*angestrebter*

Reflexablauf) apporte une précision importante à cette conception de l'instinct qui est celle de Verwey : « Dans les cas où l'on peut distinguer le réflexe de l'instinct, le réflexe se déroule mécaniquement, alors que l'acte instinctif est accompagné de phénomènes subjectifs. » Il me semble que ce serait négliger un élément essentiel que d'omettre de préciser que ce sont justement les phénomènes accompagnateurs *subjectifs* de l'acte instinctif qui représentent la finalité *directe* du comportement d'appétence.

Je suis conscient de ce que la définition selon laquelle l'acte instinctif serait « un acte réflexe désiré » ne va pas sans difficultés philosophiques. Le rapprochement du désir, phénomène essentiellement psychique bien qu'il puisse être conçu objectivement, et du concept physiologique de réflexe, rappelle un peu la naïveté de la représentation cartésienne selon laquelle la glande pinéale serait le point d'application d'influences psychiques sur des processus physiques. Mais c'est sans doute là que se situe le problème, philosophiquement difficile mais important et instructif, de l'acte instinctif dans le comportement animal et humain; tout au moins peut-on espérer que l'on prendra plus clairement conscience de cette question que le philosophe de la nature doit poser à un biologiste.

4. Résumé

Ce qui m'autorise à critiquer dans cet essai des conceptions presque toutes traditionnelles sur le comportement instinctif des animaux, et m'amène à définir un concept nouveau de ce phénomène, ce sont *des faits d'observation* presque toujours *nouveaux*. Ces derniers ne sont pas exclusivement dus à mes propres recherches, mais sont le fruit des travaux d'un cercle de spécialistes d'animaux, travaillant dans le même sens et que je connais assez bien pour être en droit de supposer qu'ils n'ont jamais cherché réellement à définir l'acte instinctif. J'avoue que la plupart de ces faits m'étaient connus depuis bien plus longtemps que les théories que je critique avec leur aide, et que j'avais déjà forgé ma propre conception de l'instinct avant même d'avoir entendu les noms des grands théoriciens de cette question.

De chacun de ces faits d'observation qui, à plusieurs reprises dans le présent essai et à des endroits très divers selon leur portée, ont été invoqués à l'encontre d'opinions communément reçues, je crois devoir faire la synthèse et donner ainsi le sens de mon travail. Ce n'est donc pas dans l'ordre où ils se présentent au fil des chapitres que j'en rendrai compte, mais dans un ordre qui, à mon avis, correspond à leur importance et à leur signification.

Pour m'en tenir à cette règle, il me faut assurément donner la première place *à l'acte instinctif ne remplissant pas sa fonction biologique.* On observe fréquemment, chez les animaux captifs, soit des actes instinctifs demeurant inachevés par manque d'intensité de la réaction intérieure, soit des actes instinctifs perdant leur portée biologique au cours de leur déroulement par insuffisance des conditions extérieures. Cette dualité de phénomènes m'a inspiré très tôt la conviction fondamentale que portée biologique de la réaction et finalité proposée à l'animal en tant que sujet sont deux choses différentes et qui ne doivent en aucun cas être confondues. Le cas extrême représenté par *la réaction à vide,* prouve, par la similitude vraiment photographique entre les mouvements exécutés en pareille occasion et les mouvements normaux donnant à l'acte sa pleine signification biologique, que les coordinations des mouvements de l'acte instinctif sont déterminées d'une manière innée jusqu'aux moindres détails. La réaction à vide, chez les animaux captifs élevés seuls, nous permet d'étudier l'acte instinctif pour ainsi dire à l'état pur. Il faut le considérer comme le fait fondamental nous permettant de réfuter l'un des courants de pensée comptant aujourd'hui encore de nombreux partisans en Amérique, et qui s'efforce de faire dériver tout comportement animal et humain des réflexes conditionnés. La similitude des mouvements, dans la réaction à vide et dans le déroulement normal d'un acte remplissant sa portée biologique, nous interdit a priori de concevoir l'acte instinctif comme une forme du comportement finalisé : il est inexact qu'on ait pu prouver l'existence, pour un acte instinctif, de modifications quelconques ayant trait à une finalité précise, conçues par l'animal en tant que sujet.

Le deuxième fait fondamental que je voudrais rappeler (p. 33-41) concerne l'évolution de l'acte instinctif dans le système zoologique; l'étude de cette évolution nous montre que la coordination de mouvements instinctifs se comporte dans toutes ses modifications, au cours de l'histoire de la race, exactement comme un organe; et que c'est en le comparant à un organe qu'on peut et qu'on doit systématiquement concevoir l'acte instinctif. L'évolution de l'acte instinctif dans le système zoologique nous montre d'une manière pénétrante combien il est insensé de vouloir parler de l' « instinct » : nos constatations ne pourront jamais s'appliquer qu'à des mouvements innés, qu'à des *actes* instinctifs connus pour une fraction plus ou moins grande du système zoologique.

Ces deux faits, tant la perfection des mouvements exécutés au cours d'actes biologiquement sans signification, que l'évolution de l'acte instinctif dans le système zoologique, évolution semblable à celle d'un organe, doivent nous rendre méfiants à l'égard de toute affirmation concernant la modification adaptative de l'acte instinctif par l'expérience individuelle. Nous pouvons, sur la base de nos recherches intéressant la phylogénèse (p. 33) affirmer que, dans tous les cas où on a pu constater une modification apparemment adaptative d'un acte instinctif par l'expérience personnelle, il s'agissait d'un *processus de maturation.*

L'autre analogie entre l'organe et le développement ontogénétique de l'acte instinctif, dont j'abandonnerais volontiers à d'autres le soin d'apprécier la signification, concerne le processus particulier d'acquisition que nous avons désigné par « sensibilisation » *(Prägung).* Par sa dépendance d'un matériau spécifique vivant, la courte durée des stades de développement pendant lesquels il se manifeste, et surtout par son irréversibilité, ce processus se révèle indéniablement parallèle au processus de détermination inductive lors des mécanismes du développement.

Il me faut enfin mentionner *les alternances* de comportements instinctifs et de comportements finalisés (p. 20). Le fait que dans une série d'actes, homogènes au point de vue fonctionnel, puissent se succéder sans transition des fractions de comportements innés et instinctifs et des fractions finalisées, modifiables et susceptibles d'une adaptation, a deux conséquences essentielles. Premièrement, une analyse précise de ces séries d'actes nous a appris qu'il n'existait pas de transitions imperceptibles entre l'acte instinctif et le comportement finalisé, et nous a ainsi évité de tomber dans l'erreur commune à tant d'auteurs, consistant à assimiler le comportement d'appétence au concept d'instinct. Deuxièmement : l'observation de la genèse ontogénétique d'une forme précise d'alternance, à savoir de l'alternance instinct-dressage, nous a apporté la preuve de ce que Wallace Craig avait établi depuis longtemps déjà : que le déroulement de l'acte instinctif constitue le but et la finalité de tout comportement finalisé de l'animal en tant que sujet (p. 22). Cette constatation nous fournit la seule possibilité de séparer, dans l'abstrait, l'acte instinctif, « aboutissement réflexe désiré » d'autres processus « purement » réflexes.

Il peut sembler que ces résultats relativement peu nouveaux n'autorisent pas à formuler une opinion si fondamentalement éloignée de la plupart des idées communément admises. Je ne vois cependant pas d'objection à formuler mon point de vue de la manière la plus rigoureuse, à condition de demeurer conscient qu'il ne s'agit là que d'hypothèses de travail pouvant à tout instant être modifiées par des faits nouveaux.

J'espère, et je crois avoir réussi cependant à prouver que l'étude de l'acte instinctif n'est pas un domaine réservé à des spéculations de l'esprit et pseudo-scientifiques, mais au contraire un domaine auquel, du moins provisoirement, seule l'étude scientifique expérimentale peut apporter quelque enrichissement.

Le tout et la partie dans la société animale et humaine

Un débat méthodologique

(1950)

1. Introduction

Le nombre est prodigieux des sociologues et des psychologues modernes qui traitent d'une manière singulièrement étroite des rapports de causalité existant entre les structures de l'individu et celles de la société qui englobe l'individu; entre la totalité organisée d'ordre inférieur et la totalité organisée d'ordre supérieur. Si la vieille attitude atomistique, en pleine méconnaissance de la nature des totalités organiques, avait entrepris de ramener la nature de la totalité à la somme des seuls composants, « l'opinion commune scientifique », incline maintenant tel un pendule dans la direction opposée. On porte un intérêt presqu'exclusif à l'influence qu'exerce la société, — du fait de son mode d'organisation particulier —, sur la structure de la personnalité de l'individu à la croissance duquel elle sert de cadre. La question n'est presque jamais posée de la présence dans le comportement humain de structures spécifiques, invariantes chez l'individu et qui marquent toutes les sociétés humaines de certains traits communs caractéristiques. Ce sont aussi presque toujours les *différences* structurelles des divers types de sociétés humaines qui sont au centre de la réflexion, et pour ainsi dire jamais les *analogies* structurelles qui se déduisent de l'invariance des types de réactions individuelles.

Cette prise en considération exclusive des chaînes causales qui vont de la société à l'individu, cette omission des influences qui s'exercent en sens inverse constituent une infraction à certaines règles méthodologiques auxquelles l'analyse de toute totalité organique doit obligatoirement se soumettre. Elles expriment une méconnaissance de la nature des ensembles organisés, qui n'est pas moins paralysante et nuisible pour la recherche que l'erreur symétrique des atomistes.

La négligence complète de l'influence que la structure de l'individu, en tant que système organique, exerce sur la structure de la société qui l'englobe, a, autant que je puisse voir, deux causes essentielles. La première cause de carence méthodologique contre laquelle on veut ici s'élever consiste paradoxalement en une *généralisation abusive de certains principes de la psychologie de la forme*; la seconde cause est *la méconnaissance de la présence chez l'homme de types d'actions et de réactions innées caractéristiques de l'espèce.* Mon propos est d'articuler autour de ces deux thèmes les discussions méthodologiques qui sont la matière de cet essai. J'y ajouterai une courte réflexion sur certains dangers qui menacent l'humanité, dangers qui ne peuvent être combattus que sur la base d'une bonne connaissance préalable des types d'actions et de réactions innées chez l'homme.

2. Généralisation abusive des principes de la psychologie de la forme

1. Si chaque forme est une totalité, chaque totalité organique n'est pas une forme

Le jour où, pour la première fois, des psychologues ont été capables d'exprimer de façon exacte certaines qualités constitutives de la totalité organisée en système et de dégager de façon claire une méthode de recherche, est une page de gloire immortelle dans l'histoire de la psychologie. La perception de la forme est effectivement un type pur de totalité organique. Elle constitue en outre le phénomène précis dont l'étude a permis à la recherche de prendre conscience de l'insuffisance méthodologique de l'attitude atomistique qui avait prévalu jusqu'alors. Les méthodes de pensée et de travail développées par la psychologie de la forme pour l'étude des formes se sont également montrées applicables à d'autres totalités organisées en système. Mais tout cela fit oublier que la forme est exclusivement un phénomène de la perception; que, comme telle, elle ne constitue qu'*un type tout à fait particulier* de tout organique *et qu'elle n'est en aucune façon la totalité.* De très nombreux psychologues de la forme, et Wolfgang Köhler lui-même, tendent à assimiler purement et simplement les concepts de totalité et de forme : qu'on pense au concept de « forme physique » (« *physikalische Gestalt* ») utilisé par Köhler. Mais alors que Köhler se borne à prouver l'existence d'éléments caractéristiques de la forme dans des systèmes autrement agencés, trop souvent chez d'autres auteurs on ne trouve que le postulat parfaitement dogmatique selon lequel toute totalité organique doit avoir ipso facto *toutes* les qualités typiques d'une forme de la perception.

Un exemple très frappant d'extension abusive des principes de la psychologie de la forme au domaine biologique et sociologique se trouve chez H. Werner que je citerai ici comme représentant typique d'une opinion aujourd'hui largement répandue encore en sociologie et en psychologie sociale : « la tentative de définir, à la faveur d'une construction d'éléments, à la faveur d'une synthèse, la notion fondamentale de la psychologie sociale, celle de structure d'unités supérieures, montre plus clairement encore qu'auparavant la manière complètement erronée dont le problème est posé. On peut en effet le démontrer dans tous les cas : une totalité peut être fondée de bien des manières; et les prétendus éléments dont l'assemblage produit cette totalité peuvent changer sans altérer sa physionomie d'ensemble. Ainsi, qu'un cercle puisse être créé à partir de points ne dépend ni des points eux-mêmes qui le composent, ni de l'assemblage de ces points au moyen d'une synthèse appropriée. A partir de matériaux déterminés peuvent surgir toutes les figures qu'on veut et, réciproquement, des éléments tout autres que des points, des croix par exemple, peuvent donner naissance à une même figure ». Ces développements sont illustrés par un oval constitué de points ronds, par un cercle dessiné suivant le même procédé, et par un second cercle composé de petites croix! « Pris isolément, les « points » humains, les individus, n'ont pas davantage la propriété de constituer un ensemble agencé de telle façon et non de telle autre façon. La synthèse des individus ne donnera jamais une totalité dépassant l'individu. Les totalités ne peuvent être dérivées des éléments par aucune synthèse, par aucune combinaison. Pour cette raison une transformation radicale de la problématique doit se produire dont une image est donnée par les nouveaux développements de la psychologie sociale. Si la totalité ne peut en aucune manière être dérivée de ses éléments, il en résulte que cette totalité ne peut être expliquée qu'en elle-même.

Pour le biologiste qui, sa vie durant, a été habitué à travailler en utilisant la méthode de l'analyse sur un large front, c'est toujours une inépuisable occasion d'extraordinaire étonnement que de voir des psychologues de la forme et des sociologues intelligents ne pas se rendre compte que cette attitude n'est pas moins erronée ni moins aveugle à la nature de la totalité des systèmes organiques que l'attitude des atomistes mécanistes si durement notés par Werner. Si ces derniers ignorent l'action de cause à effet exercée par la totalité sur ses parties, les autres négligent complètement l'action exercée par les parties sur le tout formant système. Ils oublient complètement que dans le monde extérieur organisé, chaque « sous-ensemble » *(Unterganz),* selon la vilaine expression en usage chez les psychologues de la forme, *a aussi ses structures.* Dans la psychologie de la perception de la forme, cette méconnaissance des qualités inhérentes à « l'élément » n'a guère d'inconvénient, car ces dernières n'influencent en fait que très peu le caractère de la totalité. Mais cette dernière assertion qui s'applique à la forme dans la mesure où elle constitue un cas-limite de totalité, n'est nullement valable pour *toute* totalité systématique organisée. Que dans la perception de la forme, la totalité d'une mélodie puisse être construite à partir de sons de hauteur différente, provenant d'un violon, d'un xylophone, ou d'un orgue, sans altération du caractère inébranlable de sa forme, ne signifie pas pour autant qu'une totalité organisée en système puisse être construite à partir de n'importe quels éléments. Il est impossible de bâtir un arc avec des pierres rectangulaires et de bâtir un mur rectiligne avec des pierres taillées en forme d'arc; il n'est pas davantage possible de faire entrer des choucas dans la totalité que constitue un essaim d'abeilles ou de faire entrer des abeilles dans la totalité que constitue une colonie de choucas.

Si Werner disait de la société humaine : « l'homme possède, en tant que membre d'une unité d'ordre supérieur, des qualités qu'il tient de son appartenance à cette totalité et qui ne sont compréhensibles que par référence à cette totalité », cette proposition serait à certains égards bien préférable à celle évoquée plus haut au sujet des « points humains » à partir desquels, à l'en croire, n'importe quel type de totalité peut être construit. Mais cette proposition *ne* veut *pas* dire que *toutes* les qualités humaines « qui ne sont compréhensibles que par référence à la totalité » pénètrent dans la vie individuelle par suite d'une imprégnation d'origine sociale. Très nombreuses sont à la vérité les qualités de l'individu qui ne peuvent être comprises que par référence à la totalité, mais qui sont dévolues à l'individu par innéité, par héritage et par transmission non traditionnelle, en raison de son appartenance à *l'espèce* en question et non en raison de son appartenance à une société déterminée qui est le résultat du hasard. Bien sûr, la forme d'une pierre taillée pour construire une voûte ne peut être comprise qu'à partir du plan de construction de cette voûte. On peut même « comprendre » la voûte au sens *téléologique* sans avoir compris la forme de la pierre et sans concevoir de quelle façon cette forme influence celle de la totalité.

Mais les sciences de la nature sont inductives : elles requièrent une compréhension non seulement téléologique mais *causale*. L'humanité ne doit sa *puissance* sur les choses qu'à sa compréhension causale de celles-ci. On peut se griser de considérations téléologiques sur la perfection admirable des systèmes organisés, et on peut ainsi parvenir à une certaine « compréhension » de ces systèmes par identification intuitive, mais ce mode de compréhension ne met pas en situation de remédier au moindre incident qui peut menacer le fonctionnement d'un ensemble. Personne ne niera que la structure sociale de l'humanité est un ensemble dont le fonctionnement est actuellement très fondamentalement déréglé, et personne *n'est en mesure* de nier que pour remédier à ses désordres une compréhension *causale* de l'ensemble comme de ses désordres est indispensable. Pour revenir à la comparaison utilisée plus haut, on peut discerner le but de la voûte sans connaître la forme des pierres, mais la *réparer* est impossible sans cette connaissance. Dans la recherche inductive, compréhension finale et compréhension causale doivent nécessairement marcher la main dans la main. Poursuivre activement un but est fondamentalement impossible sans une compréhension causale; d'un autre côté, la recherche causale serait sans objet si la recherche de l'humanité ne tendait pas vers un but. La recherche causale ne renvoie pas pour autant à un « matérialisme » ignorant des valeurs au sens moral, elle vise à servir, de la façon la plus attentive qui soit, la finalité dernière du devenir organique en nous ouvrant par ses succès la possibilité de venir au secours des valeurs humaines en danger, là où celui qui se borne à la simple contemplation téléologique de la totalité reste les bras croisés et, impuissant, ne peut que pleurer sur la « totalité » volant en éclats.

Toute tentative de compréhension scientifique qui n'examine que dans *une* direction une liaison causale qui est en fait *réciproque*, comme celle qui unit dans la plupart des cas la partie et le tout d'un système organique, se rend coupable d'une erreur de méthode. Cette erreur est fondamentalement identique à celle que nous critiquons chez les mécanistes « atomistiques ». Cela donne un résultat hautement paradoxal quand cette infraction aux règles de la recherche inductive vient précisément du côté de ceux qui, du matin au soir, n'ont à la bouche que le mot d'ordre de « totalité »!

Ce qui vient d'être dit trouverait sa pleine justification lors même que les systèmes organisés seraient, au sens idéal, des « totalités », c'est-à-dire lors même qu'ils ne comprendraient aucun élément qui ne fût une pièce incluse fixe ou un élément d'ossature serti dans l'enchevêtrement mobile des liaisons causales réciproques, propre de ce fait à influencer par sa forme et par son jeu la totalité, sans être lui-même influencé, sinon dans une mesure négligeable, par le tout. Mais en fait, étant donné que, comme nous le verrons bientôt, des « matériaux — indépendants de l'édifice » jouent bel et bien, dans la construction de chaque organisme, de chaque société d'organismes, un rôle décisif, l'attitude des mécanistes — qu'il s'agisse des behavioristes ou des réflexologues — est *moins* fautive, et même en un certain sens plus respectueuse de la totalité que celle des auteurs cités plus haut qui spéculent exclusivement sur la totalité : des liaisons causales qui unissent la partie à la totalité, voilà au moins qui *existe* bien souvent, et les « atomistes » ne commettent pas d'erreur de méthode aussi longtemps qu'ils restreignent leurs recherches à des chaînes causales de ce type. *En revanche des chaînes causales univoques qui relient la totalité formant système à ses parties, voilà qui n'existe point :* il s'agit d'une fiction qui, dans le domaine de la psychologie de la perception de la forme, pour des raisons qu'il serait trop long de développer ici, n'entraîne aucune erreur substantielle, mais qui dans les recherches portant sur des systèmes organisés objectifs peut gravement gêner la recherche.

Dire ici d'abord quelques mots du concept qui relie la recherche biologique inductive et le terme de totalité est utile pour différentes raisons. D'abord, pour mieux comprendre ce qui doit être dit du rôle que joue le matériau indépendant de l'édifice dans l'ordonnance d'un tout constituant un système organisé. En second lieu, c'est de la nature de la totalité que sont tirées la méthode à laquelle il faut donner la préférence pour procéder à une analyse causale de cette dernière, et la critique que nous avons à exercer d'un point de vue méthodologique à l'encontre des grandes écoles mécanistes. Mais nous reviendrons sur cette critique dans le chapitre qui suit celui qui s'ouvre maintenant, et dans la seconde partie de cet essai qui traite de la méconnaissance des comportements spécifiques innés.

2. La nature des totalités formant des systèmes organisés et l'analyse sur un large front

Si nous définissons une totalité comme un système dans lequel chaque élément entretient avec chaque autre élément un rapport d'influence causale et réciproque, comme un « système réglé de liaisons causales universelles réciproques » (O. Koehler), ce concept est privé de toute détermination métaphysique, et en particulier de toute détermination vitaliste. Le mécaniste et « l'atomiste » le plus convaincu sont dans l'obligation de nous concéder que l'ordonnance structurelle de nombreuses totalités organiques forme un système de ce type, et de convenir de l'exactitude de certaines règles de méthode intéressant la recherche analytique, qui sont dérivées de la nature de telles totalités. Dans un système dont toutes les parties entretiennent des liaisons causales universellement réciproques, — qu'on pense par exemple au système des glandes à sécrétion interne de l'être humain —, il est fondamentalement impossible à l'expérience ou même à la *théorie* d'isoler et de considérer à part un seul des éléments. L'élément isolé, ainsi que ce qui reste de la totalité une fois amputée de cet élément, sont, du fait de notre intervention, — par l'expérience ou par le raisonnement, devenus quelque chose de tout différent de ce qu'ils étaient à eux deux dans leur rapport précédent. Le rôle que chaque élément pris en particulier joue dans l'ordonnance du tout ne peut, par principe, être compris que *simultanément* avec celui de tous les autres éléments participant au tout. Pour prendre un exemple trivial : quand nous essayons de comprendre le fonctionnement d'un moteur à explosion, il nous est absolument nécessaire, que nous le voulions ou non, de considérer d'abord un de ses éléments, mais nous ne pourrons comprendre pleinement le fonctionnement d'une de ses parties, le carburateur par exemple, que quand nous aurons saisi la manière dont le piston aspire le mélange gazeux qu'il contient. Comprendre le rôle d'aspirateur joué par le piston suppose au préalable la connaissance de la façon dont le volant, le vilebrequin, les bielles animent le piston pendant les trois temps à vide, la connaissance du mode de fonctionnement de l'arbre à came et des soupapes, etc. Mais comprendre que le volant possède une énergie cinétique qui meut le piston pendant le temps d'aspiration n'est possible que quand on aura compris, parmi tous les autres éléments du système, le carburateur lui-même et sa fonction. *Les éléments d'un ensemble ne se laissent comprendre que simultanément ou pas du tout!*

Cette caractéristique d'un système formant une totalité entraîne certaines exigences concernant la méthode d'analyse à utiliser à son propos, une méthode qui depuis longtemps déjà a été mise au jour par bien des psychologues de la forme, tels Matthaei et Metzger, qui ne se sont pas empêtrés dans une conception vitaliste et téléologique de la totalité. L'analyse doit nécessairement commencer par une prise en considération de l'agencement collectif de *toutes* les parties, conduisant à une vue globale du nombre et de la nature des éléments qui appartiennent à l'ensemble. L'analyse doit alors être poursuivie par une étude de détail qui doit dans toute la mesure du possible être conduite de tous les côtés simultanément. Il faut progresser dans la connaissance de chaque détail particulier du même pas qu'on progresse dans celle de chacun des autres, jusqu'à ce que l'ordonnance de l'ensemble s'offre à une compréhension totale et évidente. Matthaei compare ce processus que nous désignerons sous le nom d'*analyse sur un large front,* avec la démarche d'un peintre qui commence par faire à grands traits une esquisse d'ensemble approximative de ce qu'il veut représenter, puis précise tous ses détails au même rythme, si bien que la toile, à tous les stades de son devenir, est une réplique de la totalité à représenter, quoique son développement ait la signification d'une marche continue dans la direction de détails de plus en plus petits. L'analyse sur un large front s'impose chaque fois que l'objet examiné porte le caractère d'une totalité. Tel est le point de départ de notre critique à l'encontre des grandes écoles mécanistes de la psychologie et de la recherche sur le comportement. Celles-ci commettent toutes la même erreur de méthode, consistant à isoler arbitrairement des éléments ou des fonctions élémentaires au sein de celui de tous les systèmes organiques qui présente au plus haut degré les caractères d'une totalité, — le système nerveux central des animaux supérieurs et de l'homme —, et cela sans examiner leurs rapports avec cet ensemble, et, pis encore, en s'efforçant de resynthétiser l'ensemble à partir de « l'élément » constitué par un processus partiel isolé qui avait pu être saisi et analysé à la faveur de circonstances techniques favorables dues au hasard.

3. Le matériau relativement indépendant de la totalité

Il n'est pas vrai que tous les systèmes organiques cadrent intégralement avec la définition de la totalité entendue comme un système de liaisons causales *universellement* réciproques. Des exemples simples empruntés à la mécanique du développement, tel le « germe-mosaïque » des Ascidées dont les deux moitiés, séparées l'une de l'autre au stade où l'animal ne comprend que deux cellules, donnent chacune littéralement naissance à une moitié d'ascidée —, prouvent irréfutablement à quel point il est contre-indiqué de généraliser inconsidérément les relations entre la partie et le tout connues par la psychologie de la forme, et de tenir ces relations pour des qualités propres à tous les systèmes organiques. Il n'est assurément pas un seul organisme vivant qui, en tant qu'ensemble, représente un système formant tout, semblable à la partie du système nerveux central des vertébrés supérieurs et de l'homme qui intègre les données des sens en perceptions! Dans l'ordonnance structurelle des êtres vivants, il existe d'innombrables éléments qui, au sens littéral et « atomistique » du terme, sont des « parties » ou des « éléments de structure » dans la mesure où ils représentent des inclusions relativement fixes et invariables dans le jeu mouvant des causes réciproques qui animent le reste du système. Même dans les cas où ces pièces considérées pour elles-mêmes portent le signe de systèmes formant des ensembles organiques typiques, elles peuvent être traitées par l'analyse comme de véritables « éléments » du système organique et, précisément, pour cette raison qu'elles entretiennent avec la totalité un rapport *univoque* de causalité et non un rapport universellement réciproque. Je veux dire que ces éléments, — du moins dans l'organisme achevé —, ne sont substantiellement influencés ni dans leur forme ni dans leur fonctionnement par la totalité, mais qu'ils influencent en revanche d'une manière décisive la forme et le fonctionnement du système dans son ensemble. Nous définissons les éléments de ce type, qui entretiennent avec la totalité un rapport causal univoque prédominant, comme des *matériaux relativement indépendants de la totalité (als relativ ganzheitsunabhängige Bausteine).* Insérer le qualificatif « relativement » dans la définition de ces composants de la totalité est nécessaire parce qu'il existe toutes les nuances imaginables entre les matériaux qui sont absolument indépendants de la totalité et entretiennent avec elle un rapport causal purement univoque, et les matériaux qui sont habituellement liés à cette dernière et entretiennent avec elle des relations de réciprocité. Il est très difficile de trouver des exemples illustrant le cas-limite d'un matériau qui véritablement, soit *absolument* indépendant de la totalité. Même la célèbre moitié du germe de l'ascidée n'est pas, au sens strict, tout à fait indépendante de la totalité, car la demi-ascidée à laquelle elle donne naissance a toujours sur sa surface de coupe un revêtement épidermique qu'elle n'aurait pas si elle constituait une unité avec l'autre moitié. Ne sont à vrai dire absolument indépendants de la totalité que les composants morts d'un système organique, et encore ceux-là seuls qui sont dans leur état achevé. Les formations cuticulaires, comme le squelette externe des insectes adultes, qui est absolument incapable de régulation, les inclusions inorganiques, telles les aiguilles siliceuses des spongiaires et de leurs pareils peuvent à cet égard servir d'exemple. Un élément de squelette fixe, par exemple un os humain, n'est déjà nullement indépendant de la totalité : l'homme peut souffrir par exemple d'un ramollissement osseux. Mais les chaînes causales qui unissent la totalité de l'organisme et l'os sont toujours si peu nombreuses que nous pouvons sans crainte les laisser de côté si nous étudions, par exemple, le fonctionnement du squelette et l'incidence de ses structures sur les fonctions musculaires et l'exécution des mouvements par l'ensemble du système. De même, nous ne commettons pas d'erreur de méthode notable si, en étudiant sur un tendon un réflexe simple, nous négligeons, au début de notre étude, le fait que les instances supérieures du système nerveux central ont toujours une petite influence sur le déclenchement de ce réflexe, — par exemple le fait que le déclenchement du réflexe est substantiellement facilité par la coupure des faisceaux pyramidaux.

Si la découverte d'un matériau relativement indépendant dans le jeu mouvant et incroyablement compliqué des causes, offre un point de départ aussi heureux à l'approfondissement de l'analyse causale, c'est précisément parce qu'*un tel composant peut être isolé sans faute majeure contre la méthode.* C'est pour cette raison que les structures stables constituent toujours dans la recherche et dans l'enseignement le premier point fixe d'Archimède à partir duquel l'observation se déploie. C'est pour cette raison que, par exemple, tout livre d'anatomie s'ouvre sur la description du squelette. Pour ce motif, il est pleinement justifié que, dans l'analyse du comportement animal et humain, l'analyse causale ait pris pour point de départ des fonctions déterminées, liées à des structures immuables du système nerveux central. L'étude du processus réflexe a servi de pôle de cristallisation au développement d'ensemble de la physiologie du système nerveux central; la découverte de la réaction conditionnée a ouvert la voie à la formation de toute l'école pavlovienne des réflexologues. Finalement, la découverte des mouvements à automatisme endogène, qui sont bien plus indépendants de la totalité que ne le sont les réflexes et, *a fortiori,* les réactions conditionnées, a ouvert la voie à la formation de notre propre direction de recherche, la recherche comparative sur le comportement.

Les possibilités d'analyse qui sont ouvertes par la découverte d'un matériau relativement indépendant de la totalité ne doivent pas faire oublier que la méthode consistant dans l'observation isolée n'est permise qu'en ce qui touche les composants indépendants de la totalité et *doit être très attentive à se cantonner dans le domaine étroit du processus en question.* Chaque matériau de ce type se comporte dans une certaine mesure comme une inclusion inorganique dans le jeu mouvant des causes réciproques qui animent le système organique (les matériaux les plus indépendants sont, bien sûr, les inclusions organiques au sens littéral!). Et la recherche doit en toute occasion prendre bien soin de *revenir* à la méthode obligatoire de l'analyse sur un large front qui convient à la totalité, dès qu'elle déborde les frontières d'un élément stable inclus au sein de cette dernière et qu'elle est ainsi de nouveau aux prises avec un écheveau de liaisons causales réciproques.

Telle est précisément l'exigence qui est à la base de la critique que nous formulons à l'encontre de l'école des réflexologues behavioristes et des disciples de Pavlov. Les uns et les autres ont découvert un matériau de comportement relativement stable indépendant de la totalité, qui est au fond le même dans les deux cas, — la réaction conditionnée —, et sur la base de cette découverte, ils ont atteint des résultats importants et définitifs. Mais les uns et les autres, du fait de ces succès, n'ont plus été capables de revenir à la méthode pénible et fastidieuse de l'analyse sur un large front. Ils s'en sont tenus à la méthode d'observation par isolement, « atomistique », bien longtemps après avoir franchi les frontières du domaine de validité des lois qu'ils avaient trouvées. Cette manière de procéder qui, du point de vue scientifique, est absolument illégitime, les a conduits à poser dogmatiquement l'élément qu'ils avaient découvert, en principe d'explication unique et suffisant de la totalité du comportement. Une préoccupation de la seconde partie de cet essai sera précisément d'examiner comment le style moniste d'explication adopté par les grandes écoles mécanistes, et en particulier par le behaviorisme, a empêché ou retardé la découverte de certaines normes d'action et de réaction innées chez les animaux et chez l'homme, et comment, aujourd'hui encore, se manifeste dans une sociologie influencée par le behaviorisme la méconnaissance aveugle de l'existence de comportements spécifiques innés.

La richesse des différents types de systèmes organiques en matériaux relativement indépendants de la totalité est extrêmement variable. Une distinction semblable à celle que Speeman a faite entre les « germes mosaïques » et les « germes régulateurs » en ce qui concerne la mécanique du développement, est très généralement transposable à des points de vue très variés pour ce qui touche les différents systèmes organiques. Prenons deux exemples extrêmes empruntés à la théorie du comportement. Soit d'abord un oursin fuyant devant l'attaque de l'étoile de mer, son ennemie par excellence, tout en se défendant contre elle à l'aide de ses pinces venimeuses : de tels comportements, — hautement significatifs et conservateurs de l'espèce —, qui sont des comportements de l'animal tout entier, reposent sur l'agencement semblable à une mosaïque de ses organes considérés chacun isolément : pieds ambulacraires, piquants, pédicelles. Aucun travail intégrateur du système nerveux central ne coordonne dans un ensemble le travail isolé des organes. Chaque organe pris individuellement est au contraire une « personne réflexe » selon l'expression de J. von Uexküll, réagissant indépendamment pour elle-même. Sous l'effet de l'excitation chimique provoquée par la bave de l'étoile de mer, chaque pied ambulacraire, chaque piquant pris isolément détient à lui seul l'aptitude de fuir sans relâche la source d'excitation; il n'est qu'une chose dont il soit incapable : déterminer la direction de marche qui lui est au contraire imposée par le mouvement de l'animal tout entier, et « coopérer » à cette opération. Chaque pédicelle portant une pince venimeuse se dresse au contraire dans la direction de l'excitation, la pince ouverte. De telles réactions se produisent d'une manière absolument identique sur l'organe isolé; Tout en ayant une finalité, la réaction globale est en fait une mosaïque; elle peut être, au sens propre, synthétisée, à partir de la combinaison des « éléments » : il suffit par exemple d'attacher ensemble avec un fil quelques fragments d'un piquant et un morceau de peau d'oursin portant des pédicelles. Uexküll a résumé ce phénomène d'une phrase de son style expressif : « quand un chien court, le chien meut ses jambes; quand un oursin court, ce sont ses jambes qui le meuvent. » Il est possible et par conséquent nécessaire d'extraire de la course du chien des matériaux relativement indépendants (ils ont la forme des automatismes endogènes qu'on évoquera plus loin); ces matériaux peuvent légitimement être considérés isolément; et pourtant le système nerveux central du chien est, sans nul doute possible, un système très hautement intégré, très proche d'un système de liaisons causales universellement réciproques; la tentative de synthétiser sa course considérée comme un acte globalement orienté vers un but, à partir des réflexes isolés et des automatismes commandant ses pattes, est, par avance, condamnée. Le système nerveux central qui intègre en unités les actions globales chez les animaux supérieurs et chez l'homme se rapproche *relativement* du type idéal de la totalité défini comme un système de liaisons causales universellement réciproques, — à ceci près cependant qu'il est très certainement semblable par sa structure et par ses performances à cet autre système qui intègre les données des sens en perceptions structurées et qui, de tous les systèmes globaux connus de cet univers, est celui qui est pourvu de la liaison causale réciproque la plus universelle. D'où il résulte que, dans le cas considéré, une comparaison *prudente* et une transposition également prudente des principes reconnus valables par la psychologie de la forme pour l'étude des performances des systèmes apparentés et semblablement structurés, est permise et sera fructueuse.

Mais, en revanche, c'est bien entendu un parfait non-sens que de s'attendre à trouver une totalité apparentée à celle de la forme de la perception là où n'est à l'œuvre aucun appareil intégrateur réel qui, comme dans la perception, garantisse l'existence d'une foule de liaisons causales réciproques. Quand par exemple Alverdes s'élève contre la conception de Uexküll — « l'oursin république de réflexes » —, et reproche à cette conception de « contredire la fiction de la totalité », l'erreur consiste précisément dans l'opinion que la totalité est une fiction : la totalité, là où elle est réellement présente, n'est nullement une fiction, mais quelque chose de très hautement réel. Quant au point de savoir si elle est présente, et dans quelle mesure : ce n'est pas là une question qui puisse être tranchée par la spéculation métaphysique et par le mauvais usage dogmatique d'une formule à effet, mais une question qui doit être tranchée par une patiente exploration inductive de chaque cas particulier.

Avant toute analyse causale d'un système organique, il est fondamentalement nécessaire de répondre exactement à la question : dans quelle mesure ce système se compose-t-il d'un réseau de liaisons causales réciproques, et dans quelle mesure est-il composé de pièces relativement indépendantes de la totalité? Le résultat de la tentative d'analyse est tout simplement *faux* si des liaisons causales réciproques sont traitées comme des liaisons causales univoques et si des liaisons causales univoques sont traitées comme des liaisons causales réciproques. L'extraction et l'isolement des pièces relativement indépendantes de la totalité est tout aussi *obligatoire* que la méthode d'analyse sur un large front pour un réseau causal réciproque. C'était le premier point à mettre en évidence.

Cependant, à côté de la surestimation du primat de la totalité sur les parties et de la sous-estimation de l'importance des pièces relativement indépendantes de la totalité, — sur-estimation et sous-estimation qui sont si fréquentes dans la psychologie collective et qui procèdent d'une généralisation abusive des principes de la psychologie de la forme —, la méconnaissance de certains matériaux indépendants très particuliers, constitutifs du comportement animal et humain, joue aussi, — et tout spécialement en sociologie —, un rôle selon moi extraordinairement paralysant, mais ceci pour des raisons entièrement différentes et sur lesquelles nous allons maintenant nous pencher.

3. La méconnaissance des comportements innés spécifiques

1. Les conséquences de la controverse entre le mécanisme et le vitalisme

Si la surestimation de l'influence du tout sur la partie dont il a été question dans la première partie de cet essai découle d'une généralisation abusive des propositions de la psychologie de la forme, la sous-estimation et la méconnaissance dont il faut maintenant parler de certains types fixes d'actions et de réactions innées chez l'animal et chez l'homme est la conséquence d'une situation de l'histoire des idées quelque peu plus complexe et extraordinairement intéressante. Nous allons décrire cette dernière d'un peu plus près.

Qu'il existe des comportements innés et dont la finalité est innée, ce fait en lui-même était déjà connu depuis le Moyen Age. La scolastique s'était déjà préoccupée de ces comportements et elle en avait transmis, — héritage douteux —, une description les qualifiant couramment « d'instincts ». Le mot d'instinct est entré même dans notre langage courant. Il y possède exactement le sens du concept scolastique : celui d'un *facteur extraordinaire* qui n'est ni accessible ni nécessaire à l'analyse causale, mais qui est avancé comme apparence d'explication d'un comportement, partout où ce comportement est, à l'évidence, plein de sens, et orienté, à l'évidence, vers une fin utile à la conservation de l'espèce, sans que sa finalité puisse être expliquée sur la base des structures intellectuelles courantes tirées de notre expérience propre. « L'instinct » a été ainsi, dès le départ, un de ces mots marqués par le destin, qui surviennent au moment précis où les concepts font défaut. Ou, pour mieux dire, il appartient au concept scolastique d'instinct de fournir une explication supra-naturelle de pure apparence à des processus naturels. Cette propriété du concept d'instinct si monstrueusement gênante pour la recherche comparative sur le comportement a eu une conséquence fâcheuse : les actions et réactions innées spécifiques au service desquelles le concept d'instinct a été mobilisé en guise de pseudo-explication, sont venues dès les premiers temps de la recherche physiologique au centre de la controverse entre deux courants de pensée relatifs à la philosophie de la nature : la controverse entre mécanistes et vitalistes.

Comme on l'a déjà exposé, les erreurs les plus fondamentales de la grande école des mécanistes ont pour origine des erreurs de méthode exactement décelables, qui découlent de l'incapacité de saisir la nature de la totalité organique comme celle d'un système de liaisons causales réciproques pratiquement universelles. Mais le fait que le behaviorisme aussi bien que l'école pavlovienne des réflexologues ont donné des explications si étonnamment fausses et superficielles, précisément en ce qui touche les comportements spécifiques innés dont il est ici question, s'explique en outre par une seconde raison : leur hostilité à l'encontre de la doctrine des vitalistes qui, précisément dans ce domaine, s'exprime de façon particulièrement nette. C'est en effet justement dans leurs idées touchant les comportements innés que les deux adversaires ont été contraints d'adopter des positions extrêmes parfaitement intenables que ni l'un ni l'autre n'aurait adoptées s'il n'avait eu connaissance des vues développées par l'autre. Il a suffi que les vitalistes fissent de la totalité structurée (gestaltete) du devenir organique un facteur supra-naturel à l'égard duquel toute tentative d'analyse causale constituait un sacrilège, pour que les mécanistes tombassent, pour ainsi dire volontairement, dans un oubli aveugle de la totalité et dans un atomisme extrême, fautif du point de vue de la méthode, dont les explications de type moniste déjà évoquées sont apparues comme les manifestations les plus dommageables. Il a suffi que les vitalistes fissent un miracle de la propriété du comportement animal d'être orienté vers une fin, en expliquant cette propriété comme une manifestation directe d'un facteur supra-naturel, entéléchique, pour que les mécanistes évitassent d'inclure dans leurs considérations la finalité, et même la réalité importante et irréfutable d'une finalité simple, conservatrice de l'espèce. Ceci a conduit tout naturellement de nombreux auteurs behavioristes à confondre, grave erreur, des comportements *pathologiques* avec des comportements physiologiques pleins de signification du point de vue de la conservation de l'espèce. Il a suffi que le facteur supra-naturel des vitalistes fût en fin de compte *l'âme,* — que ce facteur fût par eux nommé force vitale, instance toute-puissante ou directionnelle, entéléchie, instinct. ou de tout autre nom —, pour que les mécanistes cultivassent une « psychologie sans âme », même dans les cas où, s'agissant de distinguer nettement entre les aspects objectifs et subjectifs, l'introspection est en mesure de livrer sur certains comportements des éclaircissements de très haute valeur, et où le refus de l'introspection signifie la pire des fautes contre l'esprit de la recherche inductive relative à la nature : une démission du savoir!

Mais le domaine où s'est manifestée de la façon la plus funeste cette contagion « extrémisante » entre vitalistes et mécanistes est celui qui nous touche ici particulièrement, à savoir le domaine de la recherche relative aux comportements innés spécifiques. Pour les vitalistes, de tels comportements n'offraient absolument aucun problème : de même que d'autres phénomènes de la vie qui se signalent par une totalité harmonieuse particulière et par une finalité explicite, — par exemple l'hérédité, le développement embryonnaire et la restitution —, de même les comportements spécifiques innés sont passés aux yeux des vitalistes pour la quintessence de ce qui, en tant que manifestation directe de la force vitale extra-naturelle, n'est ni nécessaire ni accessible à l'explication naturelle. Johannes Müller qui, grâce à sa double nature caractéristique d'un chercheur naturaliste doublé d'un idéaliste a pu être à la fois le père de la physiologie analytique causale et du vitalisme, considérait manifestement les « instincts » non pas comme un objet de la physiologie, mais comme le domaine du vitalisme. Dans un passage que je ne connais malheureusement que de seconde main, où il donne des exemples d'une manifestation directe de la force vitale, il évoque la manière dont l'embryon encore dépourvu de système nerveux central se développe, la façon dont les organes qui, dans la chrysalide du papillon seront plus tard utilisés par *l'Imago,* se forment en s'orientant vers cette fin, et la manière dont, — lors de la métamorphose du têtard de la grenouille —, la mœlle épinière se raccourcit en fonction de la régression de la queue, etc. Dans le même passage il ajoute que c'est une force de même nature, inconsciente, organisatrice, génératrice d'une totalité, qui est à l'œuvre dans les instincts des insectes! Dès l'instant où ce fondateur de la recherche physiologique, — dont les travaux sur les réflexes devaient ultérieurement constituer une des bases les plus importantes de la recherche analytique causale intéressant l'histoire du système nerveux central —, comptait les instincts parmi les « mystères » ne relevant pas de l'explication causale, comment les vitalistes qui sont venus par la suite, bien moins doués pour l'analyse causale, et bien moins sensibles à l'exigence de causalité, — comment ces hommes ne se seraient-ils pas résignés à l'explication de type naturaliste donnée par Müller? « Nous constatons l'instinct mais nous ne l'expliquons pas », écrit encore en 1940 Bierens de Haan.

Pour les mécanistes, de l'autre côté, les systèmes de comportement innés caractéristiques de l'espèce, avec leur finalité qui est indéniablement au service de la conservation de l'espèce, et leur nature relativement totalitaire, constituaient un objet qui promettait peu de chances de succès à leur méthode de recherche atomisante, et qui par là même incitait peu à l'étude. Dès l'instant où les vitalistes vantaient tant les « instincts », il était, pour cette raison même, interdit d'en parler dans les milieux mécanistes. Les quelques réflexologues qui se laissaient aller à parler des comportements innés se cantonnaient dans l'explication la plus immédiate selon laquelle ces comportements constituaient des chaînes de réflexes conditionnés, cependant que les behavioristes, Watson en tête, niaient tout simplement l'existence de séquences longues de mouvements innés. Que ces vues fussent dépourvues de tout fondement ne pouvait cependant se manifester, parce qu'aucun réflexologue ni aucun behavioriste ne se mettait jamais en situation de voir se dérouler une chaîne hautement spécialisée suffisamment longue de mouvements innés spécifiques. La méthode de recherche de l'une et l'autre grande école mécaniste se limitait, le fait est bien connu, à des expérimentations dans lesquelles était créé un *changement* d'état dans les conditions de l'environnement agissant sur l'organisme, et repérée la *réponse* de l'animal à ce changement. L'idée *a priori* selon laquelle le réflexe et le réflexe conditionné sont les seuls

« éléments » fondamentaux du comportement animal et humain déterminait ainsi un type de dispositif expérimental tout à fait particulier et pratiquement invariable, dans lequel le système nerveux central exploré n'avait pour ainsi dire aucune occasion de montrer qu'il était aussi capable de faire autre chose que de répondre aux excitations externes s'exerçant sur lui. L'application constante de cette méthode devait *nécessairement* renforcer l'idée selon laquelle la réception d'excitations externes et la réponse à ces excitations épuisaient les possibilités du système nerveux central.

Puisque personne parmi les mécanistes ne cherchait à voir ce que font les animaux, *laissés à eux-mêmes*, nul d'entre eux ne pouvait non plus remarquer que, spontanément, c'est-à-dire en l'absence de toute excitation externe, les animaux font non seulement « quelque chose » mais « toutes sortes de choses ». La *spontanéité* de certains comportements bien déterminés, — phénomène dont l'importance est si essentielle à la compréhension de la spécificité physiologique plus loin évoquée de ce qu'on appelle mouvement instinctif (Instinktbewegung) —, restait ainsi totalement cachée aux chercheurs qu'animait la volonté d'apprendre expérimentalement quelque chose du comportement animal et humain, à partir de la physiologie, à partir des rapports de type causal. De l'autre côté, les spécialistes du comportement appartenant à la famille des vitalistes et des finalistes, *apercevaient* bien la spontanéité de certains comportements, mais ils la considéraient comme la manifestation la plus directe d'un facteur supra-naturel dont l'analyse et l'explication causale étaient frappées d'anathème. De la spontanéité qui se laisse démontrer de certains modes de mouvements, ils ne tiraient pas, comme ils en auraient eu le droit, un argument à l'encontre des hypothèses des réflexologues intéressant les chaînes de réflexes, mais ils en tiraient argument, et ceci d'une manière pleinement injustifiée, à l'encontre de l'opinion selon laquelle le comportement est susceptible d'une explication reposant sur une causalité d'ordre physiologique. Quand on se représente aussi nettement la symétrie véritablement tragique et presque tragi-comique des positions contraires auxquelles les vitalistes et les mécanistes se sont haussés, une citation du *Faust* de Goethe vous vient à l'esprit : « on aurait précisément besoin de ce qu'on ne sait pas; et on ne peut pas se servir de ce qu'on sait ». Ceux qui auraient pu tirer des conclusions physiologiques raisonnables de la réalité de la spontanéité n'ont pas vu cette spontanéité; et ceux qui l'ont vue ont été, par préjugé idéaliste, incurablement empêchés d'en tirer des conséquences justes!

Toutes ces circonstances ont non seulement empêché de découvrir le fait que le système nerveux central est le siège de la production spontanée d'excitations réglées par des automatismes, mais elles ont aussi eu ce résultat que le champ vaste et fructueux offert à la recherche biologique inductive par les comportements innés spécifiques, est resté un *noman's land* entre les fronts opposés de deux écoles de pensée cherchant à se dépasser mutuellement dans des dogmatismes opposés. Rien d'étonnant qu'on en soit venu au « champs clos des spéculations intellectuelles stériles » dont a parlé un jour Max Hartmann!...

2. L'introduction tardive de la méthode phylogénétique comparative dans la recherche sur le comportement

Le caractère tardif de la découverte des types d'actions et de réactions innées spécifiques dont le présent essai a pour propos essentiel d'éclairer la signification fondamentale a d'autres causes encore. Il ne manquait pas seulement des hommes unissant à une vue claire de la spontanéité de certains types de comportements la préoccupation saine d'en expliquer les causes; il manquait aussi et avant tout, — nécessaire postulat initial —, l'idée d'appeler la recherche sur le comportement à devenir une authentique recherche inductive; il manquait ni plus ni moins qu'une *base d'induction* alliant une idiographie sans *a priori* et une systématique! Il manquait tout d'abord des expérimentateurs, familiarisés avec les méthodes de pensée et de travail de la recherche scientifique inductive en général, et avec les méthodes de l'analyse sur un large front convenant à la totalité, en particulier pour reprendre ce travail d'Hercule que les vitalistes et les mécanistes avaient laissé inachevé. Il manquait des chercheurs pour consentir à faire le travail le plus humble et pourtant le plus important, le plus enfantin et pourtant le plus scientifique, qui consiste, tout simplement, à « tirer tout ce qu'on peut tirer » de l'observation sans préjugé du comportement animal. Jamais, ni un réflexologue, ni un behavioriste, ni un psychologue humain, ni, — encore moins —, un des théoriciens vitalistes spécialiste de l'instinct ne s'est appliqué à la tâche incroyablement fastidieuse qui consiste à apprendre à connaître, dans la *totalité* de ses expressions vitales, ne fût-ce qu'une espèce animale, ou à dresser l'inventaire des modes d'action et de réaction dont cette espèce dispose, et à enquêter sur leurs rapports avec l'espace vital naturel de cette dernière. A côté des expériences des mécanistes qui méritaient effectivement d'être poussées à fond, la tâche dont je viens de parler apparaissait vraiment comme sans importance et « peu scientifique ». Ainsi l'observation superficielle considère comme trop facile la simple description des caractères particuliers qui est, en fait, la première tâche de toute recherche inductive dans les sciences de la nature!

H. S. Jennings fut le premier à tenir pour une tâche digne d'un chercheur l'observation et la description dans tous ses détails de ce que font au juste des animaux abandonnés à eux-mêmes. Il fut aussi un des premiers à s'expliquer d'une manière parfaitement claire sur le fait que les comportements d'une espèce animale ne sont pas variables à l'infini, mais qu'au contraire cette espèce dispose d'un nombre fini de modèles d'action et de réaction, modèles qu'elle « possède » tout simplement, au même sens qu'elle possède des structures morphologiques de type déterminé. En élaborant le concept de *système d'action* (Aktionssystem) pour désigner la totalité des comportements dont dispose une espèce animale déterminée, Jennings a institué une façon de voir convenant à la totalité, qui enquête sur le comportement d'une espèce sans se méprendre sur sa nature réelle, à savoir celle d'un tout constituant un système organisé.

Si Jennings s'est attaqué à une description véritablement exacte et sans préjugé des particularités du comportement animal, C.O. Witman et O. Heinroth ont été les premiers qui, d'une manière systématique, ont rapproché les systèmes d'actions de formes animales apparentées et sont devenus par là même les pionniers d'une recherche *comparative* sur le comportement au sens phylogénétique. Dans de très nombreux domaines de la recherche biologique, la découverte d'un *objet privilégié* a permis l'apparition d'une branche scientifique indépendante, du fait que les propriétés de cet objet ont prescrit l'adoption d'une *méthode* déterminée qui, de son côté, a déterminé la direction dans laquelle la recherche se déplacerait ultérieurement. La théorie moderne de l'hérédité constitue un exemple classique de ce processus. Elle a pris son départ avec la découverte d'un cas-limite d'une extrême simplicité, celui dans lequel les parents du produit d'un croisement ne diffèrent l'un de l'autre que par un seul signe distinctif héréditaire; et le développement ultérieur de cette science est resté jusqu'à présent déterminé par la méthode dont l'adoption fut imposée par la nature d'un objet privilégié, le croisement.

Dans le cas de la recherche comparative sur le comportement, les circonstances sont un peu différentes en ce sens que, cette fois, la méthode caractéristique de la branche scientifique a été là *d'abord,* et que le premier résultat de celle-ci a été de conduire à la découverte de l'objet privilégié qui a montré sa voie à la recherche ultérieure. Cet objet qui a permis la poursuite de l'analyse causale dans une direction tout à fait déterminée, n'a pu en fait être vu et remarqué que parce qu'on a employé la méthode phylogénétique. Aussi est-ce là qu'il faut chercher la raison pour laquelle le phénomène qui a catalysé toute une nouvelle direction de recherche n'a été découvert que d'une manière incroyablement *tardive.* L'existence de *coordinations de mouvements* innées, déterminées, parfaitement identiques d'un individu à l'autre de la même espèce, caractéristiques des espèces, des genres, des ordres et même des classes et de catégories plus larges encore, ne pouvait être découverte que par des chercheurs capables de rapprocher les systèmes d'actions de formes animales apparentées par leur phylogénèse, en se servant pour les décrire et les classifier d'une méthode semblable à celle dont use, pour les structures corporelles, la systématique comparative phylogénétique.

3. La spécificité physiologique de mouvements à automatisme endogène

La découverte et l'étude de ces mouvements innés spécifiques offrent un modèle exemplaire de la façon dont se succèdent organiquement dans le développement d'une science de la nature authentiquement inductive, les trois stades suivants : stade de la description « monographique » sans *a priori,* stade « systématique » de la classification des signes distinctifs selon leurs ressemblances et dissemblances, stade « nomothétique » de la recherche des lois. Cette découverte et cette étude constituent aussi une preuve frappante de la nécessité inéluctable de la connaissance la plus étendue des faits concrets élémentaires, fondée sur l'observation *sans a priori,* — connaissance à laquelle nous donnons le nom de *base d'induction* d'une science de la nature.

La première grande découverte intéressant la recherche comparative sur le comportement, celle qu'on peut sans hésitation désigner comme son acte de naissance, est l'invention d'une authentique *homologie* phylogénétique entre les mouvements innés spécifiques de formes animales apparentées. C. O. Whitman et O. Heinroth ont été l'un et l'autre des morphologues comparatistes solidement formés et d'une richesse de connaissance sans égale. Coïncidence heureuse, mais qui n'est certainement pas due au hasard, ils ont aussi eu, pour un groupe d'animaux apparentés, la connaissance approfondie et massive des comportements qui est le point de départ de la comparaison phylogénétique. C'est ainsi qu'ils ont d'abord fait, — et indépendamment l'un de l'autre —, la découverte brute mais lourde de conséquences qu'il existe des séquences de mouvements de forme constante, exécutées d'une manière parfaitement identique par tous les individus sains appartenant au même type, et que ces suites de mouvements sont des signes distinctifs non seulement pour une même espèce, mais souvent aussi, — exactement comme il en va de beaucoup de signes distinctifs morphologiques « récurrents » —, pour des groupes apparentés assez larges et même très larges. En d'autres termes, ils ont découvert des modes de mouvements dont l'extension et la distribution dans le monde animal ressemblent de la manière la plus parfaite qui soit à celles des *organes,* et dont on peut sans aucun doute admettre que le processus de développement, au fur et à mesure de l'évolution de l'espèce, s'est déroulé exactement comme celui des organes et des signes distinctifs des organes. Leur époque dans la phylogénèse est ainsi repérable par les mêmes moyens, la même méthode que pour les caractères morphologiques distinctifs, et, parallèlement, le concept d'homologie phylétique leur est également applicable dans les mêmes conditions. Les deux chercheurs démontrèrent ce point en faisant appel aux caractères distinctifs qualifiant les mouvements de ce type comme signes distinctifs taxinomiques pour la reconstruction des apports phylogénétiques à l'intérieur d'une même famille d'animaux déterminée, et en comparant les résultats ainsi obtenus avec les conclusions données par une exploitation systématique fine des signes distinctifs corporels. L'entière concordance des résultats prouva de manière frappante l'exactitude de l'idée de départ que Whitman, dès 1898, avait ainsi exprimée : « Instincts and organs are to be studied from the common viewpoint of phyletic descent », les instincts et les organes doivent être étudiés à partir d'une perspective commune, celle de leur origine phylétique.

C'est également d'une manière frappante que les faits nouvellement découverts prouvèrent le caractère entièrement insoutenable des vues qu'on s'était faites jusqu'alors tant du côté des vitalistes-finalistes que du côté des mécanistes au sujet de la nature du comportement dit « instinctif ». Du point de vue des vitalistes, « l'instinct » était un « facteur directif » fondamentalement réfractaire à toute explication causale et, partant, le comportement conditionné par l'instinct était nécessairement caractérisé par l'inconstance de forme typique qui caractérise tout comportement *orienté vers une fin.* Il était dès lors en soi parfaitement logique que les tenants de la « *purposive psychology* » missent au même rang, sans autre forme de procès, l'aptitude des comportements spécifiques innés en ce qui touche la conservation de l'espèce et le but visé par l'animal en tant que sujet. Du côté des mécanistes en revanche, il y avait, comme on l'a déjà laissé entendre, *deux* écoles de pensée. Celle des behavioristes soutenait qu'il n'existe pas plus de séquences de mouvements innés et complexes qu'il n'existe « d'objectifs » innés, et que la structure finaliste intéressant la conservation de l'espèce de ce qu'on désigne par comportement instinctif n'était qu'*apparemment* innée, qu'elle était en réalité acquise, et que son acquisition se faisait au cours de la vie individuelle de chaque organisme par voie d'essai et d'erreur (Watson). L'école pavlovienne des réflexologues concédait pour sa part l'existence de séquences de mouvements innées hautement spécialisées et relativement longues, mais les interprétait comme des enchaînements de réflexes inconditionnés. A cette théorie, le parti de la « *purposive psychology* » objectait justement, depuis longtemps, que la *spontanéité* de maints comportements « instinctifs », leur indépendance visiblement grande à l'égard des excitations externes, n'étaient pas explicables par le principe du réflexe.

Cependant, ni Whitman ni Heinroth n'ont exprimé ne fût-ce qu'une conjecture sur la nature physiologique des coordinations de mouvements spécifiques innées. Whitman leur donnait encore tout simplement le nom « d'instincts », Heinroth évita ce terme dont le passé était chargé et parla « d'actions-pulsions » (Triehandlungen) « spécifiques innées ». Ni l'un ni l'autre ne faisait encore, et c'est bien compréhensible, la distinction conceptuelle entre les coordinations de mouvements et les comportements innés d'une autre catégorie, dont la nature est vraiment réflexive, comme le sont surtout les réactions d'orientation et les taxies. Mais en les mettant à même de fournir une description et une classification systématique sans *a priori* ni préjugé des modes de mouvements ici considérés, la finesse de leur doigté systématique accomplissait à leur insu une extraordinaire performance. Il apparut en effet plus tard que presque tous les modes de mouvements utilisés par ces savants comme caractères taxinomiques reposent sur de purs automatismes endogènes n'interférant pour ainsi dire pas avec des processus réflexifs. Ceci s'applique avant tout aux mouvements intéressant la pariade chez divers oiseaux, mouvements qui furent toujours considérés avec une attention particulière par les deux chercheurs. Etabli d'abord dans le cadre de la simple systématique le rapprochement des séquences de mouvements spécifiques innées eut fatalement pour conséquence d'appeler leur attention sur une quantité de propriétés communes qui paraissaient réclamer une explication physiologique.

Ce qui sautait aux yeux avant toute chose, c'était une corrélation inattendue entre la spontanéité et l'invariance des mouvements spécifiques chez l'individu. Dans la perspective des vitalistes-finalistes, le comportement spontané, orienté vers un objectif instinctif déterminé, aurait dû être nécessairement, par le fait même, constant dans son résultat final mais variable dans les séries de mouvements coordonnés à travers lesquels il se réalise. Au contraire, selon la théorie des chaînes de réflexes, une chaîne de mouvements individuels coordonnés par voie réflexe, déterminée par innéité dans tout son déroulement, ne laissait place à aucune spontanéité. Mais en réalité, ces comportements spécifiques, caractérisés par des mouvements dont la série complète est innée, montraient *précisément* une tendance particulière, tout à fait caractéristique, à se produire spontanément, indépendamment de toute excitation extérieure. Sans doute s'avère-t-il assurément réactif, le mécanisme inné de déclenchement de la réaction, qui, dans la plupart des cas, préserve en tant que « clef de la réaction » la correspondance sélective entre les comportements spécifiques innés et certaines situations déterminées de l'environnement : mais la séquence de mouvements déclenchée elle-même constitue un comportement très singulier qui ne se laisse nullement expliquer par le principe du réflexe. Plus longue est la période pendant laquelle une telle séquence n'est pas déclenchée, plus s'abaisse le niveau du seuil de l'excitation qui déclenche cette séquence, jusqu'au cas-limite où, en l'absence d'excitation extérieure décelable, cette dernière, dite « réaction à vide », surgit brutalement, bien évidemment sans remplir, dans ce cas, en aucune manière son « rôle » conservateur de l'espèce.

L'examen plus approfondi des cas dans lesquels se manifestent l'abaissement du seuil, la réaction à vide et surtout l'affaiblissement spécifique de la réaction au fur et à mesure que s'élève le seuil d'excitation conduisit à l'idée de l'accumulation d'une émotivité spécifique de la réaction, continuellement sécrétée par l'organisme et dépensée au cours du mouvement considéré. Cette hypothèse d'abord développée comme modèle purement théorique se montra parfaitement exacte à la lumière des résultats provenant d'une source entièrement différente, — la physiologie nerveuse. Nous savons aujourd'hui, grâce aux recherches de E. von Holst, de P. Weiss et d'autres, que les séquences de mouvements spécifiques innées ne reposent pas comme tant d'autres comportements animaux et humains sur des réflexes conditionnés et inconditionnés, mais *sur une aptitude élémentaire du système nerveux central,* nommément sur la *génération* spontanée d'excitations à régulation automatique, phénomène dont on ne connaissait jusqu'alors qu'un exemple : celui des centres générateurs d'excitations cardiaques. La production tout comme la coordination des impulsions motrices émises, ne dépend absolument pas, comme l'a irréfutablement montré von Holst, de cheminements nerveux conduisant vers le centre, et n'est pas, en conséquence, un réflexe.

Nous voyons dans la mise en évidence du rôle que joue, dans le comportement commun des animaux supérieurs et aussi, sans nul doute, de l'homme, une fonction primitive jusqu'ici inconnue du système nerveux central, le résultat le plus important atteint à ce jour par la recherche comparative sur le comportement. D'une part il nous fournit une explication causale physiologique satisfaisante de la spontanéité de tant de comportements animaux et humains, dont on a toujours tiré argument du côté vitaliste non seulement contre la théorie des chaînes de réflexes des mécanistes, mais aussi contre l'hypothèse de la possibilité d'une explication causale physiologique du comportement. Le vitalisme est ainsi chassé d'une position solide, jusqu'alors défendue avec succès. D'autre part, la mise en évidence de la production endogène et automatiquement réglée d'excitations, réfute une fois pour toutes l'explication moniste atomistique de l'école mécaniste qui voyait dans les réflexes conditionnés et inconditionnés le seul principe d'explication de tout comportement animal et humain. Nous nous préoccuperons plus tard de la signification des lois physiologiques particulières aux automatismes endogènes, au regard de la sociologie humaine qui est un des principaux objets de cet essai. Mais pour donner déjà une idée de cette signification, bornons-nous à anticiper par une seule indication : on peut affirmer avec une vraisemblance frisant la certitude que, ce que la psychologie fondamentale (Tiefenpsychologie) désigne par pulsion agressive est la manifestation d'une production endogène d'influx spécifique de l'action.

Grâce à leur puissante aptitude à se maintenir phylogénétiquement, grâce à leur indépendance des excitations extérieures, et surtout grâce à leur incessante production d'excitations et de pulsions engendrées par ces dernières, les automatismes endogènes sont des systèmes extraordinairement autonomes qui subissent très peu, et seulement d'une manière très indirecte, l'influence causale de la totalité organisée dans laquelle ils sont insérés. Ils sont, au sens le plus complet, ce que, dans la première partie de cet essai, nous avons désigné sous le nom de matériau relativement indépendant de la totalité. Comme ils jouent, chez l'homme aussi, sans aucun doute, un rôle extrêmement important et, nous le montrerons, tout particulièrement sur le terrain du comportement social, négliger totalement leur existence en sociologie et en psychologie sociale conduit à des conclusions lourdement erronées. Du fait que les particularités physiologiques des comportements à automatisme endogène et que leur signification dans l'ensemble du comportement des animaux supérieurs et de l'homme ne se sont un peu éclairés que depuis quelques années, et du fait que ces résultats ont été toujours et partout atteints par des zoologistes et non par des psychologues humains ou par des sociologues, leur connaissance n'a pas encore pénétré dans le cercle de ces derniers. C'est seulement dans le domaine de la psychologie de l'enfant que des chercheurs isolés commencent à s'attaquer à l'étude des automatismes endogènes chez l'homme (A. Peiper).

4. Les mécanismes déclencheurs innés

Notre discussion des actions et des réactions spécifiques innées et invariantes chez l'individu, qui, en tant que matériaux relativement indépendants du comportement animal et humain, requièrent une attention méthodique particulière, serait incomplète sans la description d'un autre processus qui, dans le comportement social des animaux supérieurs et de l'homme, joue un rôle approchant par son importance celui des processus à automatisme endogène, générateurs d'excitations. Ce processus est ce qu'on appelle mécanisme déclencheur inné ou schéma de déclenchement inné. L'étude des mouvements à automatisme endogène et des mécanismes déclencheurs n'était possible, comme nous allons l'exposer dans un instant, que dans son contexte naturel. La découverte de la production endogène d'un type d'émotion réactionnel spécifique qui s'accumule pendant les pauses réactionnelles et se dépense au cours de la séquence de mouvements, est due avant tout, comme on l'a déjà mentionné, à l'étude quantitative du comportement des *valeurs-seuil* des excitations déclencheuses durant la relaxation et durant l'activité, pendant le refoulement et pendant la dépense de l'émotion réactionnelle spécifique. Mais l'abaissement de la valeur-seuil ne peut être repéré comme tel que si on a véritablement réussi à établir avec précision une relation en forme de loi entre la force des excitations et l'intensité des réactions. Nulle part ce résultat n'avait encore été jusque-là obtenu de façon satisfaisante dans la psychologie collective et dans la science du comportement, du moins en ce qui touche la réponse faite à des excitations par des organismes *intacts*. Il n'a pu être atteint que parce que deux processus physiologiques relevant de la causalité, — à savoir le phénomène lui-même des séquences de mouvements à automatisme endogène, et le processus de son déclenchement par des mécanismes innés déterminés furent étudiés simultanément et dans leur rapport fonctionnel, comme exemple typique d'une analyse entreprise sur un large front.

Ce que nous *voyons* comme critère de l'activité (Wirksamkeit) d'une excitation externe, et qui est la seule chose que nous puissions enregistrer en termes quantitatifs n'est jamais que *l'intensité* de la réaction déclenchée. Pour des raisons déterminées dont l'exposé nous entraînerait ici un peu trop loin, cette intensité se laisse appréhender avec une extraordinaire précision dans bien des suites de mouvements faisant appel à des automatismes endogènes, mais elle est à chaque fois déterminée par *deux* facteurs, à savoir le potentiel quantitatif de la situation excitatrice externe et l'état instantané de la préparation intérieure de l'organisme à exécuter la suite de mouvements en cause. Une expérience isolée aboutit ainsi toujours à une équation à deux inconnues. Mais, fixons au cours d'une seconde expérience l'état intérieur de préparation réactionnelle de l'animal, — ce qui est extrêmement simple en créant, en fonction de l'excitation dont on veut déterminer le potentiel, la situation où cette excitation a un effet de déclenchement optimal, et en mesurant ainsi, en quelque sorte, son potentiel résiduel — : on constate aussitôt une corrélation entre les excitations et les effets de ces excitations. L'acquisition essentielle due à cette méthode de double quantification des facteurs externes et internes a été la découverte à laquelle il a déjà été fait allusion d'une accumulation continue d'énergie préparant des réactions spécifiques. Mais simultanément cette méthode procurait des aperçus importants sur la nature et le mode d'action des mécanismes déclencheurs.

A n'en pas douter, ces mécanismes de déclenchement innés sont, dans une acception plus large, ce que I. P. Pavlov désigne par *réflexes inconditionnés.* Le problème central de leur rôle n'est cependant nullement résolu par cette constatation, car il gît non pas dans la nature du processus réflexe, mais dans la question suivante : qu'est-ce qui garantit la grande *sélectivité* de l'adressage d'un processus qui n'admet que des combinaisons d'excitations dont les caractéristiques sont parfaitement déterminées comme « clef » d'une action-réponse significative du point de vue de la conservation de l'espèce? Ainsi le problème ne réside pas dans la physiologie du réflexe lui-même, mais il se situe pour ainsi dire *en amont,* dans sa branche afférente. Le mécanisme de déclenchement inné entretient avec le réflexe inconditionné un rapport très voisin de celui qui existe entre la perception d'une qualité complexe jouant un rôle de déclencheur dû à l'apprentissage et la réaction conditionnée. Les mécanismes de déclenchement innés et la perception de la forme sont très vraisemblablement les actes du même système nerveux central qui construit des perceptions à partir des données sensorielles, bien que, très certainement, ces actes se déroulent sur des plans très différents et, comme nous allons le voir dans un instant, peuvent présenter des différences physiologiques très notables.

L'acte du mécanisme de déclenchement inné permet à l'organisme de réagir d'une manière parfaitement sensée face à des situations excitatrices déterminées, biologiquement essentielles, en l'absence de toute expérience antécédente. L'observation d'un tel comportement conduit presque à penser que l'animal a une « connaissance » innée de certains objets déterminés déclenchant des réactions, tels la proie, le partenaire sexuel, l'ennemi etc., de la même façon qu'il reconnaît les situations déclenchant des réactions lorsque ces situations ont été acquises par dressage. L'idée qui vient ici à l'esprit, selon laquelle il existerait dans l'organisme une manière de « réminiscence caractéristique de l'espèce », innée, comme celle que propose C. G. Jung dans sa théorie de « l'archétype » se révèle à l'expérience comme inexacte. Grâce à la masse d'observations et d'expériences qui s'est considérablement accrue au cours des dernières années (Tinbergen, Seitz, Baerends, Kuenen, Ter Pelkwijk, Krätzig, Goethe, Noble, Kitzler, Peters et bien d'autres), on peut le montrer de façon irrécusable : le mécanisme de déclenchement inné n'a pour répondant, ni l'ensemble, ni même un très grand nombre d'excitations qui se présentent dans des situations importantes déterminées (il apparaît à cet égard comme le contraire de la forme, fruit d'un dressage, qui a pour correspondant une qualité complexe); au contraire, il ne fait en quelque sorte qu'extraire dans cette multitude, un nombre relativement faible d'excitations pour en faire la « clef » de la réaction (le terme anglais employé par Tinbergen est *sign stimuli*). Ces excitations peu nombreuses sont, dans tous les cas, ainsi faites que, malgré leur nombre restreint et leur simplicité, elles suffisent pour *caractériser* sans équivoque la situation occurrente de telle sorte qu'un adressage de la réaction vers une destination biologiquement fausse ne puisse atteindre une fréquence gravement dommageable à la conservation de l'espèce. C'est précisément à cause de leur aptitude à la *caractérisation* simplificatrice d'un objet ou d'une situation que j'ai désigné les mécanismes de déclenchement dont il est ici question comme des schémas de déclenchement innés. Le terme de *schéma* prête néanmoins à malentendu dans la mesure où il induit fallacieusement à penser qu'il existe dans l'organisme une image d'ensemble innée, même très sommaire, d'un objet ou d'une situation, alors qu'en réalité le mécanisme de déclenchement ne met jamais en branle qu'*une seule* réaction parfaitement déterminée. C'est s'égarer que de parler d'un schéma de déclenchement du « partenaire sexuel », de « la proie », du « petit », etc., car chacune des différentes réactions s'adressant à l'un de ces objets possède, si on la prend isolément, son propre mécanisme de déclenchement.

Aussi ces mécanismes qui ne déclenchent qu'une seule et unique réaction n'ont-ils pas grand-chose de commun avec la réaction répondant à une forme déclencheuse qui est le fruit d'un dressage. Analysons expérimentalement, à l'aide de leurres, la combinaison simple de signes distinctifs que l'objet d'une réaction déterminée doit nécessairement posséder pour donner à l'activité de déclenchement son plus grand développement possible : on est toujours étonné de constater combien il y a peu de ressemblance entre le leurre « optimal » pour notre sensibilité humaine, imposé par la perception de la forme, et l'objet naturel de la réaction. Quand, par exemple, une épinoche femelle répond quantitativement et qualitativement à une balle de plastique rouge agitée en zig-zag exactement comme s'il s'agissait d'un mâle exécutant sa parade nuptiale sous la forme d'une « danse en zig-zag » (Leiner), ou quand un rouge-gorge se bat contre une grosse touffe de plumes de couleur rouge rouille de quelques centimètres carrés exactement comme s'il s'agissait d'un prétendant rival, le point extraordinaire dans ces types de réaction est celui-ci : un être *capable, — on peut le démontrer —, d'accéder à* la perception de la forme qui *est hautement spécialisée* n'est pas en état de faire la moindre différence entre le leurre grossier et l'objet naturel!

L'idée que la fonction des mécanismes de déclenchement innés est tout autre que celle de la réaction s'adressant de la perception de la forme, — perception qui, elle, est acquise —, tombe sous le sens. Cette hypothèse est affermie si on pousse plus loin la décomposition de la combinaison, simple en elle-même, des caractères distinctifs d'un leurre optimal à l'aide d'expériences « démontables » utilisant des leurres. On constate, chose extraordinaire, que *chacun* des caractères distinctifs qu'un leurre de déclenchement optimal doit nécessairement avoir, développe lui aussi *par soi seul,* pris *isolément,* un potentiel de déclenchement qualitativement égal bien que quantitativement moindre. Au moyen de la méthode déjà évoquée de la double quantification de la force des excitations et de la préparation réactionnelle, on peut

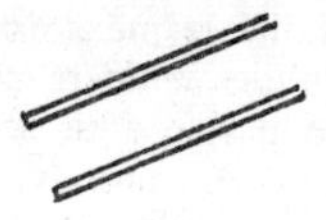

Figure 1 a, b, *et* c. Le schéma orientant la réaction d'ouverture du bec chez le jeune merle. De deux bâtonnets placés à même distance, celui qui est dans la position la plus haute, de deux bâtonnets placés à même hauteur, celui qui est le plus proche (*fig.* b) provoquent la réaction. En c, la position haute est comparée à la position proche : la position haute l'emporte [1].

montrer avec précision que le potentiel quantitatif de chaque leurre, et singulièrement du meilleur, correspond exactement à la somme des potentiels individuels de leurs caractères distinctifs. Nous dénommons ce phénomène dont A. Seitz a le premier clairement démontré l'existence, phénomène de la somme des excitations (Reizsummenphänomen), ou encore loi de la somme des excitations. Tinbergen traduit ce terme en anglais par l'expression « law of heterogeneous summation ».

S'agissant de mécanismes de déclenchement innés relativement riches en caractères distinctifs, on peut très bien, en comparant les potentiels d'un grand nombre de combinaisons possibles de caractères distinctifs, évaluer le potentiel quantitatif d'un caractère distinctif pris isolément, potentiel qui reste parfaitement constant dans toutes les combinaisons imaginables, et l'exprimer en pourcentage de la potentialité du leurre optimal, c'est-à-dire de la somme de tous les caractères de déclenchement. W. Schmid a étudié chez l'homme, au moyen de leurres expérimentaux, le potentiel déclencheur du mouvement d'expression du rire, et il a trouvé que là aussi, contre toutes les attentes de la psychologie de la forme, le potentiel de chaque leurre est dépendant de la potentialité de la somme d'un nombre relativement faible de caractères isolés. Ce fait est, parmi beaucoup d'autres dont on parlera plus loin, un argument très fort en faveur de l'idée que les réactions de l'homme face à des mouvements d'expression déterminés de ses semblables sont amplement produits par des mécanismes de déclenchement innés.

Si nettement que se distingue la fonction d'un mécanisme de déclenchement inné à contexture complexe de celle d'une forme acquise par dressage, le potentiel d'un type parfaitement déterminé de caractères distinctifs réputés innés montre certaines assonances significatives avec les formes. Quand pour décomposer les caractères distinctifs pris isolément, on met en œuvre des expériences démontrables utilisant des leurres, il n'est pas si rare qu'on tombe sur des combinaisons très simples de caractères distinctifs dont on ne peut pousser plus loin le découpage, et qui, au contraire, ne peuvent conserver leur potentiel que s'ils sont présentés dans un *rapport* mutuel déterminé. La tache rouge sur le cou de l'épinoche mâle doit nécessairement être présentée par en-dessous; les yeux de la mère chez *Haplachromis* doivent nécessairement être à l'horizontale et disposés symétriquement de part et d'autre de la tête, pour développer une potentialité de déclenchement spécifique. Le mécanisme de déclenchement qui oriente vers la tête des parents les réactions de prise de nourriture de la jeune grive s'adresse aux caractères distinctifs « plus près », « plus haut » et « plus petit », qui distinguent de la simple carcasse la tête de l'oiseau adulte, ou du leurre. Ces caractères distinctifs considérés en eux-mêmes et dans la potentialité collective qu'ils possèdent avec d'autres caractères distinctifs intéressant le même mécanisme de déclenchement, obéissent intégralement aux règles du phénomène de sommation des excitations; cependant, si on considère individuellement chacun d'eux, on constate que le point essentiel pour la potentialité du déclenchement est l'existence d'une *relation* indissociable entre deux éléments (et, autant que nous le sachions jusqu'ici, toujours

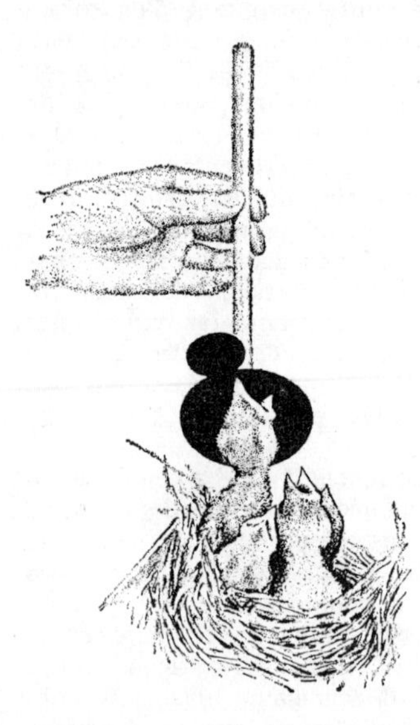

Figure 2. Tout changement de contour agit comme une « tête ». La partie en position haute du triangle qui ressort par contraste est celle à laquelle l'animal donne systématiquement la préférence [2].

deux éléments seulement). Si simple que soit, dans tous les cas étudiés, cette relation agissant comme signe distinctif, un parallélisme évocateur se dessine sans aucun doute entre elle et un cas-limite de perception formalisée, d'autant plus que, comme l'a montré Tinbergen, certaines relations de grandeur dénotent l'aptitude typique à la transposition des formes authentiques. Les caractères distinctifs relationnels jouent dans les mécanismes de déclenchement innés de l'homme qui ont pour répondant les mouvements d'expression du congénère, un rôle particulièrement important.

5. Le déclencheur

La découverte simultanée de deux processus physiologiques circonscrits avec autant de précision et aussi indissociables de la totalité, — le mouvement à automatisme endogène et le mécanisme inné de déclenchement —, a ouvert d'immenses possibilités nouvelles à la poursuite de l'analyse causale; et un nombre rapidement croissant de recherches se sont orientées vers eux. Il n'est pas du propos de cet ouvrage de rapporter *in extenso* les progrès et les raffinements dont ont bénéficié ces dernières années nos conceptions résumées plus haut à grands traits, de la nature et de l'action du mouvement automatique endogène et du mécanisme déclencheur inné : je renverrais plutôt à ce sujet aux travaux synthétiques de N. Tinbergen à l'école duquel nous devons la plupart de ces progrès, ainsi qu'à un ouvrage de synthèse de Thorpe (N. Tinbergen, *An objectivistic study of the innate behaviour of animals,* Biblioth. Biotheoret. 1. 39 — 98, 1942; du même auteur, *Inleiding tot de diersociologie,* Gorinchem, 1947; et du même, *Social releasers and the experimental method required for their study,* The Wilson Bulletin, vol. 60, N° 1, 6—51; plus loin, W. H. Thorpe, *The modern Concept of Instinctive Behaviour,* Bull. of Animal Behaviour, n° 7, 1948). Mais ce qui nous concerne, sans conteste, c'est le rôle joué par les mouvements automatiques endogènes et les mécanismes innés de déclenchement en tant que matériaux parfaitement indépendants de la totalité dans le comportement *social* de différents êtres vivants.

Chaque fois qu'un mouvement automatique endogène, ou une réaction d'orientation, ou, comme c'est le plus souvent le cas, un système de comportement fondé sur l'un et l'autre a pour objet un congénère, on constate non seulement une spécialisation du mouvement déclencheur lié à cet objet, mais une spécialisation de *l'objet* lui-même, dans le champ de facteurs déterminant la conduite de l'espèce. Ce n'est pas seulement le récepteur, *mais ce sont également les signes agissant comme excitations déclencheuses* qui peuvent être spécialisés, en vue de leur fonction « signal ». Appareil récepteur d'excitation et appareil émetteur d'excitations sont parties du même système organique, et tous deux sont simultanément et parallèlement hautement spécialisés au service de leur fonction commune qui est la « transmission de l'information » entre les congénères. Nous avons désigné ces appareils émetteurs d'excitations du terme synthétique de *déclencheurs*. C'est ainsi que nous définissons un déclencheur comme une spécialisation servant à l'émission d'excitations spécifiques, et à laquelle correspond d'une manière sélective chez le congénère un corrélat récepteur pareillement spécialisé. Il existe des déclencheurs authentiques dans tous les domaines des sens : optiques, acoustiques et olfactifs. Ils consistent en structures corporelles ou bien en comportements innés, le plus souvent en une association des deux, c'est-à-dire en mouvements destinés à mettre en action des structures émettrices d'excitations.

Les déclencheurs les mieux étudiés et les plus importants chez l'homme qui s'oriente par la vue, sont les déclencheurs visuels. Ils sont également, pour cette raison même, les plus intéressants, car les mécanismes innés de déclenchement qui leur correspondent sont de loin les plus spécialisés qu'on connaisse. Nulle part la fonction du mécanisme de déclenchement inné comme « serrure de la réaction » et celle du déclencheur comme « clef » s'adaptant à elle n'est aussi clairement analysable que dans les phénomènes visuels. Les mécanismes de déclenchement ayant pour répondant des déclencheurs visuels dont ils sont les corrélats récepteurs ont été particulièrement souvent choisis comme objets privilégiés des recherches qui ont porté sur les mécanismes de déclenchement innés en tant que tels.

Quand un constructeur construit une serrure dont l'ouverture par effraction doit être dans toute la mesure du possible interdite, il donne à la serrure comme à la clef s'adaptant à elle un dessin

Figure 3. Déploiement « calculé » de la surface des opercules chez *Cichlasoma Meecki* en vue d'une présentation frontale.

général aussi invraisemblable que possible, tout en ménageant la possibilité de la construire facilement. Une tendance identique à la plus grande invraisemblance possible est, en vertu de raisons fonctionnelles identiques, présente dans chaque mécanisme de déclenchement inné que nous avons déjà précédemment désigné comme « serrure de la réaction ». Seulement, d'une façon générale, c'est-à-dire partout où le mécanisme de déclenchement est le corrélat d'un objet extérieur ou d'une situation de l'environnement propre extérieur, la spécialisation du récepteur est enfermée dans des limites passablement étroites, qui résultent du nombre et de la nature des excitations propres à l'objet ou à la situation. Pour l'exprimer brutalement, le brochet ne peut pas équiper la carpe d'un fanion, signal déclenchant électivement sa réaction de happement. Mais, là où l'organisme réagissant et l'objet émetteur d'excitations sont membres de la même espèce (species), cette possibilité est donnée par principe. Le cas échéant, les mouvements accomplis par les organes sources d'excitations et les systèmes bâtis sur des mécanismes de déclenchement qui leur correspondent peuvent, de ce fait, atteindre dans l'intérêt de leur fonction de signal, un haut degré d'invraisemblance générale. Pour cette raison, un déclencheur hautement spécialisé est, pour le connaisseur, très souvent reconnaissable comme tel, sans autre difficulté. Quand on découvre sur le corps d'un oiseau ou sur un cétacé une partie particulièrement voyante, c'est-à-dire colorée de façon inattendue, ou une structure remarquable de plumes, d'ailerons, de corps érectiles etc., on peut présumer avec une vraisemblance proche de la certitude que le caractère rencontré a une fonction de signal. La même remarque vaut aussi naturellement pour des comportements déterminés. Structures et mouvements se combinent tellement qu'on peut souvent, à partir de la seule structure, prédire le comportement d'un animal qu'on ne connaît pas. Nous nous sommes mis, Tinbergen et moi, à étudier au même moment un cichlidé *Cichlosoma Meecki*. Dans des lettres qui se croisèrent, chacun des deux prédit à l'autre que cette espèce montrerait une forme particulière du comportement de menace : nous l'avions déduit des seules forme et coloration des opercules. De la même façon, je formulai peu après un pronostic exact sur la forme de la parade nuptiale d'*Apistogramma Agassizi* d'après la forme et la coloration de l'aileron de queue du mâle.

Le trait saillant de tous ces déclencheurs est l'alliance de la plus grande *simplicité* possible et de la plus grande *invraisemblance* générale possible. Ce caractère marque aussi, généralement, de la même façon tous les signaux imaginés par l'homme. Ce trait s'explique facilement à partir de ce que nous avons dit de la relative simplicité et de la relative pauvreté en signes distinctifs des mécanismes de déclenchement innés, et à partir de l'étroitesse des performances de l'appareil récepteur qui accroche le signal. Simultanément, la simplicité constitutive et la prégnance du déclencheur sont une justification solide de l'étroitesse des performances du mécanisme de déclenchement inné : si le schéma inné pouvait s'adresser sélectivement à des qualités complexes, comme le fait la forme perceptive acquise (qui déclenche des réactions conditionnées), *les déclencheurs n'auraient* pas de raison d'être. Or, que ces déclencheurs existent, et qu'ils aient précisément les qualités et les fonctions qui ont été ici brièvement esquissées, peut aujourd'hui à bon droit passer pour assuré. La petite controverse qu'a suscitée la publication de mes hypothèses vers les années 1935, en particulier dans la littérature technique anglo-américaine, a provoqué, chose heureuse, un grand nombre de recherches expérimentales. Toutes les affirmations essentielles que j'ai formulées dans ce travail sur les déclencheurs, et qui reposaient alors sur une base d'induction passablement étendue mais se composant exclusivement d'observations faites au hasard, ont entre-temps trouvé une exacte confirmation expérimentale. Le tableau le plus complet du matériel de faits intéressant ce problème qui ait été accumulé entre 1937 et 1950 se trouve dans le livre de E. A. Armstrong, *Fird Display and Behaviour* (Linsey Drummond, London 1947). Cet ouvrage ne se limite pas à beaucoup près aux oiseaux. Le meilleur résumé est donné dans l'ouvrage de Tinbergen, *Social Releasers and the Experimental Method required for their Study*.

La *facilité de description* de tous les déclencheurs qui résulte de leur prégnance et de leur simplicité en fait, on le conçoit, des objets particulièrement privilégiés de la recherche comparative sur le comportement. Les comportements grâce auxquels Whitman et Heinroth ont découvert le phénomène d'une authentique homologie phylétique ont été en première ligne ceux de la parade nuptiale, donc des déclencheurs! Les déclencheurs offrent une possibilité particulièrement heureuse pour la recherche phylogénétique, mieux encore ils présentent une utilité pratique pour trancher des questions particulières intéressant la systématique de l'évolution, mais ils ont un autre domaine d'application : ils permettent d'éliminer avec certitude le phénomène *d'adaptation convergente* qui est extraordinairement gênant dans toutes les réflexions portant sur la phylogénèse. La spécialisation de la structure et du comportement qui se transforment avec les conditions de l'environnement propre extérieur à l'espèce ne permet jamais de conclure avec une parfaite certitude que, si chez deux espèces animales une forme identique a été constituée par des voies indépendantes, mais convergentes, cette forme est la conséquence de l'existence d'une fonction identique chez les deux espèces. En revanche, là où s'est constitué un système intra-spécifique de spécialisations émettrices et réceptrices de signaux, la forme des signaux a été dans son histoire presqu'exclusivement déterminée par la « convention » qui lie l'émetteur et le récepteur d'excitations, et n'a que des rapports très lâches avec le monde extérieur. Cette règle valable pour les systèmes de comportement sociaux des animaux supérieurs qui sont bâtis sur des déclencheurs et sur des schémas innés, s'applique d'une manière fondamentalement identique au langage humain, système de compréhension qui fonctionne sur un plan tout différent. L'agitation de la queue signifie, chez le chien, une émotion amicale, chez le chat, une émotion hostile, et ce mouvement est compris dans ce sens par les mécanismes innés de chacun de leurs congénères respectifs : cette situation repose exclusivement sur le fait que le processus de spécialisation du comportement émetteur d'excitations et du mécanisme récepteur d'excitations a historiquement pris ce cours et non un autre. La signification de la forme et de la fonction du déclencheur pourrait aussi bien être inversée. C'est pourquoi, aussi longtemps qu'on ne connaît pas la « convention » spéciale intra-spécifique, il est impossible de reconnaître sans supplément d'enquête la signification d'un comportement de cette sorte : il en va exactement de la même manière que quand on comprend, dans une langue étrangère, un mot dont on ignore l'évolution des conventions historiques qui en intéressent la signification. Dans les systèmes de déclencheurs comme dans le langage, il est presqu'infiniment improbable que l'évolution historique de la convention prenne deux fois exactement le même chemin, et, par des voies l'une de l'autre indépendantes, conduise à instituer deux signaux pleinement semblables. Quand le philologue explique la similitude des mots Mutter, mater, μητήρ et Мать, en allemand, en latin, en grec et en russe, en supposant l'existence d'un « ancêtre » commun indo-européen, l'exactitude de cette hypothèse se démontre au prix d'un calcul de probabilité. Quand la recherche comparative sur le comportement établit une similitude formelle minutieuse des mouvements de menace par exemple chez des poissons aussi différents que ceux appartenant à la famille des brochets, à celle des carpes et à celle des goujons, elle est en droit de formuler une semblable affirmation avec une certitude semblable. *La similitude, ou même seule-*

ment la ressemblance de mouvements d'expression ayant la même signification, signifie toujours une homologie phylétique. Le cœur gros, je me refuse à parler plus longuement du sujet passionnant que constituent les analogies qui existent jusque dans des détails surprenants entre les déclencheurs et les symboles du langage, et de celui que constitue avant tout les processus de changement de signification, de restriction et d'élargissement de signification auxquels les « symboles » individuels sont soumis au cours de leur développement historique.

Ce qui a été dit devrait suffire à faire comprendre quels résultats on peut tirer de l'étude comparative des mécanismes déclencheurs, pour l'étude des rapports phylogénétiques : — des résultats comme on peut à peine en attendre avec une certitude analogue de la morphologie comparative. Cela suffit aussi à faire comprendre que sur la naissance et sur la phylogénèse de maints mouvements spécifiques fonctionnant comme des déclencheurs, nous en savons plus que sur l'origine et sur le développement de n'importe quelle autre séquence de mouvements à automatisme endogène. Des processus appartenant à des espèces très différentes qui conduisent à la naissance et à la spécialisation des comportements déclencheurs, il suffit de prendre un exemple, car la plupart des mouvements d'expression de l'être humain sont nés précisément de cette façon. On reconnaît tous les comportements à automatisme endogène au fait que, même au degré le plus faible d'émotion réactionnelle spécifique, ils revêtent la forme remarquable de faibles *ébauches* des séquences de mouvements correspondantes. A ces mouvements s'applique le contraire pour ainsi dire de la loi du tout ou rien, c'est-à-dire qu'il y a toutes les gradations imaginables depuis l'ébauche la plus affaiblie jusqu'à la décharge la plus intense qui soit, répondant à l'orientation, conservatrice de l'espèce, des séquences de mouvements considérées. Qui connaît l'échelle d'intensité d'une séquence de mouvements, peut déjà reconnaître à partir des manifestations du plus faible degré émotif, à partir des mouvements à peine esquissés, quelle sorte d'émotion active spécifique commence à affluer dans l'organisme, et peut ainsi, partant de là, conclure avec certitude des « intentions » de l'animal. C'est pourquoi Heinroth a appelé ces mouvements, *mouvements d'intention.*

En soi et dans sa forme primitive, le mouvement d'intention n'est à coup sûr qu'un sous-produit de l'excitation émotive spécifique de l'action. Il n'offre aucun intérêt pour la conservation de l'espèce. Mais, chez de très nombreux animaux sociaux, certains mécanismes de déclenchement innés se sont spécialisés. Ces mécanismes s'adressent aux mouvements d'intention du congénère qui se forment régulièrement, et les « comprennent » ainsi dans une certaine mesure. La qualité émotive déclenchée par eux est très fréquemment, dans les cas primitifs, la même, chez le « réacteur », que celle qui inspire les mouvements d'intention de « l'acteur ». L'émotion spécifique de l'action agit ainsi de façon « contagieuse ». Que tous les membres d'une société soient, dans la mesure du possible simultanément, dans la même « disposition d'esprit » (Stimmung), — par exemple, manger, dormir, changer de lieu, fuir, etc. —, est presque toujours conforme à l'intérêt de l'espèce. Chaque fois, le phénomène dit de transmission de disposition d'esprit repose précisément sur le fonctionnement de mécanismes de déclenchement innés qui ont pour correspondants les mouvements d'intention du congénère, et cela est aussi vrai chez l'être humain. L'idée d'une « résonance psychique » comme un phénomène primaire inutile à l'explication physiologique est un non-sens. Aussi bien, de très nombreux phénomènes qui sont également, toujours à tort, interprétés comme des imitations, reposent sur des phénomènes analogues.

Dès qu'un mouvement d'intention, jusqu'alors sans signification, est « compris » par le congénère, grâce à la présence d'un corrélat récepteur, non seulement il acquiert une valeur très importante du point de vue de la conservation de l'espèce, mais il est, à partir de cet instant, subordonné à tous les facteurs qui, par ailleurs, provoquent la haute spécialisation de toutes les structures et de tous les comportements qui fonctionnent au service de la conservation de l'espèce. Les conditions dans lesquelles naît la spécialisation des mouvements d'intention éclaire particulièrement bien leur fonction dans le cas des mouvements d'intention dont les manifestations sont *optiques*. Ils sont « théâtralement exagérés », autrement dit, la part faite aux manifestations optiques est soulignée et suraccentuée jusqu'au grotesque, très souvent grâce au développement de certains caractères distinctifs affectant la forme et la couleur qui provoquent l'effet optique. De ce fait, les éléments des séquences de mouvements dont l'action est, au point de départ, mécanique, sont réduits et relativement éliminés. L'exagération théâtrale peut aller si loin que le point de départ du mouvement, — le mouvement d'intention vers un comportement agissant mécaniquement —, n'est plus qu'à peine ou plus du tout reconnaissable dans le comportement et que le recours à des formes animales apparentées chez lesquelles la stylisation va moins loin est nécessaire pour qu'il puisse être décelé par voie de comparaison.

Pour les exemples nombreux, collectés ces dernières années, du phénomène dont il est ici question, je renvoie à la littérature déjà citée. Nous avons désigné naguère du nom de *mouvements symboliques* les mouvements déclencheurs qui, de la façon ci-dessus décrite, procèdent de mouvements d'intention et qui se sont ultérieurement spécialisés dans la fonction de déclencheurs, en empruntant une direction divergente par rapport au comportement originel. Mais comme l'analogie avec de vrais symboles n'est pas convaincante, je propose le terme de *mouvements d'intention stylisés.*

L'autonomie de la nouvelle fonction de déclencheur jouée par le mouvement d'intention stylisé a pour conséquence que le comportement agissant purement comme signal, peut perpétuer au cours du développement phylogénétique, l'existence du mouvement orienté et agissant mécaniquement. Chez l'homme par exemple, comme l'a parfaitement vu Darwin, l'acte de montrer les dents en relevant la lèvre supérieure s'est conservé comme mouvement d'expression de la colère, alors que le mouvement de mordre véritablement, dont le mouvement d'expression constitue l'intention originelle, a entièrement disparu chez notre espèce. Nous sommes aujourd'hui en mesure de produire toute une série d'exemples de ce processus phylogénétique. N'en citons qu'un seul : de nombreux cervidés primitifs qui n'ont pas de ramure, telle la chèvre-musquée, ont chez les mâles, les canines supérieures allongées. Ces canines sont utilisées lors des combats sexuels où l'animal relève la tête et frappe de haut en bas avec ses dents. Le mouvement d'intention qui conduit à ce coup s'est conservé comme geste de menace chez beaucoup d'espèces de la famille chez lesquelles, aussi bien les canines que le mouvement originel de combat ont entièrement régressé. Nous apprendrons à connaître dans leur relation avec les mécanismes déclencheurs innés, une autre série encore de mouvements d'expression plus larges de l'homme. Ces mouvements sont en général à la fois d'authentiques mouvements d'intention stylisés et des déclencheurs au sens le plus étroit du terme.

6. Les systèmes de comportement à analogie morale chez les animaux

L'analyse plus précise des modes d'action et de réaction, sociaux au sens le plus large, des animaux l'a montré : des annélides et des céphalopodes jusqu'aux plus grands mammifères, ces comportements reposent régulièrement sur des systèmes plus ou moins hautement spécialisés de déclencheurs de schémas innés et de comportements spécifiques innés, qui, telles les dents d'un engrenage bien agencé sont en prise les uns sur les autres. Dans la coordination des actions concertées, significatives du point de vue de la conservation de l'espèce, qui portent les membres d'une même espèce à accomplir des tâches communes, la réaction conditionnée joue un rôle étonnamment réduit. L'épinoche *Casterosteus aculeatus,* par exemple, qui manifeste dans son comportement à l'égard de l'environnement propre extérieur à l'espèce, une faculté d'apprentissage tout à fait remarquable, n'a *absolument aucune réaction conditionnée s'adressant à des congénères,* autrement dit, le comportement global intra-spécifique de cet animal se construit sur le système mentionné des comportements innés en prise les uns sur les autres. Nous connaissons tout de même déjà à l'intérieur de la sous-classe des poissons osseux des réactions conditionnées s'adressant aux congénères dont l'existence a été établie avec certitude. Leurs possibilités d'action se bornent exclusivement, il est vrai, et au prix de l'acquisition de formes de dressage complexes, à rendre plus sélective une réaction qui est orientée vers le congénère par l'intermédiaire de mécanismes déclencheurs innés. C'est ce que Seitz a mis en évidence sur *Astatotilapia strigigena.* Comme je l'ai montré en détail en 1935, même chez les oiseaux, la fixation des réactions appropriées au congénère, sur l'objet convenable au point de vue biologique est généralement la performance la plus importante dont est capable la réaction conditionnée dans le comportement social d'ensemble. La seule fonction plus large de l'apprentissage, qui joue un rôle considérable dans la sociologie des oiseaux et des mammifères, est l'apprentissage personnel de la connaissance d'individus déterminés. Cet apprentissage est caractéristique de la structure des sociétés closes; nous le savons en ce qui touche les corbeaux, les oies grises et les chiens de traîneaux. Les deux caractères fondamentaux des sociétés animales closes de ce type, — à savoir leur repli sur elles-mêmes qui tend à « exclure » ceux qui ne sont pas membres de cette société, et deuxièmement la hiérarchie interne établie entre les membres de la société —, ces deux caractères ont pour base la connaissance propre des animaux pris individuellement, qui est évidemment acquise.

Mais ceci épuise à peu près le rôle que l'acquisition joue dans l'édification de la société animale. Même chez les vertébrés supérieurs dont les sociétés ont les structures les plus largement différenciées, par exemple chez le choucas, chez l'oie grise et chez les canidés sociaux, nous ne connaissons jusqu'ici aucun caractère social structurel, essentiel, que des réactions conditionnées seraient en mesure de transformer. Autant le comportement des êtres de ces espèces à l'égard de l'environnement propre spécifique et extérieur à l'espèce peut être transformé par l'expérience et par l'acquisition, autant les comportements orientés vers le congénère sont, dans leur ensemble, peu susceptibles de transformation. En dehors de la faculté de se fixer sur un objet particulier, familialement ou individuellement déterminé, je serais littéralement incapable de citer un seul exemple où un comportement approprié au congénère serait influencé par des réactions conditionnées, même chez les chiens et chez les singes! Ce qu'un choucas mange, les lieux où il cherche sa nourriture, les ennemis à l'approche desquels il lance un cri d'alarme et s'enfuit, et même les emplacements qu'il préfère pour son nid, — mieux encore, le matériau avec lequel il le construit —, tout cela dépend largement de l'expérience des individus et aussi, en fait, de la « tradition » d'une société; et nous trouvons, en ce qui concerne ces types de comportement, une variabilité et une faculté d'adaptation relativement très grandes. Dans la Russie du Nord et en Sibérie, le choucas n'éprouve nulle crainte en présence de l'homme; il niche sur toutes les fermes basses; il construit son nid principalement avec de la paille et vit d'insectes qu'il trouve à la surface du sol. Dans nos grandes villes en revanche, il est extraordinairement craintif; il ne niche que sur les parties hautes et inaccessibles des immeubles; il construit son nid avec les matériaux les plus divers — avant tout une quantité de papiers —, par endroits il se spécialise dans le pillage des nids de pigeon ou vit de détritus, etc. Mais la manière dont les oiseaux agissent *les uns à l'égard des autres* ne souffre pas la moindre transformation. Les mouvements d'expression et les cris expressifs, et les réactions innées résultantes qui conservent le comportement social global des membres d'une colonie restent les mêmes avec une fidélité véritablement photographique. Si évident que cela soit pour un connaisseur d'animaux expérimenté, on est néanmoins toujours surpris chaque fois qu'on entend, dans un pays éloigné, une espèce connue « parler » si exactement « la même langue » que chez soi.

S'il a été dès l'âge le plus tendre privé de tout rapport avec ses congénères, un jeune animal appartenant à une espèce sociale de ce type, a aussi, pour ainsi dire, toutes les propriétés et tous les comportements qui sont les siens, dans le cadre de la société animale de son espèce. Une seule différence, facile à comprendre d'après ce qui a été dit : ces comportements se fixent à tort sur certains objets, le plus souvent sur l'homme, aussi longtemps que celui-ci, en tant qu'objet de remplacement, émet suffisamment d'excitations appropriées aux mécanismes déclencheurs les concernant.

Ces systèmes de comportements intra-spécifiques, qui sont presque totalement construits à partir de types d'actions et de réactions innés, montrent chez les vertébrés supérieurs un nombre incroyablement élevé d'analogies fonctionnelles avec le comportement social de l'homme, et introduisent par là même l'observateur naïf à formuler nombre de jugements de valeur qui pèchent par excès d'anthropomorphisme. Sans doute le spécialiste de l'étude comparative du comportement est-il peu enclin à tenir pour « la même chose » des processus présentant des analogies, mais se déroulant sur des plans psycho-physiologiques totalement différents. Sans doute voit-il plus clairement que personne la différence fondamentale entre le comportement des animaux sociaux, qui présente des analogies fonctionnelles avec la morale et les performances uniques en leur genre, dont la phylogénèse n'explique pas la présence, de la responsabilité humaine qui est fondée sur la raison. Si elle est appuyée sur une base suffisamment large de matériaux d'observation, la recherche comparative sur le comportement en vient irrésistiblement à la conclusion suivante : participent fondamentalement à la structure du comportement social humain, toute une série de fonctions qui sont communément considérées comme des activités de la morale rationnelle et responsable, mais qui, en réalité, sont très certainement à classer avec les comportements sociaux innés des animaux supérieurs, comportements dont les analogies avec la morale sont purement fonctionnelles. Il est très instructif d'étudier dans cette perspective les modes de fonctionnement des systèmes de comportement présentant des analogies morales de ce genre, en particulier les altérations dont ils sont facilement affectés.

Ce qu'il y a de caractéristique dans de tels systèmes, ce sont les équilibres exactement pesés qui existent entre les composantes isolées dont ils constituent l'agencement, entre les différents comportements à automatisme endogène, et les instances qui les refoulent, entre les déclencheurs et les schémas innés qui leur correspondent, etc. A titre d'exemple suggestif d'une situation d'équilibre de ce type et des altérations auxquelles elle est exposée, nous allons considérer le rapport entre les pulsions d'agressivité spécifique et certains mécanismes inhibiteurs qui, normalement, empêchent ces pulsions de se manifester dans des conditions préjudiciables à la conservation de l'espèce. Parmi les êtres vivants qui sont en état de se défendre, et en particulier parmi les carnassiers ou rapaces, accoutumés à mettre à mort des proies assez importantes, il n'en est pas un qui ne dispose de tout un système bien déterminé d'inhibiteurs, de schémas innés et de déclencheurs, système qui fait si bien obstacle à la mise à mort des congénères que celle-ci ne peut atteindre une fréquence de nature à mettre gravement en cause la conservation de l'espèce. Il pourrait arriver qu'un loup tranchât soudain, sans raison d'un seul coup de dent la veine jugulaire d'un congénère se trouvant auprès de lui, qu'un grand corbeau, d'un seul coup de bec, crevât l'œil d'un autre grand corbeau. Ces animaux ne sont pas seulement en effet prompts aux mouvements meurtriers, mais ils sont le siège d'une intense production d'excitations endogènes. Pour cette raison, ils ont une disposition particulièrement marquée à connaître un abaissement du seuil, et à s'élancer sur un objet de remplacement inadéquat. C'est un point dont peut nous convaincre n'importe quel chien qui, ayant un peu de tempérament « secoue à mort », par jeu, les pantoufles de son maître. A la faveur d'un quelconque refoulement, de tels animaux pourraient aussi très facilement devenir dangereux pour leurs congénères. Des carnassiers vivant à l'état isolé, comme par exemple l'ours blanc et le jaguar, qui n'ont de contacts avec leurs congénères que pour l'accouplement, — circonstance dans laquelle la prépondérance des relations sexuelles met, comme il est naturel, largement hors de circuit les réactions intéressant la capture de la proie —, sont parmi ceux qui peuvent, au premier chef, être privés des mécanismes susceptibles d'interdire les atteintes nuisibles aux congénères. C'est pour cette raison que la captivité est la situation dans laquelle ils s'entre-tuent le plus fréquemment. En revanche, chez les carnassiers qui vivent en société ou par couples permanents, et chez les rapaces, *il faut bien* qu'il y ait certains mécanismes inhibiteurs spécifiques. Sinon le corbeau crèverait l'œil de sa femelle, vu qu'il a par ailleurs pour habitude, en vertu d'un type de réaction parfaitement non-spécifique, de donner du bec dans tout objet tant soit peu brillant; de la même façon, le loup saisirait à la gorge ses camarades de bande, comme c'est par ailleurs son habitude à l'égard d'êtres vivants de la même taille.

Qui n'a pas une expérience directe de ces mécanismes inhibiteurs, peut difficilement se représenter leur sûreté et leur vertu salutaire. Non seulement un grand corbeau ne crève pas l'œil d'un de ses congénères, ou d'un homme avec lequel il est familiarisé, mais encore il évite avec attention d'approcher d'une façon quelconque avec son bec cet organe vulnérable. Si on approche son œil de la pointe du bec d'un corbeau apprivoisé posé devant soi, il retire son bec d'un mouvement presque effrayé, un peu comme nous écarterions de la portée d'un petit enfant un rasoir grand ouvert. Il n'est qu'une situation dans laquelle un corbeau approche son bec de l'œil d'un familier : lors des réactions intéressant les « soins de la peau » réciproques, au sens donné à cette expression par W. Köhler. A l'exemple de beaucoup d'autres oiseaux sociaux, les corbeaux s'époussètent mutuellement le plumage de la tête, et particulièrement la région de l'œil que l'oiseau ne peut lui-même nettoyer que d'une manière très grossière, avec la griffe interne de sa patte. Le déclencheur afférent à cet acte consiste dans un comportement déterminé : l'animal tend à son compagnon la tête, le plumage hérissé et l'œil à demi fermé du côté présenté. Le même mouvement, de la part de l'homme familier, est régulièrement « compris » par l'oiseau apprivoisé (bien qu'il manque à l'homme le hérissement des plumes) et détermine l'animal à lui tirer avec son bec les cils un par un, en exécutant le mouvement caractéristique employé pour le nettoyage des plus petites plumes. Le travail de ce puissant bec rapace, si proche d'un œil humain ouvert a en apparence quelque chose d'inquiétant, et les tiers auxquels on présente la réaction vous avertissent régulièrement que le corbeau pourrait bien, un jour ou l'autre, vous crever l'œil. Mais ce dernier en est, à la vérité, bien incapable! Tout aussi contraignants et sûrs sont les mécanismes interdisant au chien de mordre une femelle ou un petit appartenant à son espèce. Chez le chien domestique, l'extension de la plage de variation conditionnée par la domestication a, bien entendu, pour conséquence que des mutants dépourvus de mécanismes inhibiteurs ne sont pas tellement rares chez des races parfaitement apprivoisées (Dobermann, dogs allemands, lévriers). Qu'on prenne garde aux chiens qui mordent autrement que par jeu les jeunes chiots. Ce sont des psychopathes, dont les mécanismes inhibiteurs sociaux ont quelque chose qui n'est pas dans l'ordre, ils mordent tôt ou tard leur propre maître. Ils présentent un degré élevé de danger pour les enfants.

Les déclencheurs qui mettent en activité les mécanismes sociaux inhibant l'usage des armes à l'égard du congénère sont particulièrement importants et intéressants. Heinroth les dénommait « attitudes de soumission » (Demutstellungen). Toutes ces attitudes ont en commun un rapport expressif avec la manière de donner la mort qui caractérise l'espèce en question, et intéresse les parties du corps les plus vulnérables, celles que vise de préférence une attaque qui se veut mortelle. Chacun de nous a vu l'attitude de soumission caractéristique du chien domestique. Le chien attaqué et qui se sent dominé, reste debout, souvent tout d'un coup, en pleine mêlée, sans mouvement, et détourne sa tête du côté opposé à son adversaire, dans une position curieusement figée : la partie la plus vulnérable de son corps, la partie intérieure de son cou, est *offerte sans défense à l'adversaire.* Or cette partie est précisément celle que les chiens qui se battent cherchent à se mordre mutuellement. Chose remarquable : le chien qui a le dessus est dès lors « dans l'impossibilité » de mordre. Qu'il y ait en lui un véritable conflit entre l'instinct et le mécanisme inhibiteur, le fait est bien clair, car il exécute manifestement des mouvements d'intention tendant à mordre le cou de son adversaire immobilisé dans une attitude de soumission. Un de mes chiens polaires, très proche de l'état sauvage, allait même dans ce cas jusqu'à exécuter « à vide » le mouvement de mise à mort, *refermant sa prise* tout près du cou de l'adversaire. La seconde attitude de soumission du chien qu'on peut généralement observer chez les jeunes animaux, montre une corrélation semblable avec le comportement d'attaque spécifique. Des chiens qui se battent cherchent en se bousculant avec l'épaule, à se renverser les uns les autres, le pire qui puisse arriver à un chien au combat étant qu'il tombe sur le dos. A l'approche d'un congénère adulte qu'ils craignent, les jeunes chiens se jettent à l'avance sur le dos, d'une manière qui semble démentielle, et restant ainsi étendus immobiles, les oreilles en arrière, en agitant la queue à petits coups précipités. L'adulte renifle alors les parties sexuelles du jeune qui, à cet instant, étant au point culminant de sa réaction, urine en général légèrement. Dès que le chien qui a le dessus réagit amicalement, ce qui arrive régulièrement, c'est-à-dire dès qu'il commence à agiter la queue, le jeune saute sur ses pattes et cherche à entraîner l'autre d'une façon déterminée dans une partie de poursuite mutuelle.

Chez de nombreux oiseaux, la même corrélation existe manifestement entre l'attitude de soumission, qui déclenche des mécanismes inhibiteurs, et le comportement d'agression qui caractérise l'espèce. La technique employée par ces animaux pour tuer consiste à donner des coups de bec sur la nuque de l'adversaire. Heinroth a régulièrement trouvé comme cause de la mort d'oiseaux tués par leurs congénères des hémorragies méningées. Les choucas et d'autres corvidés, quand ils adoptent une attitude de soumission, présentent leur nuque au congénère à amadouer; les mouettes en pareille occurrence exposent leur crâne, mais avec un autre mouvement, en avançant la tête en avant, sans la lever. Les hérons se comportent de la même façon. Chez le râle d'eau, *rallus aquaticus,* le jeune animal possède un déclencheur morphologique constitué par une région de la nuque qui est nue et abondamment pourvue en vaisseaux sanguins : cette région présentée à l'agresseur se dénude encore davantage, grâce à un mouvement du plumage, rougit simultanément et semble saillir quelque peu, comme si elle était, — point qui est histologiquement établi en ce qui concerne la capuche rouge de la tête de la grue —, rembourrée par en-dessous d'un petit corps érectile. Ce n'est certainement pas un hasard si le râle d'eau, — le seul rapace, et le seul à tuer des proies importantes parmi les espèces de râles que nous connaissons —, a particulièrement différencié ce déclencheur hautement spécialisé de mécanisme inhibiteur, que possède le jeune animal.

Il est à peine utile de dire que seul le congénère chez lequel existent les corrélats récepteurs correspondants, « comprend » tous les déclencheurs d'inhibition. Il m'a été impossible de tenir ensemble mes jeunes râles d'eau avec de jeunes canetons, en eux-mêmes tellement inoffensifs, car ces derniers étaient naturellement portés à piquer du bec les capuches rouges qui s'offraient à eux. Un paon ne comprend pas l'attitude d'humilité de son proche parent le dindon, qui s'étend de tout son long sur le sol devant son adversaire, etc. La nature automatique et invariable des attitudes d'humilité s'exprime très clairement dans le fait suivant : si son déclencheur « est refusé », l'animal reste fermement enclenché dans son attitude d'humilité et se laisse tuer sans offrir de résistance, ce qui occasionne régulièrement la mort d'un dindon par exemple, quand il est aux prises avec un paon.

Pour être commune à tant d'animaux sociaux, la relation qui existe entre un comportement d'attaque orienté vers une partie vulnérable bien déterminée du corps et une attitude de soumission déclenchant une inhibition, — attitude qui « expose » précisément cette partie du corps —, doit nécessairement avoir une explication commune dans tous les cas rencontrés. La remarquable inversion de valence de la partie du corps, qui, un instant après avoir été l'objectif d'une force agressive intense, déclenche un comportement exactement contraire, — pour peu qu'elle soit présentée comme par mégarde —, appartient assurément aux plus grandes énigmes qui soient. Le phénomène est d'autant plus significatif qu'il joue manifestement un rôle dans le comportement de l'homme lui-même. Toute une série de mouvements de soumission montrent, chez l'homme, une analogie si poussée avec les « déclencheurs d'inhibition consistant en mouvements rendant le meurtre exagérément facile », — déclencheurs qui existent chez les animaux sociaux —, que toute coïncidence due au seul hasard est à écarter sans hésitation. La flexion du genou, l'inclinaison de la tête, toutes les cérémonies du présenter des armes, le geste par lequel on dépose le casque, — geste qu'on retrouve aujourd'hui encore dans le mouvement de soumission atténué par lequel on lève son chapeau —, et bien d'autres gestes, chez l'homme, se rattachent au phénomène ici évoqué. Même s'ils ne sont pas, bien certainement, innés dans le comportement, il y a sûrement à la base de chacun d'eux la même inversion de valence de la partie du corps la plus vulnérable que celle qui existe dans les déclencheurs innés d'inhibition chez les animaux.

Une corrélation importante et qui va plus loin existe entre les mécanismes sociaux inhibant le recours à la violence et *l'épaisseur de la peau* de l'espèce considérée. Dans leur commerce avec des congénères familiers, qu'il s'agisse de jeu ou d'accrochage occasionnel sans réelle gravité, les animaux de proie ne mordent qu'avec une énergie fortement contenue. Les chats qui s'ébattent, les chiens et les autres animaux de proie à peau mince ne mordent jamais que très légèrement en jouant, même si parfois la morsure n'est pas assez légère au gré de la peau humaine. Toujours est-il qu'on peut même jouer avec un lion apprivoisé sans en être sévèrement blessé. En revanche le blaireau dont le cuir est incroyablement épais mord si durement, même dans les jeux les plus bénins, que l'homme qui se risque à jouer avec lui sans gant, se met dans une situation un peu semblable à celle qu'il aurait connue si, sans armure, il avait pris part à un tournoi médiéval au cours duquel les chevaliers en armure auraient fondu sur lui, en toute amitié, avec leur lance.

Les herbivores « pacifiques » qui, d'une part, n'ont aucun organe convenable pour tuer des êtres d'assez grande taille, et qui, d'autre part, sont à l'abri des agressions par l'aptitude toute particulière à la fuite qu'ils possèdent, n'ont besoin, dans les circonstances normales, d'aucun mécanisme inhibiteur particulier les empêchant de blesser un congénère. Vaincu dans un combat livré à un de ses pareils, l'individu a la ressource de se dérober à son vainqueur par des réactions de fuite qui seraient efficaces même contre un poursuivant beaucoup plus dangereux. Mais qu'on vienne à enfermer ensemble quelques pigeons, lièvres, chevreuils, ou autres symboles de la douceur et de l'innocence, de telle sorte que celui qui a le dessous ne puisse se soustraire par la fuite à son poursuivant :

on constate alors plus de crimes et de meurtres qu'il n'y en a au menu habituel des grues, des loups et des lions dans des circonstances identiques. Il faut avoir vu un jour comment, de la pointe de son bec délicat, pendant des heures, une tourterelle en maltraite une autre qui se blottit épouvantée dans un coin de la cage, à tel point que finalement toute la partie supérieure de la victime qui est exposée aux coups de bec du vainqueur, n'est plus qu'une plaie saignante de la nuque au croupion.

Cela nous entraînerait malheureusement trop loin d'entrer ici plus avant dans l'analyse des systèmes de comportements sociaux complexes des animaux supérieurs. Bornons-nous à constater que certains types de comportements très complexes et, d'un point de vue fonctionnel, étonnamment proches du comportement moralement responsable chez l'homme, reposent aussi de bout en bout sur des systèmes de déclencheurs, de mécanismes de déclenchement innés, de modes de mouvements endogènes etc. Ce point vaut pour la solidarité de défense, courageuse et dévouée dont font preuve les choucas, les corbeaux, les chiens et les singes. Il vaut pour la très intéressante « réaction de police » des choucas chez lesquels la communauté sociale défend contre un agresseur de plus haut rang le nid d'un oiseau situé plus haut dans la hiérarchie. Il vaut pour l'ordre pacifique qui règne chez les pingouins. Les combats sur l'emplacement réservé pour couver, qui est un lieu particulièrement fréquenté, sont chez eux « interdits pour risque de dommage aux œufs », et les mâles batailleurs sont aussitôt séparés par des tiers qui se précipitent. L'apprentissage et l'intelligence (Einsicht) ne jouent jamais dans ces systèmes de comportement que le rôle déjà évoqué de *resserrement* (Einengung), p. 112, d'une situation excitatrice innée de déclenchement. « L'exclusivité » du comportement ainsi conditionné peut être parfois réellement importante. Si les choucas, mais aussi la plupart des singes défendent « anonymement » un congénère qui est attaqué, en revanche chez le corbeau et chez les chiens et les loups, la défense d'un camarade est liée à la condition d'une connaissance personnelle.

Ce que doit montrer la description sur laquelle on a plus haut insisté, des ressemblances fonctionnelles avec le comportement moral chez les animaux, c'est le rôle que les composantes fixes innées du comportement jouent dans les structures sociales hautement spécialisées ainsi que la manière dont elles *déterminent* ces structures. Nous allons voir maintenant jusqu'à quel point on peut justement déceler dans le comportement humain la présence de mécanismes déclencheurs innés, de déclencheurs authentiques et de processus générateurs d'excitation. Nous allons voir si on ne trouve pas, chez l'homme également, à côté de la morale responsable, des motivations enracinées dans des couches plus profondes et phylogénétiquement plus anciennes du comportement social.

7. Les mécanismes de déclenchement innés comme éléments de structure stables de la société humaine

Si l'idée qu'il existe aussi chez l'homme des comportements à automatisme endogène, des mécanismes de déclenchement innés ainsi que des déclencheurs particuliers et des corrélats récepteurs s'adressant à eux, n'était pas venue à la plupart des spécialistes de la psychologie humaine, c'est évidemment parce qu'ils ignoraient, dans le comportement animal, les processus de mimétisme qui sont beaucoup plus manifestes et plus irrécusables. Bien évidemment, le rôle que ces éléments innés jouent dans le comportement humain est incomparablement plus restreint que chez n'importe quel animal, et ils sont liés chez lui d'une manière compliquée aux activités supérieures du cerveau, à l'apprentissage et à l'intelligence qui les dissimulent largement. Exposons d'abord brièvement ce que nous savons des mécanismes de déclenchement innés de l'homme, et en particulier, ce que nous savons de leur fonction sociale.

Comme on ne peut pratiquer chez l'être humain la méthode expérimentale d'élevage par isolement qui est ordinairement utilisée pour l'étude des mécanismes de déclenchement innés, nous sommes, en ce qui le concerne, obligés de recourir à d'autres critères pour séparer le schéma inné et la forme de dressage acquise. Ces critères sont au premier chef la pauvreté des signes distinctifs et le phénomène de sommation des excitations (Seitz; *law of heterogeneous summation,* Tinbergen), en seconde ligne, la similitude des réactions de tous les humains normaux à des situations excitatrices déterminées, biologiquement significatives.

Se prêtent bien à l'analyse les mécanismes de déclenchement innés que nous utilisons à l'égard des petits enfants. Une tête relativement importante, un crâne disproportionné, de grands yeux situés bien au-dessous, le devant des joues fortement bombé, des membres épais et courts, une consistance ferme et élastique, et des gestes gauches sont les caractères distinctifs essentiels du « mignon » et du « joli » que présentent, d'après les lois du phénomène de sommation des excitations, un petit enfant ou un « leurre » comme une poupée

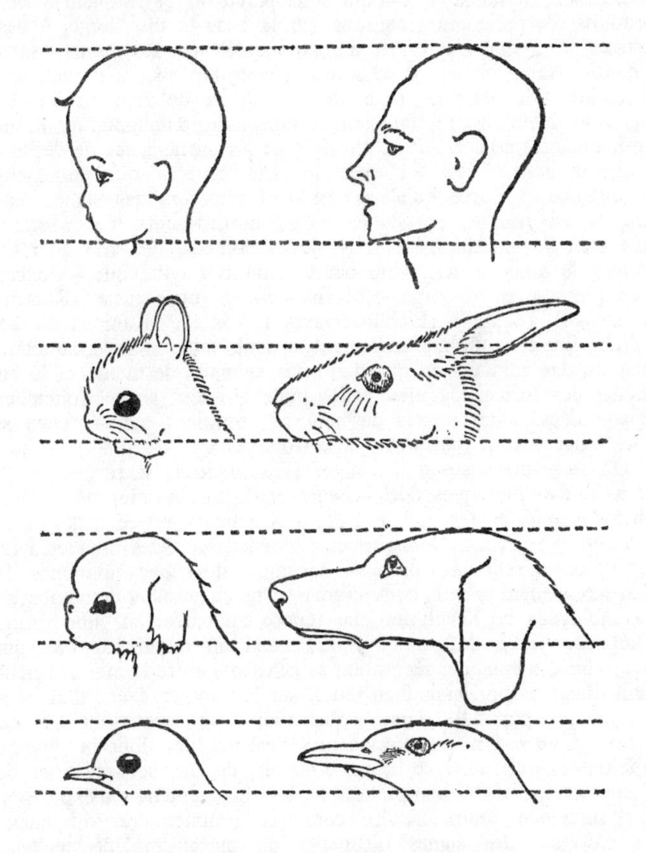

Figure 4. Le schéma de déclenchement des soins des petits chez l'homme A gauche, têtes dont les proportions donnent l'impression du « mignon » (enfant, gerboise des steppes, pékinois, rouge-gorge). Les adultes, à droite, ne déclenchent pas la réaction de soin des petits (homme, lièvre, chien de chasse, merle doré).

ou un animal en peluche. En particulier les poupées que fabrique couramment l'industrie, — qui sont purement et simplement les produits d'expériences recourant, sur la base la plus large, à des leurres, ainsi que les formes animales qu'élèvent les femmes sans enfants comme objets de substitution pour l'instinct maternel, tels le carlin et le pékinois, permettent d'extraire de façon claire ces signes distinctifs. Fait intéressant, certains noms d'animaux montrent en allemand une corrélation étroite avec les mécanismes de déclenchement dont il est ici question. Les espèces qui paraissent « mignonnes » parce qu'elles possèdent plusieurs des signes distinctifs évoqués, en particulier les signes distinctifs très « forts » que sont l'avant du front et les joues bombés, ont une quantité infinie de noms se terminant par le diminutif syllabique — *chen;* exemples : le rouge-gorge (Rotkehl*chen*), le rouge-queue (Rotschwänz*chen*), l'écureuil (Eichhörn*chen*), le caniche (Kanin*chen*). La syllabe finale ne désigne nullement la petite taille mais le caractère mignon des animaux en question : des animaux de même taille ou même des formes de plus petite taille qui leur sont étroitement apparentées, n'ont jamais de nom se terminant par — *chen* si elles n'ont pas les yeux petits et le front petit.

Un autre processus qui, analysé avec attention, se révèle être le résultat d'authentiques déclencheurs et de mécanismes de déclenchement innés correspondant à ces déclencheurs, est celui des mouvements d'expression humains et des réactions à ces mouvements. Ce qu'on appelle la « présence vivante » des objets inanimés de l'environnement propre, contrairement à ce que croient de nombreux psychologues de l'évolution, ne repose nullement sur une forme d'intimité vitale diffuse s'étendant aussi au monde animal, qui empêche d'établir une séparation satisfaisante entre le moi et l'environnement propre, mais bien plutôt sur le transfert fidèle d'un processus qui, par suite d'une « aberration » au sens biologique du terme, s'adresse à des mécanismes déclencheurs dont la mission habituelle qui s'exerce dans l'intérêt de la conservation de l'espèce, est de « comprendre » les mouvements d'expression spécifiquement humains. Le caractère rudimentaire, ou mieux la pauvreté des signes distinctifs du mécanisme déclencheur, et l'identité qualitative de la potentialité de déclenchement que déploient, même à l'état isolé, les signes distinctifs présentés par un même mécanisme, ont pour conséquence que le corrélat récepteur auquel s'adressent les signes distinctifs d'expression humains, répond aussi extrêmement facilement aux combinaisons d'excitations également très simples de notre environnement propre animé et inanimé. Par suite, les objets les plus étonnants sont connotés de valeurs sentimentales et affectives hautement spécifiques qui sont tout à fait remarquables, et simultanément des qualités *humaines* leur sont dans une certaine mesure « infusées ». La campagne peut être « riante ». « La mer sourit », elle « invite à s'y baigner ». Un escarpement qui se dresse, des falaises quelque peu en surplomb, ou des nuages d'orage qui s'amoncellent ont très directement la même valeur expressive qu'un homme qui d'une façon menaçante se dresse de toute sa hauteur, et qui, en pareille occasion, se penche un peu vers l'avant. Le même phénomène peut être encore plus net quand nous réagissons aux « leurres » beaucoup plus riches en signes distinctifs qui se présentent à nous sous la forme de différents visages d'animaux. Nos mécanismes de déclenchement innés auxquels s'adressent des *mouvements* expressifs font surgir, à la vue de têtes d'animaux, des réactions spécifiques qui ont manifestement une résonance sentimentale et affective, chaque fois que les signes déclencheurs intéressant ces mécanismes sont présentés par des structures morphologiques entièrement fixés appartenant aux êtres occurrents. Chez le chameau et chez le lama, par exemple, si l'orifice nasal est situé plus haut que l'œil, si les coins de la bouche sont quelque peu tirés vers le bas, si normalement le port de la tête se fait au-dessus de l'horizontale, tout ceci repose

Figure 5. Origine de l'impression d'arrogance ou de mépris causée par l'expression du visage chez le chameau : un schéma de déclenchement inné approprié aux mouvements d'expression caractérisant l'être humain « interprète à faux » la position relativement haute de la narine par rapport à l'œil. Cette disposition relative des deux organes n'équivaut à un geste de retrait dédaigneux que chez l'homme.

sur des caractères morphologiques qui ne donnent absolument aucun indice en ce qui touche l'état émotionnel de l'animal. Le port de tête qui est propre à ces espèces est déterminé par la position du canal semi-circulaire horizontal dans le labyrinthe. Si on veut savoir si l'animal est dans des dispositions amicales ou hostiles, s'il va manger dans la main de l'observateur ou lui cracher dessus, ce sont les oreilles qu'il faut regarder. La réaction physionomique de type anthropomorphique nous notifie cependant, avec l'inéluctabilité qui caractérise les schémas innés, que le regard de l'animal est en permanence *arrogant.* Chez l'homme, le geste de dénégation arrogante dont le mécanisme de déclenchement ici considéré représente le corrélat récepteur, est un mouvement d'intention, formalisé et théâtralement exagéré de retrait en arrière : on élève la tête dans un mouvement de recul, on pince les narines, on ferme à-demi les paupières, le tout « symbolisant » le refus des excitations sensorielles provenant de l'individu qui est l'objet du mépris. Le même geste dans une version un peu moins exagérée signifie tout simplement « non » chez les Italiens du Sud et chez beaucoup de peuples orientaux. Darwin, qui a repéré et décrit avec précision tous ces processus, a observé en pareille occasion une légère expiration nasale (comme s'il fallait chasser une bouffée d'un parfum désagréable). En Prusse orientale les enfants disent alors « pe » avec une forte consonne explosive et un e muet. La langue anglaise recourt habituellement à la forme verbale *sniffing* pour signifier le mépris arrogant; la langue juive a pour le même phénomène une tournure très expressive : « Er blost vün sach ».

D'une manière analogue, nous avons le sentiment que la physionomie *morphologique* de bien des oiseaux de proie qui doivent leurs yeux profondément méditatifs et leurs commissures minces, fermées et tirées vers l'arrière, à la forme de certains os, exprime une vaillance intrépide : c'est cela qui a fait de l'aigle (Adler) le symbole de la vaillance et de son nom, la racine du qualitatif « noble (edel). On peut trouver bien d'autres exemples de sentiments physionomiques « aberrants », ressentis face à des têtes d'animaux.

Le rôle important de l'œil, comme centre essentiel auquel se rapportent les signes distinctifs de la relation, qui appartiennent aux mécanismes innés, emportent un phénomène remarquable : si toutes les constructions dues à la main de l'homme, qui ont des *fenêtres,* nous donnent l'impression d'avoir une physionomie, c'est évidemment parce que nous considérons leurs ouvertures comme des yeux. Les parties de l'édifice qui surmontent la fenêtre sont « interprétées » par les mécanismes de déclenchements innés en termes physionomiques comme des morceaux de front, de sourcils ou de joue, et leurs rapports spatiaux mutuels déterminent la valeur expressive de l'ensemble exactement comme nous le voyons sur des têtes d'animaux. Aujourd'hui encore, je me souviens clairement que lorsque j'étais enfant, un certain wagon du tramway de Vienne avait pour moi une expression désagréable de dédain, mêlé d'étonnement stupide, dû à ses trappes de ventilation, très haut situées au-dessus des fenêtres, qui faisaient l'effet de sourcils tirés vers le haut. Si chez les enfants l'impression physionomique est plus marquée que chez les adultes, cela tient au fait que le mécanisme déclencheur qui, à l'état originel, est très pauvre en signes, et partant très « large », connaît toujours en raison de ce qui vient se surajouter par apprentissage au cours de la vie individuelle, un « resserrement », c'est-à-dire un accroissement de sa sélectivité, au sens de ce qui a été dit p. 110 et p. 121. Le caractère inné

Figure 6. Grand aigle. La disposition des formes osseuses au-dessus de l'œil est interprétée comme un froncement de sourcil. Cette caractéristique, combinée avec les coins de la bouche fortement tirés vers l'arrière prêtent à l'oiseau une expression de « fière résolution ».

des mécanismes ici évoqués a pour effet que l'impression qu'ils suscitent *ne peut en aucune façon être le fruit d'un apprentissage,* même si l'on sait parfaitement que l'impression que l'on ressent personnellement est de même nature que ce que nous appelons chez les animaux *réaction déplacée* (deplacierte Reaktion). On ne peut néanmoins s'empêcher d'éprouver le chameau et le lama comme « antipathiques » et « inesthétiques », l'aigle comme « noble » et « beau ». La signification précise du grec αἰσθάνομαι est « je ressens », et la signification originelle du mot esthétique (ästhetisch) est « ce qui fait qu'on ressent quelque chose »; par la suite, à travers un processus qui a restreint son sens, le mot a reçu la signification d'impression de valeur positive.

Ceci nous conduit à la catégorie remarquable des mécanismes de déclenchement, qui éveillent chez l'homme des impressions de valeur esthétiques et éthiques, mécanismes de déclenchement bâtis sur un nombre infiniment restreint de signes distinctifs relationnels simples. La séparation conceptuelle des deux mots « esthétique » et « éthique » est parfaitement artificielle. Nous tenant cependant à cette distinction établie, nous examinerons d'abord les schémas rationnels esthétiques, qui sont « taillés » sur des caractéristiques de proportions déterminées intéressant le corps humain. Qu'il s'agisse bien de modes de réaction innés, ce point peut être tranché à partir de critères semblables à ceux que nous avons, plus haut déjà, appris à connaître. Une exploitation analytique de l'art figuratif est à cet égard possible, exactement de la même façon que pour l'industrie des poupées, — le meilleur cas étant non pas celui de l'art authentique vraiment réfléchi, mais de ces fabrications inauthentiques que nous désignons du nom de productions « de bas étage », et qui ne sont pas imposées par le goût de l'artiste, mais par celui du public qu'on cherche à séduire, tels les dessins de mode, les romans bon marché et les fims de même espèce. Les industries en cause proposent à leur public — exactement comme dans l'industrie des poupées — des leurres en bonne et due forme, et sur la base la plus large possible car bien évidemment le succès financier le plus grand est acquis à celles dont le produit développe le potentiel de déclenchement le plus élevé. Partant de là, on peut extraire de manière extrêmement claire les caractères distinctifs formels et relationnels auxquels répond le mécanisme de déclenchement inné. Il apparaît alors que l'impression de valeur esthétique répond de la même façon aux simplifications les plus grossières comme aux raffinements les plus poussés des caractères relationnels présentés : elle a la même qualité que celle que suscite la vue d'un bel athlète. Ici encore, tout comme dans le cas de la réponse aberrante d'un schéma aux caractères distinctifs des mouvements d'expression chez l'homme, le caractère relationnel inné susceptible d'une réponse, peut être appréhendé par l'étude de caractères « abstraits » intéressant des proportions dont l'arithmétique est elle-même très simple. Il y a en particulier de bonnes raisons de présumer que le potentiel esthétique de la « section d'or » repose sur un mécanisme de déclenchement inné, lui-même « taillé » sur les proportions qui font la beauté du corps humain, et non pas (ce qui serait la seule alternative possible) sur « l'émergence » d'une harmonie numérique elle-même fondée sur une perception acquise de la forme (Gestalt).

Un intérêt particulier s'attache aux réactions esthétiques à forte coloration sexuelle, qui s'adresse aux « beautés » spécifiques du corps masculin et féminin. Si l'on fait abstraction de certains caractères distinctifs qui concordent dans l'idéal de beauté des deux sexes, il s'avère que toutes les impressions esthétiques ou presque qui s'adressent au corps masculin ou féminin, sont déclenchées par des signes distinctifs, qui sont les indicateurs immédiats *des fonctions sexuelles hormonales.* La relation opposée chez l'homme et chez la femme entre la largeur des hanches et la largeur d'épaules, les parties pileuses, la répartition des parties charnues chez la femme (qui généralement représente sans aucun doute un déclencheur authentique au sens mentionné p. 104), la forme de la poitrine féminine et un nombre restreint de signes distinctifs moins précis, sont les indicateurs spécifiques de la plénitude de la puissance sexuelle, « que connaît non la tête mais l'instinct », selon l'expression de Schopenhauer, qui dans sa *Métaphysique de l'amour sexuel* a parfaitement vu presque tous les phénomènes dont il est ici question. Des ensembles de signes déclencheurs de ces schémas sont accentués d'une manière fort exagérée dans l'art de bas étage et dans les « attrapes sensationnelles » (s'il m'est permis de détourner cette vilaine mais pertinente expression au profit de notre Vulgate scientifique), dont la publicité se sert à des fins commerciales : chacun peut en rappeler à sa mémoire une foule d'exemples.

Certains sentiments de valeur esthétique anthropomorphiques appellent des conclusions très voisines, fondées sur des observations de même type que celles qui ont été faites dans le domaine esthétique dont on vient de parler. Ce qui s'applique là aux signes distinctifs relationnels de type corporel, s'applique ici aux signes intéressant le comportement, et, ici aussi, l'art figuratif, mieux l'industrie figurative, peut être choisi comme matériel d'enquête. Il y a un nombre extrêmement restreint de motifs qui déclenchent en nous une prise de position émotionnelle, excitant « la crainte et la pitié », et qui pour cette raison, sont d'impérissables thèmes poétiques dans la poésie. Certaines formes immortelles, telles la demoiselle menacée par l'ennemi et délivrée par le chevalier, reviennent indéfiniment depuis l'*Edda* et l'*Iliade,* jusqu'aux plus violents westerns. Ici encore nous rencontrons le phénomène, caractéristique entre tous, de la fonction des mécanismes de déclenchement innés : les signes distinctifs agissants déclenchent, même s'ils sont présentés sous la forme la plus simplifiée et à l'état isolé, la même qualité de réaction émotionnelle que la situation réelle en vue de laquelle le schéma est construit. Est-il plus forte schématisation d'un comportement spécifique à résonance éthique que le passage de Schiller : « je suis là pour celui qui en a le besoin » (*Hier bin ich, für den er gebürgert*). Et pourtant ce passage fait éprouver à tout auditeur normal le sentiment de valeur de l'événement réel. Chacun peut très bien par introspection établir la totale impossibilité de modifier en l'éduquant sa réaction personnelle qui est inconditionnellement réflexive. On a beau savoir parfaitement que l'objet présenté a la nature d'une attrape, cela ne change rien aux sentiments et à l'affection déclenchée, même s'il s'agit de tentatives d'attrapes aussi grossières que celles que présentent fréquemment les films modernes. L'enfant maltraité, la jeune fille tyrannisée par une « canaille » (et soit dit en passant, toujours sauvée à point nommé (déclenchent des réactions de protection, quand bien même en telle occasion on ne peut s'empêcher de sourire de soi-même.

Dans le cas des schémas éthiques, on peut mettre en évidence, comme dans le cas des schémas s'adressant à des mouvements d'expression humains, des « réactions de déplacements » typiques, où le comportement *animal* offre dans sa seule forme extérieure une ressemblance avec des comportements humains à relevance éthique « prévu » dans les schémas innés de l'être humain. La protection des jeunes, les réactions de la mère intéressant les soins à donner à la progéniture, les réactions de protection sociale, etc. déclenchent immanquablement la sympathie et une impression de valeur éthique positive, et ceci pas seulement chez l'observateur naïf. La force contraignante du mécanisme de déclenchement se montre en particulier dans les réponses réactionnelles spécifiques de protection sociale. Quand par exemple un renard attrape un lièvre, et en particulier si ce dernier, jeune et de petite taille, provoque en nous la réponse de notre « schéma du petit enfant », la réaction spécifique tendant à porter secours au plus faible est presque insurmontable. Un jour que, bien malgré moi, je donnai en pâture de tout jeunes et tout petits rats à capuchon à un python, en dépit de mes efforts pour raisonner mes propres réactions innées, cet événement me causa un léger dommage névrotique qui se traduisit dans les rêves à coloration émotionnelle exagérée que je fis à plusieurs reprises de l'aventure. Il n'est que d'imaginer une forte intensification quantitative du même traumatisme pour avoir les furies qui poursuivent le meurtrier! Tous les animaux dont le comportement social diffère dans une certaine mesure du comportement humain, mais montre cependant des parallélismes formels avec ce dernier et incite ainsi à la comparaison, sont à la base de jugements de valeur moralisants bien arrêtés. Le coucou qui ne s'occupe pas lui-même de ses enfants, le bouc qui a un instinct de l'accouplement très actif et ignore la monogamie, la fourmi qui travaille au bien commun avec un zêle « désintéressé », etc. sont tous l'objet d'un jugement de valeur éthique, comme s'il s'agissait d'êtres appartenant à l'espèce humaine. Pour un gardien de jardin zoologique, cela doit être à la longue agaçant de voir que la première réaction de tout profane face à un animal qu'il n'a jamais vu, est de formuler des jugements de valeur entièrement faux et aberrants au point de vue biologique; le savant, quant à lui, devrait simplement se réjouir devant ces beaux exemples de « réaction de déplacement »!

Nous avons démontré le rôle, et justement insisté sur la puissance de la fonction que les mécanismes de déclenchement innés, et en particulier ceux qui sont de nature esthétique, jouent sans aucun doute comme matériaux relativement indépendants de la totalité et comme éléments de squelette du comportement social humain; mais ceci ne signifie nullement que nous sous-estimions l'importance chez l'homme d'autres types d'action et de réaction esthétiques et moraux à caractère moins directement anthropomorphique, ni à plus forte raison que nous prétendions nier leur existence! Sur la réalité et sur les performances de la morale rationnelle au sens kantien du terme, et sur la possibilité d'existence de jugements de valeur non anthropomorphiques, ayant d'un certain point de vue un caractère véritablement a priori, je me suis expliqué plus abondamment dans un autre écrit, et je renvoie à ce qui a été dit dans ce travail maintes fois cité. Quant aux *limites* des performances de la responsabilité rationnelle, nous y reviendrons au cours de cet essai, dans le chapitre concernant la mise en péril spécifique de l'être humain. Ce qui nous intéresse directement ici, est cependant le fait suivant : l'impression de valeur éthique que nous avons devant un de nos semblables n'est pas l'effet d'une qualité morale dont il est responsable, mais l'effet de ses « tendances » (« Neigungen ») innées et spécifiques. La conduite objective d'un être humain a beau correspondre de près à l'idéal des exigences de la société à l'égard de l'individu, nous n'éprouvons pas cette conduite comme « bonne » si ses motifs n'ont pas leur origine dans les couches affectives profondes du comportement *inné* dépendant de l'hérédité. « Mais vous ne parviendrez jamais au cœur à cœur si cela ne vous vient du cœur » (Goethe). Il n'a pas fallu moins qu'un Schiller pour voir clairement et pour stigmatiser le point vulnérable de la morale kantienne, notamment dans la splendide xénie :

Je sers volontiers mes amis,
Mais je le fais hélas par affection,
Et cela me ronge souvent
De ne pas être vertueux.
Puisqu'il n'y a pas d'autre remède, tu dois chercher à les mépriser
Et ensuite faire avec honneur ce que le devoir t'ordonne.

Et pourtant la véritable sagesse consiste à allier aux réactions éthiques innées les réactions de la morale rationnelle responsable. Quand nous portons un jugement sur la valeur morale d'*un homme* considéré comme un tout, nous ferons sans doute bien de porter le plus d'estime à celui dont le comportement social vient le plus largement « du cœur ». Si en revanche, nous portons un jugement sur *les actions* d'un individu donné, par exemple nos propres actions, c'est également à bon droit que nous attacherons le plus de valeur à celles qui doivent le moins à la tendance naturelle et qui doivent manifestement le plus à la responsabilité fondée en raison.

8. L'automatisme endogène dans le comportement social de l'être humain

Parmi l'ensemble des êtres vivants supérieurs, l'être humain est sans conteste celui qui est le plus pauvre en mouvements dus à des automatismes endogènes. Mettons à part certains types de mouvements intéressant la nutrition (préhension, ingestion, mastication, déglutition), l'accouplement (mouvements de friction), et peut-être certains éléments automatiques de la marche : l'homme adulte ne semble avoir pour ainsi dire aucun type de mouvement reposant sur un automatisme endogène et coordonné au niveau central. Cette pauvreté en mouvements instinctifs authentiques n'est cependant pas un signe de primitivisme : elle est certainement le résultat d'un *processus de réduction.* La plupart des mouvements instinctifs de l'homme ne se sont survécus que sous la forme de *mouvements expressifs* qui, pour autant qu'ils sont provoqués par des intentions de mouvements, laissent encore paraître la nature originelle du modèle de mouvement auquel ils correspondent; nous l'avons vu p. 112 pour l'expression de la colère que Darwin interprétait déjà à juste titre comme une intention de mouvement formalisée.

Nous sommes d'accord avec Mac Dougall sur le fait que les sentiments et les affections de l'être humain, qualitativement indépendants les uns des autres (le terme anglais d'*Emotions* désigne un concept plus large que chacun des deux mots allemands et ne peut par conséquent être traduit que par les deux mots pris ensemble) correspondent à un « instinct » au sens d'une sorte d'excitation spécifique de l'action et d'une préparation d'un acte. Ce qui donne de la vraisemblance à l'idée qu'un automatisme endogène est très souvent à la base de la préparation d'un acte, est le fait que le seuil d'excitation s'abaisse pendant la pause de la réaction, et s'élève à nouveau dès que l'impulsion considérée a été libérée par la réaction. C'est le cas pour les réactions sexuelles élémentaires mais aussi pour les comportements amoureux absolument indépendants de ces dernières, pour les conduites en vue de s'imposer ou parades (*Imponiergehaben*) et pour d'autres comportements. Une accumulation endogène préparant le déclenchement de réactions spécifiques se dénote avec une évidence particulière dans les types de comportement que Freud interprète comme les manifestations de *pulsions agressives* (*Aggressionstriebe*). Quiconque a travaillé sous la coupe d'un supérieur quelque peu irritable et incapable de se dominer pleinement, sait que périodiquement une « atmosphère lourde » commence à planer et qu'après l'explosion de l'irritation accumulée sous forme d'un « orage purificateur », la bienveillance du despote n'est pas diminuée mais renforcée de façon caractérisée. Après un « drame de bureau », il règne une atmosphère *sui generis* de camaraderie exaltée! A intervalles parfaitement réguliers, une de mes tantes entrait en bataille avec sa bonne et la congédiait. Le dérèglement typique du champ perceptif qui accompagne, la chose est bien connue, les variations de l'énergie spécifique de la réaction se manifestait d'une manière merveilleuse chez la vieille dame : elle se montrait systématiquement enchantée, et au-delà de toute mesure, de la nouvelle servante dont elle avait fait la connaissance immédiatement après s'être déchargée de son état agressif, et elle n'avait pas de mots pour célébrer les qualités de cette dernière. Mais elle ne s'apercevait pas que « la perle » se transformait fatalement au bout de quelques mois en une créature odieuse. L'accumulation de réactions agressives peut ainsi devenir très gênante, voire dangereuse, quand une collectivité très restreinte est entièrement coupée du contact avec ses semblables, grâce auquel les pulsions refoulées peuvent être désamorcées. La « maladie polaire » qui survient parmi les membres d'une expédition, au sein de l'équipage d'un petit bateau, etc. n'est pas autre chose qu'un fort abaissement du seuil d'une explosion de colère. Quiconque s'est trouvé en présence de cette maladie, sait le caractère ridiculement mince des excitations qui, en fin de compte, provoquent la colère. Même lorsqu'on a une parfaite connaissance de ce type de réaction, on ne peut empêcher certains petits travers d'un camarade, — un toussotement, un son de voix —, de mettre le feu aux poudres. On se conduit alors à l'égard du camarade en question de la même manière que le mâle d'un couple isolé de cichlidés, qui, faute de trouver des congénères pour menacer et déloger sa famille, finit par attaquer lui-même et par tuer sa femelle. Chez le *Geophagus,* ce genre de réaction est particulièrement typique. On peut le paralyser en plaçant dans le bassin où se trouve le mâle, un miroir face auquel son agressivité peut se décharger.

Un autre genre de réaction dont nous voulons faire ici une mention spéciale en raison même de son importance particulière, est la réaction de *protection sociale* (*Soziale Verteidigung*). Son corrélat dans l'expérience subjective est un état affectif, l'exaltation (die Begeisterung). Un trait particulièrement intéressant de la réaction réside dans *l'analogie certaine* des mouvements qui accompagnent son développement *avec ceux du chimpanzé.* Toute âme forte connaît d'expérience personnelle le frisson qui passe en nous aux moments où une volonté belliqueuse d'intervention pour la défense de la société se déclenche en nous. Ce sentiment prend naissance dans la nuque dont les cheveux se hérissent, dans les parties supérieures du dos et, point intéressant, à la face externe des bras. Les mouvements d'expression mimique consistent en un raidissement de la démarche, un redressement de la tête, un froncement des sourcils, un abaissement des coins de la bouche, un avancement de la mâchoire inférieure, une poussée des épaules vers l'avant, et une rotation des bras vers l'intérieur à partir de l'articulation de l'épaule, tendant à présenter vers l'extérieur la face dorsale des bras, qui est velue. L'expression du visage est la même que celle qui, dans le simulacre de tête d'aigle éveille en nous les sensations ici évoquées. Le fait de tourner les bras vers l'intérieur et la contraction des *musculi arrectores pilorum* ne contribue guère chez l'homme à l'impression optique du comportement d'ensemble et n'aurait certainement pas attiré l'attention si les singes anthropoïdes ne possédaient exactement les mêmes gestes. Le chimpanzé qui agit dans un but de protection sociale, met lui aussi en avant le menton, tourne les bras vers l'intérieur, et hérisse sur le haut du dos et sur la face externe de l'humérus le poil qui, étant à ces endroits du corps au service du déclencheur dont il est ici question, est capable de s'allonger dans une certaine mesure. On constate le même phénomène chez d'autres mammifères et chez les oiseaux, chez lesquels de nombreuses parties de la fourrure ou du plumage jouent le même rôle. Du fait de l'attitude du corps, inclinée vers l'avant, et de la longueur relative des bras du singe, ces gestes grandissent substantiellement la silhouette corporelle qui en impose au congénère, l'intimide et exerce en outre très certainement sur lui une certaine « contagion ». Que l'homme, en pareille situation,

« hérisse une fourrure qu'il n'a plus », est un bel exemple de comportement *rudimentaire* au sens authentiquement phylétique du terme. La réaction est déclenchée par un schéma relationnel très simple, — on est en droit d'ajouter « malheureusement » —, car, si utile qu'elle puisse être à la cohésion interne des sociétés, l'impossibilité native de maîtriser ses réactions et, plus encore, le type de situation qui les déclenchent, comporte de sérieux dangers pour l'humanité. L'élément relationnel fondamental qui caractérise le mécanisme de déclenchement de la réaction précitée réside dans l'existence des *menaces virtuelles* venant de l'extérieur qui pèsent sur la société. Les démagogues de tous les temps ont fait mauvais usage d'une réaction qui, du point de vue éthique, est extraordinairement utile, en s'en servant pour dresser les peuples les uns contre les autres au moyen d'un simulacre simple : un ennemi imaginaire et une menace imaginaire.

9. La domestication de l'homme

Personne avant Schopenhauer n'avait remarqué que, si l'homme se distingue des animaux vivant à l'état sauvage par toute une série de signes distinctifs, il partage ces derniers avec les animaux domestiques. Dans son ouvrage que nous avons déjà une fois cité, *Métaphysique de l'amour sexuel,* il fait une déclaration du plus haut intérêt : certains signes distinctifs de la race blanche ne sont en rien naturels, mais dit-il, « sont apparus au cours du processus de civilisation ». La raison en est que « les cheveux blonds et les yeux bleus constituent déjà une variété, presqu'une anomalie, — une anomalie semblable à celle que constituent les souris blanches ou du moins les chevaux blancs ». Quiconque porte attention à de tels phénomènes, et compare sans idée préconçue notre espèce, d'abord avec des êtres vivant à l'état sauvage, puis avec nos animaux domestiques, ne peut pas douter un instant que l'homme est un être « domestiqué ». E. Fischer a prouvé par un vaste rassemblement de faits qu'un grand nombre de traits distinctifs de l'homme moderne, et notamment les signes caractéristiques de sa race, reposent sur des transformations du modèle originel tout à fait semblables à celles que nous désignons chez les animaux comme des « phénomènes de domestication ». Ce n'est pas ici le lieu d'approfondir la nature des phénomènes de domestication ni les causes biologiques plausibles qui les expliquent sur le point qui nous intéresse ici.

Il existe seulement deux transformations typiques du comportement inné spécifique qui, sans aucun doute, ont une influence fondamentale sur la vie sociale humaine.

Par *élargissement des schémas déclencheurs innés,* nous entendons le phénomène selon lequel, au cours du processus de domestication, les mécanismes réactionnels que sont les schémas déclencheurs, *perdent* en règle générale beaucoup de leur *sélectivité.* Ce qui est à cette occasion très révélateur du rôle de *filtre* des sensations, joué par le processus physiologique du mécanisme de déclenchement, est que les mutations accidentelles qui affectent des signes distinctifs isolés caractérisant le schéma inné, ne rendent pas plus difficile le déclenchement de la réaction correspondante mais, tout au contraire, facilitent ce dernier en raison de l'affaiblissement de sa sélectivité. A l'appui de cette idée, un seul exemple : soit une poule pondeuse appartenant à l'espèce *Bankiva,* — forme primitive de nos poules de basse-cour —, qui conduit ses poussins; elle manifeste des réactions de vigilance à l'égard des poussins dont le plumage porte, à la partie supérieure de la tête et sur le cou, le signe caractéristique de l'espèce sauvage, qui a une fonction de déclencheur. Elle tue en revanche tout poulet ayant une autre couleur. On trouve encore çà et là ce comportement sélectif chez les poules domestiques, mais seulement chez les espèces proches des formes sauvages, — les combattants (Kämpfer), les poules-phoenix, et diverses poules naines —. Nos poules de pays ne montrent habituellement aucune différence de réaction aux différentes couleurs des poussins : beaucoup d'entre elles réagissent encore d'une manière très sélective aux cris des jeunes poulets et n'admettent pas les oisillons et les canetons. Chez les races de poulets les plus profondément et les plus anciennement domestiquées, comme par exemple *l'Orpington,* la *Plymouth Rock,* la *Brahma,* les signaux acoustiques distinctifs du mécanisme de déclenchement ont également disparu la plupart du temps : de tels oiseaux prennent soin des jeunes animaux qu'on leur confie, sans faire de distinction. L'élargissement des mécanismes de déclenchement sexuel facilite extraordinairement l'élevage de nombreux animaux domestiques, si on fait une comparaison avec ce qui se passe pour les formes sauvages. Alors que chez les animaux sauvages, par exemple chez l'oie cendrée, un nombre incroyable de conditions doit être rempli pour que sa vie familiale et sexuelle hautement différenciée puisse se développer, il suffit, en ce qui concerne les animaux domestiques, d'enfermer ensemble assez longtemps deux spécimens de sexe différent, pour mener à bien un élevage.

La seconde transformation importante commandée par la domestication, qui affecte en règle générale le comportement spécifique des animaux domestiques, a trait à la capacité de production d'excitation endogène de certains comportements fondés sur des automatismes. Sans que le mouvement ait été, en tant que tel, altéré dans sa coordination, la fréquence et l'intensité de son déclenchement subissent chez les animaux domestiques d'extraordinaires fluctuations. Dans bien des cas, la production de séquences de mouvements déterminées peut atteindre une telle fréquence que ces séquences de mouvements deviennent le caractère distinctif le plus saillant des races d'animaux domestiques intéressées, et vont même jusqu'à prendre un caractère pathologique. L'hypertrophie des mouvements de dérobade devant un oiseau de proie qui fond de haut, commune à presque tous les volatiles, prend chez les oiseaux appelés pigeons culbutants (anglais : *Tumblers*) de telles proportions que les oiseaux ne peuvent littéralement pas voler quelques mètres en ligne droite, sans être déviés de leur trajectoire par « l'irruption » de la réaction. Le type de mouvement qui est, originellement, parfaitement significatif, se produit en pareil cas de manière maladive, un peu comme un spasme. D'autres exemples de mouvements hypertrophiés existent en très grand nombre chez de nombreux animaux domestiques. Les cas d'affaiblissement quantitatif des comportements endogènes sont également fréquents. Les réactions intéressant les soins à donner à la progéniture notamment, montrent, chez les animaux domestiques les plus différents, des accidents qui sont souvent circonscrits avec une parfaite netteté. Les comportements de combat sont presque toujours très affaiblis par comparaison avec ce qui se passe chez les espèces sauvages. La pression endogène qui pousse l'animal à voler, est, chez tous les animaux, le pigeon excepté, affaiblie, quand elle n'a pas purement disparu.

On a le sentiment que, d'une manière très générale, les processus de production d'énergie endogène qui sont phylogénétiquement les plus anciens, les plus primitifs, ceux qui intéressent avant tout la nourriture et l'accouplement, auraient tendance à s'hypertrophier, cependant que les comportements les plus récents, subtilement spécialisés, ceux qui intéressent avant tout la communauté familiale, les soins et la défense de la progéniture, et plus généralement toutes les réactions sociales tendent à s'atténuer. Il en résulte une évolution du comportement social vers une grossièreté « bestiale ». Nous allons y revenir, ainsi que sur la corrélation remarquable qui existe entre les schémas relationnels éthiques chez l'être humain et ces phénomènes.

Nous n'avons malheureusement pas la place d'exposer ici en détail combien loin on peut pousser le parallèle entre les deux modifications dues à la domestication, qui ont été brièvement évoquées, et qui intéressent les types innés d'action et de réaction, d'une part, et certains phénomènes de dégénérescence dans le comportement humain, et plus particulièrement chez les hommes civilisés, d'autre part. Il faudrait disposer de la base d'induction d'un O. Heinroth et du talent descriptif d'un Thomas Mann pour faire partager au lecteur la conviction qui s'impose d'une manière contraignante à l'observateur des parallèles en question : il s'agit, chez l'animal et chez l'homme, de phénomènes qui ont rigoureusement la même nature, et qui reposent sur une même origine physiologique, c'est-à-dire une origine *génétique*. Je suis en ce qui me concerne convaincu que cette conviction en grande partie intuitive n'est, du point de vue de l'induction scientifique, rien de plus qu'une hypothèse de travail qui nécessiterait l'épreuve des faits et de l'expérience. Ce qui m'autorise à insister sur cette hypothèse de travail, c'est que son application s'avère judicieuse dans un très grand nombre de cas. Quoi qu'il en soit, on peut affirmer avec certitude que négliger totalement le problème génétique dans la recherche des phénomènes de dégénérescence du comportement social chez les hommes civilisés, constituerait une erreur de méthode lourde de conséquences.

Qu'il soit enfin fait mention d'un élément tout à fait remarquable et qui vient à l'appui de l'hypothèse selon laquelle certains phénomènes de dégénérescence du comportement social humain, phénomènes qui montrent des parallèles si poussés avec certaines modifications de comportement chez les animaux domestiques, reposerait effectivement sur une base *génétique*. Il existe une *corrélation*

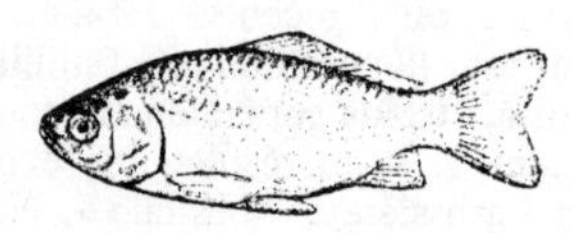

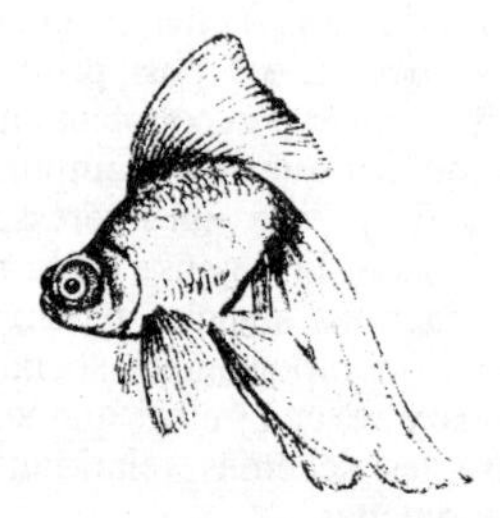

Figure 7. Animaux sauvages et exemples des formes domestiques qui en sont issues. *a*) corassin et daurade chinoise à violette. *b*) oie sauvage et oie fermière. *c*) poule sauvage et poule de basse-cour. *d*) loup et chien domestique. Raccourcissement des extrémités du squelette. Arrêt du développement des organes locomoteurs chez les formes domestiques.

hautement spécifique entre ces mécanismes innés de déclenchement qui suscitent les jugements esthétiques et éthiques, et les modifications héritées dues à la domestication.

Dans le domaine esthétique, notre jugement intime ressent comme « affreux » les signes résultant de phénomènes de domestication typique, et en revanche comme « beaux » ceux qui sont mis en péril par ces mêmes phénomènes de domestication. Il n'y a pratiquement pas de phénomène de domestication typique dans le domaine corporel qui ne suscite de notre part un vif refus esthétique. Plus significative encore que cette constatation, est celle de sa réversibilité : presque tout ce que nous ressentons comme spécifiquement affreux, est un véritable phénomène de domestication. Le relâchement des muscles, le ballonnement du ventre, la mollesse des tissus conjonctifs, avec tout ce qu'elle entraîne, comme par exemple une peau flasque, une démarche lourde, l'œil relativement petit et faible, les traits du visage mous, peu marqués et sans expression, la tête de bouledogue et toutes sortes d'autres « horreurs » sont les conséquences types de la domestication. Si l'on met en vis-à-vis d'assez longues séries d'animaux à l'état sauvage, et les mêmes animaux à l'état domestique, on est frappé de constater à quel point les animaux sauvages sont « beaux » et « nobles », par rapport aux animaux domestiques.

Les signes relationnels déclenchant la réaction positive ou négative de notre sentiment anthropomorphique du beau, peuvent inversement très bien s'abstraire à partir des « leurres » qui suscitent une « réaction déplacée » de nos jugements de valeur. Les réactions de l'homme à l'égard des produits de « l'industrie figurative » ainsi que ses réactions aux formes animales (Tiergestalte) peuvent être exploitées comme des expériences qui recourraient à des leurres, exactement dans les mêmes conditions que nous l'avons déjà fait pour d'autres mécanismes de déclenchement. Prenons comme exemple de l'industrie figurative le dessin de mode : nous trouvons là encore la tendance typique à la production de combinaisons excitatrices « sensationnelles », et il est facile d'extraire les signes qui sont *exagérés* à cette fin. Dans les représentations de l'homme, ces signes sont avant tout constitués par les proportions entre la largeur des épaules et la minceur des hanches, la netteté des traits du visage, la raideur du maintien, etc. Chez les femmes, ces signes sont l'élancement de la taille, la flexibilité du corps, la configuration presque « invertébrée » en courbes plus ou moins sinusoïdales, ainsi que certains caractères marquant la porportion entre tour d'épaules, de taille et de hanches, transformables selon la mode en des formes corporelles plus ou moins grosses, plus ou moins élancées, tous signes demeurant à peu près constants, que le modèle soit à la verticale ou à l'horizontale. Le point commun à la représentation des deux sexes est une exagération immodérée de la longueur des extrémités. Il est naturellement possible d'abstraire des signes relationnels analogues à partir des œuvres des véritables artistes : il apparaît alors significatif que c'est dans les périodes de décadence succédant à celles dans lesquelles l'art était florissant, que survient souvent une exagération des signes relationnels analogue à celle qui est constatée dans le dessin de mode.

Quand l'art se propose intentionnellement de représenter le Laid, il ne choisit absolument pas de déformer arbitrairement la silhouette idéale, mais il s'empare régulièrement des signes types dûs à la domestication : déjà la sculpture antique représentait le Silène comme un petit corps rond et dur, malingre, aux jambes courtes et torses, au ventre pendant, avec une tête de bouledogue. Même Socrate dont l'histoire veut qu'il ait été très laid, est représenté avec une tête de bouledogue. De la même façon, la caricature, quand elle représente intentionnellement la laideur, stigmatise dans la plupart

Figure 8. Socrate est toujours représenté par la statuaire grecque avec une tête de bouledogue chondrodystrophique. En comparaison, un buste de Périclès quelque peu flatté selon le goût de la mode.

des cas les caractères distinctifs de domestication déjà évoqués; qu'on pense par exemple aux bonshommes mal fichus de Wilhelm Buschs ou aux nains à la laideur démoniaque du Suédois Högfeldt.

Nombre des signes relationnels sus-mentionnés peuvent être ainsi tirés des formes animales ressenties comme belles et comme laides. Les analogies sont claires entre l'impression de laideur qui émane d'un hippopotame ou d'un crapaud et celle qui émane du Silène, entre l'impression de beauté qui provient d'une gazelle ou d'un Héron noble et celle qui provient de l'idéal de mode. L'anthropomorphisme aveugle de notre réaction est ainsi mis en évidence, car, en soi, l'hippopotame est un tout formant système qui est aussi harmonieux et aussi précisément équilibré que la gazelle. L'introspection montre sans détour la parenté toute proche qui unit les impressions esthétiques dont il est ici question et l'expérience « physionomique » de réactions de déplacement des mécanismes de déclenchement innés intéressant chez l'être humain d'authentiques déclencheurs.

La corrélation affirmée entre nos impressions esthétiques et les signes distinctifs typiques de la domestication qui n'a été ici que très brièvement esquissée, peut être démontrée par une foule d'autres exemples. Les exceptions ne correspondant pas à nos hypothèses sont si peu nombreuses que, statistiquement parlant, elles n'altèrent pour ainsi dire pas l'évidence de la corrélation, en dehors même du fait que beaucoup de ces exceptions peuvent être, au prix d'hypothèses supplémentaires (dégénérescence conditionnée par la domestication des mécanismes de déclenchement en cause) classées de telle sorte qu'elles confirment la règle plus qu'elles ne lui contreviennent.

Pour la relation qui nous intéresse ici, il m'apparaît d'une importance tout à fait essentielle qu'il existe entre notre sentiment de valeur éthique et les transformations du comportement conditionnées par la domestication, une corrélation en tous points analogue à celle qui a été montrée entre les impressions esthétiques et les caractères corporels distinctifs de la domestication. Ici également, les comportements qui donnent une impression de haute valeur éthique sont précisément ceux qui sont altérés par les défaillances typiques conditionnées par la domestication; sont en revanche toujours jugés comme mauvais et de moindre valeur les comportements qui, par suite de la domestication, tendent à s'hypertrophier.

A l'origine, les comportements humains qui sont conditionnés par des automatismes endogènes, ont autant de valeur et sont aussi nécessaires les uns que les autres pour la conservation de l'espèce : la prise de la nourriture et l'accouplement, tout comme les réactions de soin à donner à la progéniture et d'autres tendances sociales hautement spécialisées. Que nous ressentions les premiers comme sans valeur éthique, ou même comme coupables, mais que nous fassions en revanche le plus grand cas des autres et les tenions pour moralement méritoires, voilà qui est sans ambiguïté, en rapport très étroit avec le fait que les comportements de la première catégorie ont chez l'homme civilisé comme chez l'animal domestique une tendance envahissante alors que les comportements de la seconde catégorie tendent à disparaître. C'est par une ironie toute spéciale à la condition humaine que nous sommes amenés à désigner comme « bestiale » la démesure de certains instincts bien déterminés qui ne se manifeste de cette façon que chez l'homme et chez quelques-uns de ses animaux familiers! Tous les prophètes et fondateurs de la religion qui se sont enflammés contre les « plaisirs des sens » en tant que tels, ont eu une intuition parfaitement juste du rôle pervers de ces hypertrophies de l'instinct. A côté des hypertrophies de l'instinct, excitent avant tout chez nous une impression de valeur négative certains effets déterminés de l'élargissement et de la perte de sélectivité d'un certain nombre de mécanismes de déclenchement innés. Ce sont précisément les suites les plus fréquentes d'un élargissement en lui-même sans grande portée des schémas innés et le manque de discernement dans l'adressage de certaines réactions qui en est la conséquence, qui nous fait l'effet d'être vulgaire.

Ce qui caractérise toutes ces impressions de valeur, qui sont purement affectives, c'est qu'elles n'ont pas pour répondant des bouleversements monstrueux du comportement social humain. Ces phénomènes de défaillance extraordinaires et irréguliers qui affectent le comportement humain, déclenchent chez nous beaucoup moins d'indignation affective que les « vulgarités » quotidiennes dues aux altérations typiques de la domestication. L'homme qui, par plaisir, fait périr des foules éveille l'horreur et la stupeur comme n'importe quelle catastrophe naturelle et impersonnelle, mais nos sentiments et notre affectivité ne répondent pas pendant longtemps avec la violence à laquelle il serait raisonnable de s'attendre. L'indignation éthique qui sourd des couches affectives profondes de notre âme s'adresse à des fautes plus « compréhensibles ». C'est précisément cette compréhension qui, à mon sens, repose sur des véritables corrélats innés de caractères distinctifs relationnels du comportement.

Même si ces caractères distinctifs relationnels ne correspondent pas exactement, comme c'est en fait le cas, jusque dans les moindres détails aux phénomènes de spécialisation affectant le comportement inné des oiseaux domestiques, les rapports qu'on a mis en lumière suffiraient à eux seuls à proposer l'hypothèse que les altérations du comportement social chez l'homme ont une origine génétique. Notre *réaction* à ces altérations est, selon une vraisemblance qui touche à la certitude, héréditaire. Et il me paraît difficilement admissible que des mécanismes de déclenchement innés reçus en héritage, soient en nous prêts à répondre à des signes distinctifs non héréditaires du comportement humain. La parenté évidente qui existe entre nos impressions de valeur esthétiques et éthiques plaide aussi bien en faveur de la même hypothèse. L'objet à l'intention duquel sont « frappés » les schémas relationnels d'ordre esthétique qui ont été évoqués plus haut, est sans doute possible le signe corporel distinctif de la domestication, et ce dernier est aussi sans aucun doute génétiquement conditionné. S'agissant maintenant de certaines impressions de valeur éthique étroitement anthropomorphiques elles aussi, qui ne peuvent être introspectivement séparées des impressions de valeur esthétiques et qui, objectivement, sont liées à ces dernières par toutes sortes de processus, on est bien près de formuler la même hypothèse, c'est-à-dire de considérer que les altérations du comportement auxquelles ces impressions correspondent, ont aussi un ancrage génétique.

J'insiste une fois encore sur le fait qu'en aucun cas les jugements de valeur esthétiques et éthiques ne reposent *tous* sur un mécanisme de déclenchement inné aussi étroitement anthropomorphique. Je n'affirme ici que *l'existence de tels mécanismes,* et leur importance, dans le comportement social humain, en tant que matériau relativement indépendant de la totalité. Négliger ces mécanismes ne peut conduire la recherche sociologique qu'à des conclusions lourdement erronées.

4. La mise en péril constitutive de l'être humain

1. Les défaillances conditionnées par la domestication comme préalables du devenir humain

Quand Arnold Gehlen dit de l'homme qu'il « est par nature un être de culture », cette conception hardie s'avère être à maints égards, du point de vue de l'étude comparée du comportement, des plus convaincantes. Nous avons déjà dit que l'homme est « l'être de réduction de l'instinct ». L' « ouverture au monde » de l'être humain dans laquelle Gehlen voit un caractère distinctif et constitutif, la large indépendance dont il jouit à l'égard des assujettissements spécifiques et héréditairement déterminés à l'environnement propre, sont des traits essentiels qui, en très grande partie, sont la conséquence de la dégénérescence conditionnée par la domestication, de types d'action et de réaction innés et fixes. Déjà Charles Otis Whitman, un des premiers pionniers de la recherche comparative sur le comportement, reconnaissait que les défaillances des « instincts » chez les animaux domestiques ne constituent en aucun cas un retour en arrière dans le développement intellectuel, comme on aurait pu s'y attendre d'après la théorie de Spencer et de Lloyd Morgan, qui considérait l'instinct comme le piédestal phylogénétique de l'entendement. Dans une série d'exemples d'observation admirables, Whitman a montré que l'animal domestique est très souvent capable de résoudre avec perspicacité des problèmes devant lesquels le même animal à l'état sauvage est habituellement en échec. La seule raison en est que les animaux domestiques ont conquis de nouveaux degrés d'indépendance en ce qui touche la souplesse d'orientation de leur comportement vers sa finalité : en effet, chez eux, certains types d'action et de réaction dont la rigidité est instinctive ont disparu, alors que la forme non domestique de la même espèce animale reste leur prisonnière, comme d'une profonde ornière. En ce qui touche le rapport existant entre les défaillances de l'instinct conditionnées par la domestication et les performances intellectuelles permises par ces défaillances, Whitmann a une phrase remarquable : « *These faults of instinct are not intelligence, but they are the open door, through which the great educator experience comes in and performs every miracle of intellect.* » (« Ces « fautes de l'instinct » ne sont pas l'intelligence, mais elles sont la porte ouverte par laquelle la grande éducatrice qu'est l'expérience fait son entrée et accomplit tous les miracles de l'intellect. »)

Déjà Whitmann lui-même a mis en rapport l'ouverture au monde, propre à l'homme, et son indépendance d'action, avec les défaillances conditionnées par la domestication. Très certainement la disparition ou, selon le cas, l'élargissement de certains mécanismes de déclenchement inné déterminés est le préalable inconditionnel de la variété et du cosmopolitisme de l'être humain. Nos plus proches parents du point de vue phyléthique, les anthropoïdes, sont tous des spécialistes d'espaces vitaux extraordinairement étroits, et le passage, géologiquement parlant, brutal, de la forme primitive très « *sténoecétique* » (ayant un espace vital très étroit) au mode de vie opposé, « *euryoecétique* » (ayant un espace vital très étendu) de l'être humain, serait parfaitement inexplicable sur la base des processus ordinaires d'évolution de l'espèce. Ce passage ne devient compréhensible qu'à une condition : il faut admettre comme possibles, dans l'intervalle d'un petit nombre de siècles, des processus de spécialisation *ab initio,* conditionnés par la domestication, mettant en cause la rigidité des mécanismes innés.

2. Le spécialiste de la non-spécialisation

A un autre point de vue, la domestication est la condition préalable de la constitution d'une particularité fondamentale et spécifique de l'homme. Avec Gehlen, nous voyons une des propriétés constitutives de l'homme, et peut-être la plus importante d'entre elles, dans son adaptation perpétuellement curieuse et scrutatrice au monde des choses, dans l'activité spécifiquement humaine consistant à construire activement, par extension progressive, son environnement propre. Une activité fondamentalement identique d'élaboration d'un environnement propre individuel à travers une recherche active et curieuse appartient très certainement aussi à certains animaux, et ce contrairement aux vues de Gehlen. Toutes les espèces animales chez lesquelles ce phénomène se constate dans des proportions dignes d'être notées, ont un trait commun : il s'agit toujours de formes qui sont dépourvues d'assujettissements spéciaux, différenciés et très poussés, à un espace vital déterminé et à un mode de vie déterminé; il s'agit en quelque sorte d'éléments représentatifs du profil moyen des groupes de familles zoologiques considérées, éléments qui sont en ce sens plus « originels » que les familles spécialisées. Le surmulot, qui constitue l'exemple-type d'un tel être, est loin d'avoir l'extraordinaire aptitude natatoire du castor, grimpe plus mal que l'écureuil, creuse plus mal que le campagnol et ne court pas aussi vite, tant s'en faut, que la gerboise des steppes, mais il surpasse chacune des quatre familles apparentées précitées dans les trois aptitudes qui *ne sont pas* la « spécialité » de chacune de ces dernières. Gehlen appelle l'homme « l'être du manque », parce qu'il est dépourvu de toute adaptation spéciale particulière : quant à moi, je verrais la caractéristique essentielle du phénomène de manque dans la *diversité* des êtres non spécialisés qu'il affecte. Aussi bien n'a-t-on absolument pas le droit d'oublier le puissant *cerveau* humain comme organe somatique. D'un autre point de vue également, purement corporel cette fois, l'homme tranche assez bien par sa propre diversité sur les autres mammifères. Institutions en guise d'épreuve générale des performances physiques, un « triathlon », dont les conditions seraient : une course de fond de 30 kilomètres, un grimper de 4 mètres à la corde lisse, une plongée de 20 mètres de long par 4 mètres de fond avec mission de ramener à la surface un objet immergé : il ne se trouve aucun mammifère qui accomplisse ces performances, qui sont à la portée de n'importe quel citadin moyen.

A côté de la diversité des propriétés corporelles, tous les véritables « spécialistes de la non-spécialisation » possèdent en propre une structure très caractéristique des dispositions innées du comportement : tous possèdent pendant leur jeunesse une curiosité et une aptitude à apprendre poussées à l'extrême. Un jeune animal de ce type est irrésistiblement attiré par *tout ce qu'il lui est possible d'appréhender comme forme* (Gestalt). Chaque organisme ne peut acquérir comme signe déclencheur par dressage que ce qu'il est en mesure de percevoir d'une façon formalisée, et il est par là compréhensible que le désir d'apprendre, chez de jeunes animaux de ce type, soit tout particulièrement excité par les objets qui sont riches en signes distinctifs, formalisables d'une façon prégnante. Dans chaque situation excitatrice à un titre ou à un autre par sa prégnance, les jeunes animaux appartenant à cette catégorie de curieux non spécialistes essayent littéralement tous les comportements possibles dans leurs systèmes spécifiques d'action. Un jeune corbeau essaye à l'égard de chaque objet nouveau toute la panoplie de ses comportements innés : il tente tour à tour de couper en morceaux cet objet, de le déchiqueter en «le cernant » et, quand il est grand et lourd, de le retourner en faisant les mêmes mouvements et de le cacher à l'aide de certains comportements innés. Un jeune rat flaire et ronge chaque objet pour le reconnaître, essaye de fureter dans tous les coins, de grimper partout où cela est possible et « d'apprendre par cœur » tous les chemins existant sur son territoire.

La signification du point de vue de la conservation de l'espèce de cette appétence pour les objets inconnus et cette mise à l'épreuve de tous les comportements dont l'animal est capable, est facile à pénétrer. Le spécialiste de la non-spécialisation se construit à lui-même, par ses actes, son environnement propre; en revanche, un animal dont les organes corporels et dont le comportement inné sont dans une large mesure adaptés de façon spéciale, vient au monde avec une grande partie d'entre eux. Dans l'environnement propre d'un spécialiste, par exemple d'un grèbe huppé, presque tout ce avec quoi il établit des rapports, — la surface de l'eau, la proie, le partenaire sexuel, le matériau du nid, etc. —, est déterminé de façon spécifique par des mécanismes de déclenchement innés hautement spécialisés. Sa faculté d'apprentissage se limite principalement à la découverte des situations excitatrices, qui sont pour lui porteuses de signification. Il n'est pas dans les possibilités de ses aptitudes personnelles à l'apprentissage, de changer quoi que ce soit aux données héréditaires spécifiques et « a priori » de son environnement propre.

En revanche, les curieux non spécialistes ne disposent jamais que d'un très petit nombre de mécanismes de déclenchement, très larges, c'est-à-dire très *pauvres* en signes distinctifs, ainsi que d'un nombre relativement faible de comportements innés. En ce qui touche ces derniers, il est très caractéristique qu'ils aient, précisément à cause de leur spécialisation relativement étroite, des possibilités particulièrement variées d'utilisation. Du fait qu'ils s'occupent d'abord de tout objet nouveau pour eux, comme si cela était pour eux d'une grande importance biologique, de tels animaux extraient infailliblement dans les espaces de vie les plus différents et les plus opposés, les moindres choses susceptibles de contribuer à la conservation de leur vie. *Tous les animaux supérieurs sans exception qui sont devenus des cosmopolites sont des êtres typiquement caractérisés par la curiosité et la non-spécialisation.*

Sans aucun doute, la manière dont l'homme maîtrise les problèmes de la conservation de l'espèce est fondamentalement analogue au type d'adaptation des spécialistes de la non-spécialisation ci-dessus décrits. La force à laquelle l'homme doit en toute première ligne sa réussite biologique et son cosmopolitisme réside très certainement dans son processus d'adaptation actif à son environnement propre, fruit d'un dialogue avec cet environnement, et que nous pouvons définir en bref comme étant la recherche (die Forschung). L'élément essentiel dans la fonction d'apprentissage par curiosité des animaux qu'on vient d'évoquer est constitué par l'intérêt *matériel* pour tout ce qui est nouveau. Quand un jeune corbeau ou un jeune rat « explore » un nouvel objet, c'est-à-dire quand il essaye tour à tour sur cet objet tous les comportements imaginables de son système d'action, il y a naturellement, parmi ces comportements, ceux dont la fonction conservatrice de l'espèce sert directement ou indirectement à la prise de nourriture : en effet de tels comportements sont de loin les plus fréquents. Ce serait néanmoins se méprendre gravement sur la finalité instinctive régissant l'animal, que de penser qu'il ne s'agit en dernier ressort que d'un comportement d'appétence orienté vers la prise de nourriture. Dans la vaste catégorie des comportements de curiosité purement spatiale, conduisant par l'apprentissage par cœur de toutes les voies possibles à une *représentation spatiale* exacte, cette interprétation tombe d'elle-même; mais on peut, même dans les cas où la signification des comportements essayés par curiosité réside véritablement dans la prise de nourriture, établir sans difficulté par des expériences portant sur des choix, que c'est l'appétence vers le nouveau et non vers la nourriture qui provoque l'organisme à se comporter de telle façon : le meilleur morceau que connaisse l'animal ne peut pas le détourner de l'exploration d'un nouvel objet. La chose est impossible même si, parmi les comportements que l'animal essaye, figure précisément celui de la prise de nourriture. Pour exprimer ce point de façon anthropomorphique, l'animal ne veut pas manger, mais il veut « savoir » tout ce qui existe de « théoriquement » mangeable dans l'espace vital considéré.

La recherche active de l'animal est d'autant plus matérielle, au sens littéral du mot, qu'elle fait naître une représentation de l'environnement propre, dont le centre de gravité réside dans les connaissances *relatives à des objets,* et dont la richesse en détails « connus » l'emporte de beaucoup sur celle de la représentation d'autres êtres vivants antérieurs à l'homme. C'est précisément cette abondante connaissance « théorique » du monde environnant qui permet à de tels animaux d'extraire d'espaces vitaux aussi incroyablement différents, tout ce qui leur est biologiquement nécessaire et indispensable pour la conservation de leur vie. Gehlen voit une performance spécifiquement humaine dans le fait que le sujet, à la faveur d'une exploration active très poussée de tout objet nouveau et partant attirant, se familiarise « intimement » avec cet objet dans tous ses aspects, et puis le laisse « en plan », — le laisse littéralement *ad acta,* et se tient prêt, en cas de besoin, à revenir à lui à tout moment. La remarque est juste, mais elle s'applique aussi à tous les cas d'apprentissage par curiosité chez les animaux spécialistes de la non-spécialisation. Pour le montrer, un seul exemple : le comportement inné par lequel un grand corbeau et d'autres corvidés dissimulent leur nourriture consiste en ceci : l'objet à dissimuler est enfoui dans un coin sombre ou, si possible, dans une fente, puis recouvert de matériaux quelconques par une suite de mouvements bien déterminés pour l'espèce. Le préalable au déroulement aveugle de cette action est que l'animal ait précisément à sa disposition un matériau avec lequel il s'est familiarisé et qui est par là même devenu « sans intérêt ». Si un corbeau cache un débris de viande dans le coin d'un canapé, et si en cherchant autour de lui quelque chose d'utilisable pour recouvrir son butin, il n'a rien de convenable sous la main ou mieux « sous le bec », on ne peut pas l'aider en lui lançant un bout de papier ou tout autre objet nouveau pour lui. Le geste interrompt régulièrement ses intentions de mouvement, du fait que l'exploration du nouvel objet commence par captiver pleinement l'oiseau. Il peut tout au plus se faire que l'animal, après une exploration approfondie et effective du papier, tombe plus ou moins par hasard sur le morceau de viande et le recouvre alors avec le papier. En revanche, si l'animal a auparavant exploré le morceau de papier jusqu'à ce que celui-ci ait perdu tout intérêt pour lui, il s'en emparera d'emblée, s'il en a besoin comme matériau pour dissimuler la viande.

Tout naturellement, la distinction entre spécialistes et spécialistes de la non-spécialisation ne peut, dans le règne animal, s'appliquer de façon précise qu'à des types extrêmes. Il y a tous les degrés imaginables entre les deux, et une authentique appétence vers des situations d'apprentissage existe pratiquement chez tous les animaux supérieurs à certains stades déterminés du développement de leur enfance. La plupart des comportements des jeunes mammifères, comportements qui nous semblent si « humains » et que l'on a coutume de rassembler sous le concept mal défini de *jeu* se révèlent, à l'examen, être une mise à l'épreuve provoquée par la curiosité de comportements spécifiques orientée vers des objets nouveaux et excitants par la prégnance de leur forme (Gestalt). Dans tous les cas où de larges mécanismes innés de déclenchement permettent une certaine plage de variation de l'objet, et autorisent simultanément un resserrement des réactions dû à l'apprentissage, il semble qu'habituellement soit prévue dans la « construction » du système d'actions spécifiques, à l'endroit correspondant, une appétence vers ce qui est nouveau et susceptible d'être formalisé (gestaltbar). Le jeune chat qui, avec les mouvements si merveilleusement gracieux par lesquels il capture sa proie, tente d'attraper tout ce qui correspond, même partiellement, au « schéma de la souris », et trouve toujours de nouveaux objets pour lui servir de jouets, est un exemple universellement connu de ce processus. Le jeune chien se comporte fondamentalement de la même façon. Une jeune mangouste, *Her-*

pestes mungo L., s'approche déjà de très près du type de spécialiste de la non-spécialisation, par la force de son désir d'exploration. Si on veut connaître une peinture fidèlement observée, pleine d'humour et de sensibilité du comportement de curiosité de tels animaux, qu'on lise l'admirable nouvelle de Kipling sur la mangouste *Rikkitikkitavi.*

L'importance du rôle que l'apprentissage par curiosité joue dans la biologie du comportement d'une espèce animale, est bien évidemment en corrélation étroite non seulement avec l'absence d'adaptation spécifique, mais aussi avec le niveau absolu d'organisation intellectuelle et en particulier avec l'aptitude à l'apprentissage de l'animal. De là vient le fait que la curiosité exploratrice du jeune animal chez les mammifères les plus élevés au point de vue intellectuel, chez l'anthropoïde, est très marquée, et qu'elle est au moins aussi intense que chez le surmulot ou chez les corvidés, bien que tous les anthropoïdes existant aujourd'hui soient beaucoup plus des « spécialistes » que ne le sont les animaux précités. La curiosité matérielle en rapport avec l'objet chez les chimpanzés et chez l'orang-outang est particulièrement impressionnante, du fait que des « jeux » incroyablement compliqués se réalisent grâce à la combinaison de cette curiosité avec la bonne représentation spatiale de ces grimpeurs à mains prenantes, — jeux qui par leur forme comme par leur contenu, sont pleinement semblables au « jeu expérimental » (Charlotte Bühler) des petits enfants chez les êtres humains. Ce qu'accomplissent dans ces jeux consistant à construire et à emboîter des objets, à actionner des leviers et autres choses semblables, des petits singes inférieurs tels le capucin *(Cebus)*, est très surprenant. On ne cesse de s'émerveiller en voyant que dans ses recherches intenses et donnant une impression si humaine par leur adaptation concrète à l'objet, il n'y a finalement rien d'autre qu'un singe habile à grimper, qui sait quelles branches sont fragiles et partant à éviter, quels fruits peuvent être ouverts d'un coup de pierre bien ajusté, etc. L'observation des jeunes anthropoïdes porte cet émerveillement à son comble. La distorsion entre la curiosité d'exploration du jeune animal, dont les résonances sont si incroyablement humaines, et le comportement si différent de l'homme chez le singe adulte, est ici tellement grande qu'un soupçon ne cesse de m'agiter : les ancêtres des anthropoïdes actuels ont dû posséder des aptitudes à l'apprentissage par curiosité et à l'utilisation sensée de l'objet beaucoup plus développées que les formes animales récentes, chez lesquelles ces performances supérieures n'émergent plus que d'une manière estompée dans les jeux de l'enfance. Il s'agit là naturellement d'une pure spéculation, car la question de savoir si on a affaire à un résidu (« Rudiment ») ou à une ébauche (« Oriment ») restera pour longtemps indécise.

3. L'être inachevé

Avec ce titre nous revenons une fois encore à une thèse de Gehlen. Comme nous l'avons vu, la construction active, par une recherche dialoguée, de l'environnement propre, n'est pas une caractéristique proprement humaine. Cependant l'ouverture au monde de l'être humain diffère de celle des animaux spécialistes de la non-spécialisation, non seulement quantitativement mais qualitativement.

Cette différence si essentielle tient au fait que, chez l'homme, l'aptitude à la recherche d'une adaptation au monde extérieur subsiste jusqu'à l'âge sénile, alors que chez tous les animaux même les plus intelligents et les plus curieux, elle ne représente qu'une courte phase du développement individuel. Même chez les plus adaptables parmi tous les organismes qui ont précédé l'homme, les éléments acquis au cours de la période d'apprentissage par curiosité *se cristallisent* exactement comme les acquisitions individuelles d'animaux beaucoup plus bornés et plus spécialement adaptés. Dans leur état final, les comportements obtenus par une activité d'apprentissage par curiosité ont la même fixité que n'importe quel autre comportement dû au dressage, presque la même fixité que les types d'action et de réaction spécifiques innés. Le proverbe qui dit qu'un vieux caniche n'apprend pas de nouveaux numéros s'applique aussi sans restriction à tous les animaux curieux non spécialisés. Une vieille corneille noire, ou un vieux rat, n'ont absolument rien de l'ouverture au monde qui, chez les animaux, quand ils sont jeunes, a pour nous une résonance si « humaine » et si proche. L'appétence à l'égard de situations excitatrices inconnues a complètement disparu; l'animal *s'effarouche* à leur approche et manifeste de violentes réactions de fuite. Si on le retient prisonnier par force dans un nouvel entourage, il fait également preuve d'un manque décevant de capacité d'adaptation. Chez les vieux corbeaux particulièrement, on peut, dans de telles circonstances, observer un comportement qui offre un parallèle éloquent avec l'imbécillité sénile chez l'être humain. Dans leur entourage habituel, l'un et l'autre sont parfaitement orientés et savent apparemment se conduire de façon sensée; mais si on les contraint à un changement d'entourage, ils donnent des signes d'égarement par inaptitude à tout changement. Les vieux corbeaux placés dans un nouvel entourage sombrent dans une névrose d'anxiété typique, se montrent totalement décontenancés, ne reconnaissent plus les personnes connues, oublient complètement l'impossibilité de passer à travers le grillage de leur cage et viennent donner contre celui-ci, tels des bêtes sauvages qu'on vient de piéger.

Mais d'où vient que l'homme conserve d'une manière si persistante cette curiosité de recherche, qui est un caractère de jeunesse remarquable et qui chez lui est si inhérente à sa condition d'homme? A cette question, on peut d'abord répondre que l'ouverture au monde fondée sur la curiosité, n'est nullement chez l'homme le seul caractère de jeunesse persistant. Bolk est le premier à l'avoir vu et à l'avoir mis en évidence d'une façon convaincante : toute une série de caractères corporels, par lesquels l'homme se distingue de ses plus proches parents de même souche, est la conséquence d'une inhibition spécifique du développement qui, en quelque sorte, provoque chez l'homme une durable « aptitude à la juvénilité ». La relative absence de pilosité sur le corps, malgré la chevelure que porte sa tête, la proéminence du crâne au-dessus du visage, la forte inclinaison de l'axe de la base crânienne qui vient presque à la perpendiculaire de la colonne vertébrale, ainsi que la position fortement avancée qui en résulte de la cavité occipitale, le poids relativement élevé du cerveau, l'inclinaison de l'axe du bassin, une foule de particularités anatomiques des organes sexuels féminins, la faible pigmentation de la peau, ainsi que toute une série d'autres caractères : tout cela l'homme le partage avec les stades primitifs en partie fœtaux du développement de l'anthropoïde, ce qui explique que Bolk ait désigné par fœtalisation (fötalisation) tout cet ensemble de phénomènes.

Il s'agit là fondamentalement du même processus phylogénétique, qui est depuis longtemps connu en zoologie sous le nom de *néoténie*. Chez les écrevisses, les diptères, certains batraciens et chez beaucoup d'autres animaux, il semble que les derniers stades du développement ontogénétique aient été élidés, — très soudainement si on raisonne en critères de temps géologique. Les espèces animales en cause n'atteignent plus le stade final de développement qu'elles atteignaient antérieurement, mais parviennent à la maturité sexuelle au moment où elles sont dans un état qui ne constituait auparavant que le stade transitoire de la jeunesse et de la larve. Le nombre des signes distinctifs de la jeunesse qui ont chez l'homme un caractère persistant est si élevé, et ces signes sont si largement déterminants pour sa complexion globale (Gesamthabitus) que je ne vois aucun motif solide d'interpréter l'aptitude générale à la juvénilité de l'être humain comme autre chose qu'un cas spécial d'authentique néoténie.

Pour qui a bien saisi l'unité fondamentale et l'impossibilité conceptuelle de séparer la forme et la fonction, il est évident que la persistance des caractères de jeunesse dans le comportement humain est en rapport étroit avec la persistance des caractères corporels. *Le caractère distinctif constitutif de l'homme, la conservation d'une capacité d'adaptation active et créatrice à l'environnement propre, est un phénomène de néoténie.* Celui qui, pris par le frisson du passé, après avoir assisté aux jeux à but expérimental des jeunes anthropoïdes, s'est laissé persuader de leur totale identité de nature avec l'activité correspondante chez le petit enfant, celui qui a vécu par lui-même le développement progressif de son propre enfant, depuis le jeu à but expérimental qui caractérise « l'époque du chimpanzé » (Charlotte Bühler) jusqu'au bricolage de l'adolescent, celui qui a finalement ressenti en lui-même le courant rapide qui transforme le jeu de l'enfant en la recherche de l'adulte, ne mettra jamais en doute l'identité fondamentale de tous ces processus. Si le mot de Nietzsche, — « dans l'homme authentique, il y a un enfant caché qui veut jouer » n'appréhendait pas si subtilement la réalité phylogénétique et la néoténie intellectuelle constitutive de l'être humain, on serait tenté de dire en inversant les termes : dans l'enfant authentique il y a un homme caché qui veut chercher!

Rester durablement un *être en devenir,* cette propriété si essentielle à la condition humaine de l'homme authentique, est sans aucun doute un don que nous devons à la néoténie de l'être humain. Mais la néoténie, comme l'affranchissement de la contrainte fixe des types d'action et de réaction innés évoqués dans le précédent chapitre, est de son côté, selon toute vraisemblance, une conséquence de la domestication de l'homme. Hilzheimer a montré qu'un très grand nombre des caractères spécifiques qui se rencontrent chez les formes les plus différentes d'animaux domestiques, et qui distinguent ces dernières des formes sauvages correspondantes, sont des caractères de jeunesse persistants. Les oreilles pendantes, le poil ras qui caractérisent beaucoup de chiens de race, le raccourcissement de la base du crâne si largement répandu chez les animaux domestiques et le bombement vers l'avant du crâne frontal qui en est la conséquence, le raccourcissement du squelette aux extrémités et bien d'autres caractères, sont des signes que l'espèce animale à l'état sauvage ne possède que pendant une courte phase de son développement ontogénétique, mais qui sont devenus chez l'animal domestique des traits de la race, appelés à persister.

Il en va très largement de même pour les caractères distinctifs du comportement. Si depuis sa plus tendre enfance on élève un jeune loup, un jeune chacal ou un jeune chien sauvage à la manière d'un chien domestique dans le cercle de la famille humaine, il se comporte d'abord tout à fait comme un chien domestique, il reporte purement et simplement sur les êtres humains déterminés l'attachement d'enfance qu'il aurait montré, s'il avait vécu librement, pour sa mère d'abord et, relativement plus tard, pour le chef de sa bande. Mais alors que le chien domestique conservera sa vie durant ces liens « d'essence enfantine », certains exemplaires des formes sauvages citées, en particulier les dogues, montrent, dès qu'ils sont pleinement adultes, une nette tendance à l'indépendance et même, dans une certaine mesure, une tendance à revendiquer le rang de chef. Ils deviennent rebelles à celui qui a été jusqu'ici leur maître, essayent de l'intimider et de se le subordonner hiérarchiquement. Il est remarquable que le chien, qui s'adapte mieux que tout autre animal à la société humaine, doive, tout comme l'homme lui-même, le trait le plus essentiel de son comportement à une néoténie : tout comme l'ouverture au monde de l'être humain qui est recherche active, la fidélité du chien à son maître est un caractère de jeunesse persistant.

Mentionnons en appendice que si le maintien durable de la recherche d'adaptation à l'environnement propre est le plus essentiel mais non le seul trait de comportement constitutif que l'homme doit à sa néoténie, les résultats de la psychanalyse montrent d'une manière probante le rôle puissant que joue la persistance durable de certains attachements au père dans les comportements sociaux de l'être humain. L'idée d'un dieu anthropomorphe, commune à tant de peuples civilisés, est, de la même façon, rapportée par Freud et rattachée, certainement à bon droit, à ces phénomènes.

4. L'être risqué

Gehlen voit un autre aspect de l'être humain dans le fait que l'homme est l'être en danger ou « risqué », l'être « qui a constitutivement une chance de se perdre ». Ce qui a été dit sur les phénomènes de domestication comme condition préalable à l'avènement de l'homme, suffit à montrer quelle profonde vérité contient encore cette conception de Gehlen. La liberté d'action spécifiquement humaine a eu très certainement pour condition préalable la réduction, la désagrégation des types d'action et de réaction à structure fixe. Comme toute structure, les comportements innés ont aussi la propriété de soutenir et d'affermir. La « fermeté », incapable d'adaptation, du comportement, conditionnée par cette propriété, n'a pu s'édifier que par la négation de la fonction de soutien, et partant, par la négation des sécurités. Toute nouvelle plasticité du comportement n'a été acquise qu'au prix d'une nécessaire négation de certains degrés de sécurité.

Tout développement organique supérieur, en particulier tout développement intellectuel, est toujours un compromis spécifique entre ces deux aspects de toutes les structures fixes inséparables et pourtant antinomiques. Sans structures fixes, aucun système organique n'est capable d'accéder à un palier d'intégration supérieure, mais en revanche il faut que les structures du système existant soient rompues pour qu'un autre système d'un degré supérieur d'intégration et d'harmonie soit créé. Ce triste dilemme est fondamentalement inhérent à tout développement organique supérieur. Une écrevisse qui mue, un être humain qui, à l'âge de la puberté, dépouille les structures de personnalité de l'enfant pour revêtir celles de l'homme adulte, ou encore une société humaine sénescente qui se transforme en une société nouvelle : toujours et partout la marche du développement est exposée à des dangers, et ceci précisément parce que l'ancienne structure doit nécessairement avoir éclaté avant que la nouvelle puisse remplir pleinement sa fonction. Aucun autre organisme que l'homme ne fut, et n'est pareillement exposé à de tels dangers, parce qu'aucun autre, dans toute l'histoire de la vie sur notre planète, n'a parcouru et ne parcourt encore un développement aussi précipité que lui. D'un point de vue phylogénétique et ontogénétique, l'homme est l'être inachevé; d'un point de vue ontogénétique et phylogénétique, il a été simultanément pris dans une série presque ininterrompue de « mues »; jamais il ne se trouve dans cet équilibre statique d'adaptation structurelle qui, chez d'autres organismes, peut durer pendant des époques géologiques entières.

Il est peu d'aphorismes philosophiques aussi essentiellement contraires à la vérité que le vieil aphorisme « Natura non facit saltum ». Depuis l'avènement de l'atome jusqu'à celui de l'histoire de l'humanité, le développement inorganique et organique s'opère par bonds. Certains processus de sommation quantitative dans l'histoire du développement ont beau paraître continus, si on en fait un examen grossier, ils sont au fond aussi discontinus que les grands bouleversements qualitatifs du développement organique, qu'Hegel, le premier, a vu clairement. Les dangers évoqués plus haut que comportent toutes les mutations de quelque importance dans l'histoire du développement organique sont, on le conçoit bien, proportionnels à la dimension de chaque mutation prise isolément. Pour cette raison, ne nous étonnons pas si un des plus grands bouleversements qualitatifs qui se soient produits dans l'histoire de l'organisme, — si la mutation dans le développement qui l'a fait passer de l'anthropoïde à l'homme, — mutation qui géologiquement s'est produite d'une façon si incroyablement soudaine —, comporte de puissants dangers pour l'être nouveau qui en est résulté.

Même celui qui met en doute les hypothèses esquissées plus haut, relatives à la recherche comparative sur le comportement, et en particulier celles qui sont relatives au rôle de la domestication, doit admettre que les structures dont l'édifice a conjuré le péril où se trouve l'humanité, sont celles du comportement inné. Le prix auquel l'homme a dû acheter la liberté constitutive de sa pensée et de son action est celui de l'adaptation à un espace vital déterminé et à une forme déterminée de la vie sociale qui, chez tous les êtres vivants qui ont précédé l'homme, a été garantie par des types d'actions et de réactions spécifiques héritées. Cette adaptation ne constitue d'un point de vue social rien d'autre qu'une parfaite concordance entre l'inclination spontanée et le devoir, et constitue la vie sans problème du Paradis terrestre qu'il a fallu sacrifier pour cueillir les fruits de l'Arbre de la Connaissance.

L'instance qui, chez l'homme, supplée les « instincts » disparus et intervient pour les remplacer, est l'aptitude à l'entente avec l'environnement propre, obtenue par la recherche en forme de dialogue, par *l'interrogation,* — la faculté de construire un *rapport* (Einvernehmensetzen) entre soi et la réalité extérieure, notion qui est aussi présente dans le mot *raison* (Vernunft). L'homme est l'être doué de raison. Mais il n'est pas seulement être doué de raison. Son comportement n'est pas, — il s'en faut —, aussi totalement déterminé par la raison que le supposent la plupart des philosophes anthropologues : il est gouverné par des types d'action et de réaction spécifiques innés dans des proportions beaucoup plus importantes que nous ne le croyons généralement, — et que nous ne le souhaiterions. Cette remarque s'applique avant tout au comportement social de l'homme. Nous avons dit plus haut (p. 114) que chez les animaux intellectuellement les plus développés, le comportement à l'égard du congénère est régi plus largement par des comportements innés et d'une manière plus limitée par des instances intellectuelles supérieures que ne l'est le comportement à l'égard de l'environnement propre extérieur. Le fait qu'il en aille malheureusement tout pareillement chez l'homme, s'étale grossièrement dans le triste contraste qui existe entre ses incroyables succès dans la domination du monde extérieur, et son inaptitude atterrante à résoudre les problèmes intra-spécifiques de l'humanité.

Cette situation ne tient nullement au fait que les problèmes intra-spécifiques, — les problèmes sociaux au sens le plus large du terme —, seraient plus difficiles à résoudre que les problèmes de l'environnement propre extérieur. C'est en fait le contraire. A n'en pas douter, la fission de l'atome propose à la raison humaine des tâches plus difficiles que la question de savoir comment on pourrait empêcher les hommes de s'exterminer mutuellement à l'aide de la bombe atomique. Il existe beaucoup de gens dont l'intelligence est supérieure à la moyenne et dont les facultés d'abstraction ne suffisent pourtant pas pour suivre le fil des raisonnements mathématiques qui ne font pas appel à l'intuition, sur la base desquels s'édifie la physique moderne de l'atome. En revanche un être moins doué intellectuellement peut, sans difficulté, découvrir ce qui pourrait être fait et ce qui devrait être évité pour empêcher l'humanité de se nier elle-même. En dépit de l'abîme qui sépare les difficultés conceptuelles de ces deux problèmes, l'humanité a résolu en quelques dizaines d'années le problème de l'atome, cependant qu'elle reste aujourd'hui exposée sans ressource, comme au temps de l'*homo pekinensis,* au danger de la négation de soi qui est apparu avec la découverte de la première arme, la massue de pierre.

Le fait que l'esprit le plus médiocre puisse saisir ce qui, en droit, ne devrait pas arriver, et que ce qui ne devrait pas arriver arrive cependant, donne à méditer. Chaque fois qu'il se produit quelque chose de semblable dans la zone du comportement de l'individu qu'il nous est loisible de scruter, qui est accessible à l'introspection, c'est-à-dire chaque fois qu'en dépit de la parfaite connaissance d'une certaine situation qui a une importance vitale, on voit à chaque fois se produire le contraire de ce que requiert la raison, on peut presque toujours dire que l'action de la pensée rationnelle a été *bloquée* par la puissance incoercible des modes d'action et de réaction spécifiques innés. La même conclusion s'impose quand il s'agit d'une démission collective, et non plus individuelle cette fois, de l'activité rationnelle. La plausibilité de cette conclusion comme hypothèse de travail suffit au moins à faire prendre sérieusement en considération le mauvais fonctionnement des comportements spécifiques innés comme cause de la démission, qui sans cela serait incompréhensible, de la raison collective de l'humanité devant des problèmes relativement simples. Partant de là, je vais présenter d'une façon plus précise une série de mécanismes possibles, ou mieux plausibles, de l'altération des comportements sociaux innés.

Le premier, et vraisemblablement le plus important de ces mécanismes est le suivant : dans chaque organisme qui est arraché à son espace vital naturel et placé dans un nouvel entourage, apparaissent des types de comportement qui sont sans signification du point de vue de la conservation de l'espèce, ou mieux nuisibles à cette dernière. Ce phénomène a toujours pour origine le fait qu'un type de comportement déterminé, correspondant à une fonction conservatrice très spécifique de l'espèce, reposant sur la production endogène d'excitations, est privé des occasions normales pour lui de se manifester, de telle sorte que l'énergie spécifique de l'action ainsi accumulée, est appelée à se dépenser dans une situation excitatrice entièrement inadéquate. C'est ce que nous appelons la réaction de déplacement.

L'homme moderne est lui aussi un être qui a été arraché à son espace vital naturel. Au cours d'une période de temps qui, considérée d'un point de vue géologique et phylogénétique est extraordinairement courte, l'épanouissement de la culture humaine a si profondément transformé l'écologie et la sociologie de notre espèce que toute une série de comportements endogènes, jadis porteurs de sens du point de vue de la conservation de l'espèce, ont non seulement perdu leur fonction, mais sont devenus, dans une très large mesure, dommageables. Dans ce qu'on appelle l'instinct d'agressivité, nous avons déjà vu (p. 133) l'exemple le plus important de ce phénomène. Pour un chimpanzé ou même pour un homme du début de l'âge de pierre, il fut sans aucun doute très profitable et très nécessaire à la conservation de l'individu, de la famille et de l'espèce, que la production intérieure d'excitations génératrices de comportements agressifs fût assez importante pour alimenter — disons — deux grandes explosions de colère par semaine. Sachant que les types d'action et de réaction spécifiques innés ne peuvent se transformer que suivant le rythme de la phylogénèse des structures organiques, — pour autant du moins qu'ils ne sont pas frappés par des mutations soudaines conditionnées par la domestication, tendant à les supprimer —, on ne peut s'étonner davantage de voir l'homme moderne ignorer, dans sa vie protégée et policée, où il doit adresser ces accès de colère qui surgissent périodiquement. En parlant de l'homme qui « cherche à se libérer d'une saine colère », le langage familier a très finement ressenti que la décharge innocente de l'énergie réactionnelle spécifique ainsi accumulée, a ni plus ni moins la valeur d'une saine catharsis. L'intensification de l'état de préparation à l'agression qui est une conséquence de ce refoulement d'énergie réactionnelle spécifique, est, sans doute possible, la cause du fait que l'être humain est facilement *irritable*. On est dans une certaine mesure heureux de trouver un objet de substitution « permis » sur lequel fixer une agressivité qui n'a pas trouvé l'occasion de se dépenser, et on se précipite avec joie sur « l'attrape » la plus grossière que vous présente un démagogue avisé. Je prétends que toutes les exactions massives commises par démagogie, — tels les procès de sorcières ou les persécutions de juifs —, n'auraient pas été possibles sans cet élément purement physiologique.

Un rôle très voisin de celui de la « réaction de déplacement » est joué par le mode de comportement plus complexe de la protection sociale, qui a déjà été évoqué. Ce comportement répond lui aussi, — il y a déjà été fait allusion —, et très facilement à l'attrape présentée par le démagogue. Il est particulièrement dangereux en raison de la tonalité joyeuse de son corrélat dans l'expérience objective, l'exaltation sociale ou nationale. Nous pouvons concéder sans détour que c'est une expérience merveilleuse que de chanter l'hymne national en se laissant emporter par un « saint » frisson : il est trop facile d'oublier que le frisson était naguère un hérissement de la peau du chimpanzé et que toute la réaction est orientée fondamentalement contre un « ennemi » quelconque; il est trop facile d'oublier, avant tout, qu'aujourd'hui où les ours des cavernes et les tigres aux dents de sabre ne constituent plus un péril pour les communautés, elle est aussi composée d'êtres humains qui s'enflamment pour la défense de la société qui est la leur, parce qu'ils en ressentent l'obligation. La valeur sociale et, au sens le plus profond du mot, éthique, qui réside de toute évidence dans la vertu *unificatrice* de la réaction humaine dont il est ici question, ne devient accessible que si nous avons appris à mettre dans le « schéma » de l'ennemi non pas le groupe composé d'êtres humains comme nous, que nous désigne le démagogue, mais le danger qui menace effectivement l'humanité!

Le mécanisme d'altération des comportements sociaux qu'il faut maintenant présenter, a comme le précédent, son origine dans le bouleversement trop précipité des conditions sociologiques, dont les possibilités phylogénétiques de transformation des modes d'action et de réaction innés spécifiques ne peuvent suivre le rythme. Mais l'altération ne repose pas ici sur le fait qu'une production d'excitations spécifiques de l'action, étant *insuffisamment* consommée, crée un surplus d'influx indésirable, mais sur le fait que la rapide progression vers le haut de l'ordre social humain exige un *surplus* de comportements sociaux déterminés, auquel ne peut convenablement pourvoir notre système inné de modes d'actions et de réactions sociaux. Parmi les transformations affectant la vie sociale humaine qui sont conditionnées par la culture, la principale, et qui joue ici un rôle, consiste dans le fait que la société humaine qui était originellement une société *fermée* est devenue une société *anonyme*. Au nombre des conditions du déclenchement d'une foule de modes de réactions sociales, innées chez l'homme, figure le fait que l'être humain en direction duquel ces réactions sont orientées, est un membre de la société, connu à titre personnel, un « ami ». Nous suivons sans difficulté, par inclination naturelle, et sans faire appel à la morale de la responsabilité, ceux des dix Commandements qui intéressent le comportement à l'égard du prochain, aussi longtemps que le « prochain » en question est un familier, un ami, que nous connaissons bien à titre personnel. Si nous nous remémorons ce qui a été dit dans le chapitre consacré aux comportements sociaux des animaux présentant des analogies avec la morale, et si nous nous représentons le degré élevé de cohérence sociale atteint par une tribu de chimpanzés, malgré toutes les rivalités, toutes les luttes de préséance hiérarchique dont cette tribu est le siège, nous sommes contraints d'admettre que les comportements sociaux innés devaient jouer au moins le même rôle dans les tribus humaines primitives. Nous mettons fondamentalement en doute la théorie qui est celle de nombreux psychologues de l'enfant et celle de la Bible, confortée en cela par la psychanalyse, selon laquelle l'être humain serait « foncièrement méchant dès l'enfance ». Nos ancêtres les plus anciens étaient, avant la « promotion » caractéristique de l'être humain, au moins aussi « bons » que ne le sont les loups et les chimpanzés qui ne font aucun mal à leurs petits et à leurs femelles, et protègent, au risque de leur propre vie, contre un ennemi extérieur au clan, même les mâles de leur communauté qu'ils combattent par ailleurs jalousement. Paraphrasant le mot biblique, je dirais volontiers : l'être humain n'est pas méchant dès l'enfance, mais il a la bonté requise par les exigences auxquelles il a été soumis dans la tribu primitive, où chacun du petit nombre des individus qu'elle comptait, connaissait personnellement tous les autres et les « aimait » aussi à sa manière. Mais l'homme n'est pas *assez* bon pour satisfaire aux exigences de la société des époques culturelles postérieures, société dont le nombre des membres s'est puissamment accru, et qui, de ce fait, est devenue anonyme, car cette société réclame de lui qu'il se comporte à l'égard de tout individu de cette société, même s'il lui est pleinement inconnu, exactement de la même manière que si cet individu était son ami personnel.

Un autre cas très spécial de l'insuffisance des types sociaux innés action-réaction, est intervenu lors de la modification profonde et brutale entre les rapports humains provoquée par *la découverte des armes*. Souvenons-nous de ce qui a été dit dans le chapitre concernant les systèmes de comportement analogues à la morale, sur l'équilibre délicat existant chez tous les animaux sociaux entre l'aptitude à tuer et les facteurs innés qui inhibent les instincts meurtriers d'une espèce. On voit aussitôt clairement quel danger puissant résulte nécessairement pour la pérennité de l'espèce, de l'altération de cet équilibre, qui se manifeste dans le sens d'un déchaînement des aptitudes meurtrières. Quand un chimpanzé mâle adulte, malgré la puissance de son instinct d'agressivité, ne mutile pas ou ne tue pas des congénères plus faibles, d'une manière nuisible à la conservation de l'espèce, cela tient à des inhibitions innées spécifiques, déclenchées par des mécanismes de déclenchement hautement spécialisés. Nous avons parlé des attitudes et des cris de « soumission », qui sont les déclencheurs de ces inhibitions. Ces facteurs déclencheurs d'inhibition, par leur pouvoir de provoquer la pitié, ne sont évidemment efficaces que dans les cas où s'appliquent les méthodes spécifiques de mises à mort, lentes et cruelles, au moyen des armes naturelles d'une espèce. Représentons-nous maintenant le cas où a été brutalement mis à la disposition d'un être aussi irritable et aussi méchant, une méthode d'anéantissement plus « humanisée », dont l'effet instantané met totalement hors d'usage le déclencheur d'inhibition : on comprendra les conséquences effroyables que la découverte de l'arme, depuis la simple massue jusqu'à la bombe atomique, a eues et a encore pour l'humanité. Le contenu biologique est fondamentalement le même que si un jeu cruel de la nature avait octroyé brutalement à la tourterelle qui, nous l'avons vu, ne possède aucun des facteurs inhibant l'instinct de meurtre ni aucun des mécanismes déclencheurs correspondants, le bec du grand corbeau sans lui adjoindre les mécanismes d'inhibition qui sont liés chez le corbeau à cette arme naturelle. Précisons seulement que la découverte de l'arme par un animal irresponsable est proprement une impossibilité que je n'ai imaginée que pour rendre plus clair le mécanisme de mise en péril. La réalisation d'une véritable découverte, comme celle de la massue, a pour condition préalable un très haut degré d'évolution dans l'entente avec l'environnement propre, fondée sur une recherche faisant appel au dialogue, qui touche déjà de très près à la faculté de poser véritablement des questions et de comprendre des réponses. L'aptitude à la découverte et l'aptitude à la responsabilité se développent à partir des mêmes préalables.

Les défaillances des inhibitions des actes meurtriers dans la situation créée par la découverte des armes, reposent en premier lieu sur le fait que les mécanismes innés déclenchant une inhibition ne répondent pas dans la nouvelle situation. En quelque sorte, les couches affectives plus profondes de notre Moi ne « comprennent » pas les conséquences de l'usage des armes, et il n'est apparemment pas suffisant que la raison appréhende ce qui n'est pas accessible à la sensibilité. L'étonnante faiblesse du facteur qui s'oppose à l'assassinat d'animaux, ou même, à la guerre, d'autres hommes — facteur dont on constate cependant généralement la présence chez les êtres humains civilisés, doués de générosité et accessibles à la pitié — est parfaitement explicable sur la base de cette non-compréhension. Comme tous les autres sentiments affectifs, les sentiments de pitié ne correspondent qu'aux situations pour lesquelles nous disposons déjà à l'avance de corrélats récepteurs innés. Si le tireur avait une conscience claire des véritables conséquences de son acte, s'il se rendait compte du fait que la crispation de son doigt sur la détente allait arracher les entrailles d'un être doué d'une âme, et ceci d'une façon qui fût accessible non seulement à son entendement, mais aussi à sa sensibilité affective, *de la même façon que c'eût été le cas s'il s'était servi de ses armes naturelles,* on trouverait peu d'hommes pour chasser par plaisir et la plupart refuseraient tout service armé. Le déclenchement d'un tir d'artillerie à longue portée ou celui d'un lâcher de bombes, sont si pleinement « impersonnels » que des hommes normaux, qui seraient absolument incapables de se résoudre à étrangler de leurs mains leur ennemi mortel, sont cependant capables, sans aucune difficulté, de se rendre responsables par une simple pression du doigt, de la mort hideuse de milliers de femmes et d'enfants.

Les trois mécanismes d'altération dont on vient de traiter doivent en fait essentiellement être attribués à la même cause, à savoir la conservativité et le caractère inéluctable des comportements spécifiques innés : celui dont il va maintenant être question doit en revanche être attribué à la variabilité conditionnée par la domestication de quelques-uns d'entre eux. Naturellement, ces deux types de mécanismes s'imbriquent et les rapports mutuels entre les différentes variabilité et invariabilité de certains de ces comportements spécifiques innés sont en réalité très complexes. Si la conservativité d'un type de comportement d'*une* espèce donnée peut apparaître, de la manière qui a été dite, comme une cause d'altération, ceci repose également en dernière analyse sur le fait que d'*autres* types de comportement ont disparu, et ont ainsi donné à l'homme de nouveaux degrés de liberté d'action et, par là même, la possibilité d'apporter à son écologie et à sa sociologie d'étonnants bouleversements. C'est là que réside précisément la totale ambiguïté du processus de domestication, le caractère parfaitement « aventuré » de l'être humain : d'une part il était *nécessaire* pour que « l'homme devienne homme », que des types isolés d'action et de réaction disparussent, mais d'autre part *la morale interdit* absolument, pour que l'homme reste un homme, que d'autres types de comportement se développent ou se réduisent quantitativement tant soit peu. Les transformations conditionnées par la domestication se heurtent les unes comme les autres à l'aveugle accidentalité de tout devenir par mutation. La domestication nous a donné d'une main la liberté constitutive de notre action, mais de l'autre elle ouvre les vannes à des défoulements et à des facteurs létaux manifestement pathologiques. Ce que la psycho-pathologie appelle pauvreté affective (Gemütsarmut), ou cécité à l'égard des valeurs (P. Schröder), repose très certainement sur des fondements génétiques et très vraisemblablement sur la défaillance de schémas relationnels, éthiques et esthétiques. Certains accroissements pathologiques du comportement d'agressivité, tout comme ce qu'on appelle la « parade », reposent sur le processus décrit à la p. 136 sq. : sur une hypertrophie conditionnée par la domestication, de la production d'excitation endogène qui est à la base de ce type de comportement.

Ce qui caractérise non pas le mécanisme général d'altération chez l'être humain, mais le mécanisme pathologique particulier dont il est ici question, est que la morale rationnelle ne peut le compenser. Pour conclure, nous devons examiner encore de plus près le caractère essentiellement limité de la puissance de la pensée rationnelle.

5. La limite des performances de la morale rationnelle

Le présent essai a pour objet de montrer la nécessité absolue de prendre en considération les types d'actions et de réactions spécifiques innées de l'être humain, dans les recherches intéressant les rapports entre les hommes. Il n'a pas pour objet de dire quelle est la nature et quelles sont chez l'homme les performances spécifiques compensatrices et régulatrices de la pensée rationnelle; je renvoie sur ce point au travail déjà cité à plusieurs reprises. Personne n'est plus loin de sous-estimer les différences existant entre l'animal et l'homme que le chercheur comparatiste travaillant sur le comportement; personne ne peut plus clairement que lui mesurer l'absolue *nouveauté* de la puissante fonction régulatrice de la conservation et du progrès de la vie, qui a été conférée à l'homme par son aptitude à la responsabilité rationnelle. Le spécialiste de la recherche comparative sur le comportement est plus que tout autre accessible à « une admiration sans cesse renouvelée » pour le caractère d'une création nouvelle, phylogénétiquement jamais vue, caractère que la loi morale imprime en nous d'une manière aussi marquée. Je prétends qu'on n'arrive à voir dans toute son impressionnante grandeur la singularité de l'être humain que si on laisse cette singularité se détacher sur l'arrière-plan des qualités ancestrales historiques que l'homme, aujourd'hui encore, partage avec les animaux supérieurs.

En vérité ce qui nous concerne dans cet essai est ce qui, précisément dans le comportement humain est ancien, explicable seulement par l'histoire, et qui *n'obéit pas* aux lois de la morale rationnelle et responsable. L'erreur contre laquelle cet essai se dresse est l'exagération générale de l'influence que la totalité de la société humaine exerce sur la structure de l'individu ou, si l'on préfère, la sous-estimation des influences que les structures fixes de l'individu, survenues dans l'histoire phylétique, exercent sur l'agencement et sur le fonctionnement de la société qui dépasse l'individu. Sur le terrain de la théorie morale, cette erreur consiste à surestimer la capacité de la morale rationnelle et à sous-estimer le rôle que des systèmes innés de comportement, présentant des analogies avec la morale, jouent aussi chez l'homme comme nous l'avons découvert chez les animaux (p. 105-121). Maintenant comme alors, je soutiens ma thèse formulée dès longtemps, « qu'il n'est pas une seule action généreuse de l'individu se produisant régulièrement et de quelque importance pour le bonheur et le malheur de la société à laquelle l'impératif catégorique soit seul à donner une impulsion et une motivation. Au contraire, dans la plupart des cas, l'impulsion active originelle est produite par la mise en jeu de schémas innés et de pulsions héréditaires. On ne peut que très difficilement construire des situations qui soient réellement neutres du point de vue du déclenchement des réactions innées et qui, simultanément au cours de l'examen rationnel et approfondi de la situation, nous incitent à une prise de position en faveur d'une action de renoncement à soi. »

De l'autre côté, je ne crois pas sombrer dans l'erreur contraire qui consiste à sous-estimer les performances de la pensée responsable dans le comportement social de l'homme moderne. Les métamorphoses, conditionnées par la culture, de l'écologie et de la sociologie humaine sont si envahissantes qu'il n'est aucune de nos tendances naturelles qui suffise *entièrement* à satisfaire les exigences de la structure de la société contemporaine. Un coup d'éperon supplémentaire, sous la forme d'un « tu dois » catégorique, ou un freinage supplémentaire sous la forme d'un « tu ne dois pas » catégorique, est à tout moment nécessaire. Il n'est pas un homme à l'heure actuelle qui puisse donner librement cours à ses tendances innées, et c'est précisément là-dessus que repose la vieille aspiration de l'humanité vers le paradis perdu. Affranchi, de ce que Sigmund Freud appelle « l'inconfort dans la culture »? Non seulement il n'est aucun homme civilisé mais il n'est aucun être humain tout court qui le soit. Il n'est pas un homme qui soit « heureux » au sens où l'est un animal sauvage dont les tendances innées concordent entièrement avec ce qu'il « doit » moralement faire dans l'intérêt de la conservation de l'espèce.

Il n'y a pas non plus un seul être humain qui soit « normal » au même sens que celui qui vient d'être indiqué. P. Schröder définit le *psychopathe* comme un être humain qui, par sa complexion psychique constitutionnelle, ou bien souffre lui-même, ou bien fait souffrir la société des hommes. D'après ce qui a été dit plus haut, il pourrait tout d'abord sembler que, selon cette définition, nous fussions tous sans exception des psychopathes, car chacun de nous « souffre » (leidet) d'être contraint par la responsabilité rationnelle tantôt à tenir en lisière ses types d'action et de réaction innés, et tantôt à suppléer à leur défaillance. Pourtant la pertinence et l'utilité de l'image conceptuelle de Schröder apparaît dès lors qu'on donne au verbe « souffrir » son acception médicale. Avec l'élargissement, typique chez les êtres domestiqués, de l'étendue de la plage de variation, la moyenne des comportements sociaux innés chez l'être humain joue à l'intérieur de marges très importantes, de telle sorte que le concept de « normal », en ce qui concerne les impulsions tendancielles de son comportement, est chez lui aussi difficile à déterminer qu'en ce qui concerne ses caractères corporels distinctifs. De là vient que, d'un homme à l'autre, les performances de la compensation régulatrice tributaire de la morale rationnelle, sont extrêmement différentes. Mais, même si nous laissons complètement tomber le concept de normal, la frontière posée par Schröder entre l'être sain et le psychopathe conserve toute sa justesse. Elle tire son origine du fait que la structure supérieure de la personnalité de l'être humain ainsi que sa morale sociale rationnelle font brutalement naufrage quand les aptitudes compensatrices qui sont tributaires de ces dernières excèdent leurs forces. Dans son comportement, l'homme devient alors tantôt un *asocial,* et tantôt un *malade,* c'est-à-dire qu'il développe ce que la psychopathologie désigne par névrose et plus particulièrement, par symptôme névrotique. Pour appliquer à ce processus pathologique une comparaison empruntée à la psychopathologie : l'homme intellectuellement sain ne se comporte pas, par rapport au psychopathe, comme un être corporellement sain par rapport à un être corporellement malade, mais exactement comme un malade cardiaque avec une défaillance cardiaque compensée, par rapport à un malade cardiaque affecté d'un *vitium cordis* décompensé. Cette comparaison symbolise très bien le degré d'exactitude de la frontière entre l'être sain et le psychopathe et fait directement comprendre l'importance et le caractère imprévisible des différences individuelles qui séparent les uns des autres les individus réputés normaux quant à leur tolérance à l'endroit des lourdes contraintes de la morale.

5. Récapitulation et conclusion

Le présent essai s'élève contre une erreur de méthode très largement répandue en sociologie et en psychologie sociale. Cette erreur consiste à négliger complètement les propriétés structurelles stables de l'individu humain, propriétés qui *ne peuvent* donc être influencées par la totalité de la société. Cette faute de méthode a une double origine. Chacune doit être examinée séparément.

La première origine, *la généralisation abusive des principes de la psychologie de la forme* est l'objet du premier chapitre. Il est parfaitement inadmissible de faire endosser purement et simplement les propriétés de la forme de la perception par la totalité organique. Des exemples de surestimation absurde du principe du primat de la totalité sur les parties sont cités (p. 73-78). La nature des systèmes organiques est brièvement discutée et la raison pour laquelle ces systèmes ne sont pas des « touts » au même sens que les formes de la perception est éclairée. La méthode d'analyse sur un large front, qui s'impose à l'endroit de la totalité systématique organique est exposée (p. 79 sq.).

Aucun système organique ne s'accommode entièrement de la définition de la totalité comme système de liaisons causales universelles et réciproques. Dans chacun de ces systèmes sont en effet inclus des matériaux fixes, *relativement indépendants* de la totalité. Ces matériaux entretiennent avec la totalité une relation causale qui est plus ou moins à sens unique, et qui n'est donc pas bivalente (p. 81 sq.).

La seconde origine de la faute de méthode ici combattue réside dans la *négligence des comportements spécifiques innés.* Le contenu du second paragraphe lui est consacré. On montre d'abord comment la controverse entre les écoles mécanistes et vitalistes de recherche sur le comportement a barré la voie à la découverte et à l'étude des comportements spécifiques innés (p. 86 sq.). On montre que les lois fondamentales qui gouvernent le comportement inné ne deviennent perceptibles que sur la large base d'induction d'une étude comparative; ce qui constitue un fondement essentiel pour leur découverte ultérieure (p. 91 sq.).

Sont alors examinées à travers une rétrospective rapide de l'histoire de leur étude, la nature et la spécificité des deux composantes individuellement invariantes les plus importantes du comportement animal et humain : *le comportement automatique endogène et le mécanisme de déclenchement inné* (p. 93 sq.).

Un chapitre spécial est consacré à ce qu'on est convenu d'appeler les *déclencheurs,* c'est-à-dire les spécialisations de structure et de comportement qui ont pour fonction d'émettre des signaux d'excitation, auxquels il est fait des réponses spécifiques (p. 98 sq.). La constitution phylogénétique des comportements déclencheurs par la *formalisation de mouvements d'intention* est alors exposée dans son détail (p. 109 sq.). Son importance tient au fait que la plupart des mouvements d'expression de l'homme doivent leur existence à ce processus.

On montre alors de quelle manière fonctionnent, chez les animaux sociaux, des systèmes hautement compliqués qui sont exclusivement bâtis sur la fonction des comportements automatiques endogènes, des mécanismes de déclenchement innés et des déclencheurs émettant des excitations. Dans ces systèmes, les activités intellectuelles supérieures, comme tout ce qui est acquis, jouent un rôle étroit et qui va se restreignant, et montrent cependant des analogies fonctionnelles poussées très loin avec le comportement rationnel et moral de l'être humain (p. 111 sq.).

L'homme a lui aussi des mécanismes de déclenchement innés. A titre d'exemples, on a d'abord évoqué ceux qui correspondent à des *mouvements d'expression* humains (p. 122 sq.). Ces derniers sont de leur côté d'authentiques déclencheurs appartenant à l'espèce dont nous avons déjà fait connaissance plus haut comme mouvements d'intention stylisés. Certains sentiments de valeurs esthétiques et éthiques déterminés reposent aussi sur la correspondance avec des mécanismes déclencheurs innés (p. 127 sq.). Une corrélation remarquable est mise en évidence entre ces schématismes répondeurs qui sont incroyablement stables et contraignants et certains *phénomènes de domestication* déterminés intéressant le corps et le comportement : ces schématismes sont chargés de valeur négative, les signes distinctifs mis en péril par eux sont chargés de valeur positive (p. 135 sq.).

D'une façon aussi certaine, on peut mettre en évidence chez l'homme des comportements à automatisme endogène qui jouent un grand rôle, notamment dans le comportement social. Les manifestations de la production endogène d'excitation, et avant tout le phénomène de l'abaissement du seuil sont également évidents là où les comportements à automatisme endogène chez l'homme ont été largement réduits, ou ne survivent plus que sous la forme (Gestalt) de mouvements d'intention stylisés de l'expression (p. 132 sq.). Dans une certaine mesure, ceci s'applique également à ce qu'on a appelé l'instinct d'agressivité (p. 133).

On conclut que dans le comportement social de l'être humain, les types d'action et de réaction spécifiques innés jouent un rôle beaucoup plus grand qu'on ne l'admet communément dans la sociologie et la psychologie sociale (p. 133 sq.). Leur exploration attentive est très hautement désirable du fait que des altérations déterminées de leur fonctionnement donnent progressivement corps à des dangers déterminés qui sont inséparablement liés à la nature de l'être humain.

Le troisième chapitre de cet essai traite de *la mise en* péril de l'être humain. La *domestication* de l'homme est d'abord évoquée. L'homme montre le même complexe de métamorphose héréditaire caractéristique que ces animaux familiers (p. 135 sq.). Les métamorphoses héréditaires qui le caractérisent en propre et qui intéressent ses comportements spécifiques innés sont brièvement présentées (p. 136 sq.). Une corrélation remarquable existe entre les caractères distinctifs de la domestication qui intéresse le corps et ceux qui intéressent le comportement d'une part, et d'autre part les mécanismes innés déclenchant des impressions de valeur, évoquées page 127. Des signes distinctifs corporels de domestication, typiques et parfaitement déterminés, suggèrent d'une façon contraignante des impressions de valeur esthétique négatives, les signes distinctifs de même type qui affectent le comportement suscitent de la même façon des impressions de valeur éthique négatives, cependant que les signes distinctifs opposés à ces phénomènes de domestication et qui sont dans une certaine mesure mis en péril par ces phénomènes ont une polarisation affective positive.

Mais simultanément la domestication est un préalable indispensable à la naissance de certaines qualités déterminées constitutives de l'homme.

1° L'homme moderne ne doit la conquête des degrés de liberté dans l'action qui lui sont inhérents qu'à la *défaillance* conditionnée par la domestication, de mécanismes de déclenchement innés à automatisme stable (p. 144 sq.).

2° L'homme est un *spécialiste de la non-spécialisation*. Par cette expression, nous désignons un type d'être vivant parfaitement déterminé, également représenté dans le règne animal, dont le système d'action se caractérise par la pauvreté en mécanismes déclencheurs assujettis de façon spéciale, et par la pauvreté en types de mouvements à automatisme endogène ainsi que par le rôle important que joue *l'apprentissage par curiosité active* (p. 146 sq.). Cet accord actif (aktive Auseinandersetzung) chez tous les animaux spécialistes de la non-spécialisation se borne à un stade étroitement limité du *développement infantile* (p. 150 sq.). La propriété qui est peut-être la plus constitutive de l'homme est la survie de l'entente active avec l'environnement propre, fondée sur la recherche (*ouverture au monde,* au sens où l'entend A. Gehlen) jusqu'à l'âge sénile (p. 153). On peut montrer que cette propriété, ainsi que de nombreux signes distinctifs corporels de l'être humain, constituent des symptômes particuliers d'un phénomène général de *néoténie* (foetalisation au sens de v. Bolk), — néoténie qui de son côté est sans aucun doute possible un phénomène authentique de domestication (p. 153-54).

En raison de son ambiguïté spécifique, la domestication confère d'une part à l'être humain la liberté constitutive de sa pensée et de son action ainsi que sa persistante ouverture au monde, mais elle lui ravit d'autre part la solide faculté d'adaptation à l'environnement propre, que l'animal doit à ses comportements innés et spécifiques fixes. Certains dangers déterminés, inhérents à la nature de l'être humain, tirent leur origine de cette équivoque.

L'homme est l'*être du risque,* l'être qui a une « chance constitutionnelle d'échouer » (A. Gehlen) (p. 155). Les dangers qui menacent présentement toute l'humanité dans son existence proviennent ouvertement des altérations qui troublent les relations entre les hommes. L'abdication de la raison et de la morale collectives de l'humanité devant ces altérations reposent sur le fait que ces dernières sont elles-mêmes fondées en très grande partie sur le mauvais fonctionnement des comportements spécifiques innés, difficilement contrôlables par la pensée rationnelle. De nombreux exemples de mécanismes de l'altération fonctionnelle spécifiquement humaine des comportements sociaux innés sont évoqués. La transformation précitée de l'écologie et de la sociologie humaine, conditionnée par la culture, a pour conséquence que de nombreux types d'action et de réaction, qui étaient jadis pleins de sens du point de vue de la conservation de l'espèce, mais qui dans la vie moderne n'ont plus leur utilité, ne cadrent plus avec cette vie moderne : d'un côté leur survivance même a des effets gênants — c'est le cas par exemple de « l'instinct d'agressivité » —, d'un autre côté leur développement n'apparaît pas suffisant, compte tenu des exigences de la société moderne hautement différenciée (p. 160). Un cas particulièrement inquiétant des phénomènes précités est fourni par l'insuffisance des *mécanismes inhibiteurs* spécifiques des *instincts meurtriers* qui sont devenus impuissants, face à la croissance rapide des possibilités techniques de destruction (p. 162). Face à ces altérations du comportement reposant sur la rémanence de mécanismes inhibiteurs et de pressions endogènes innés, on trouve inversement des altérations causées par les *transformations* soudaines, conditionnées par la domestication, ou mieux, par la mutation, de ces types d'action et de réaction spécifiques innés. L'activité compensatrice de la responsabilité rationnelle abdique elle aussi devant ces dernières (p. 165).

L'examen de la portée et des limites des performances de la morale responsable constitue la conclusion de l'essai. La fonction régulatrice de la responsabilité rationnelle est en mesure de surmonter et de compenser approximativement les tensions qui existent entre : les types d'action et de réaction sociaux innés convenant aux formes primitives les plus fondamentales de la société humaine, d'une part, et les exigences de l'ordre social moderne d'autre part (p. 165 sq.). Cette activité compensatrice ne s'exerce pas sans faire des victimes et sans consommer de l'énergie. « L'inconfort dans la culture », dans les cas normaux, et la névrose, dans les cas pathologiques, sont le prix dont l'individu doit l'acheter. Les distorsions qui existent entre la dotation de l'individu en réactions sociales innées et les exigences de la société sont très variables chez l'être humain en raison de la grandeur de l'écart à la moyenne, dû à la domestication, qui sépare entre eux les individus. Quoiqu'il en soit, la puissance de la morale compensatrice est proportionnée à une dotation moyenne de l'individu en modes d'action et de réaction sociaux innés, — dotation qu'on peut évaluer de façon assez précise. Si la grandeur de la distorsion entre les aptitudes sociales innées ainsi définies et les exigences de la société dépasse largement la moyenne, comme c'est le cas dans toute hypertrophie « monstrueuse » (au sens de Schröder) ou dans toute disparition brutale d'un type d'action et de réaction inné, la puissance compensatrice de la morale responsable est en échec à partir d'une certaine limite relativement bien définie, et l'homme devient ou bien un asocial ou bien un névrosé. Le concept de *psychopathie* selon Schröder est présenté en ce sens.

La force de conviction de ce résumé de nos vues sur les comportements spécifiques innés de l'être humain souffre nécessairement de l'expression condensée qui vient d'en être donnée. Comme c'est toujours le cas dans les sciences de la nature fondées sur l'induction, les apparences de vérité de tous nos résultats sont, également ici, proportionnelles à la largeur de la base inductive, et la nôtre est beaucoup plus large qu'on n'a pu le montrer dans le présent essai. Les psychologues et les sociologues, portés aux spéculations purement intellectuelles, ont beau être très nombreux dont la sentimentalité refuse encore très largement de tirer les conséquences qui s'imposent de la réalité incontestée de l'hérédité, et de traiter avec la considération qu'elles méritent les propriétés de l'homme qui sont conditionnées par l'histoire et par la phylogénèse, on peut déjà, en l'état présent de la recherche biologique inductive, prédire avec certitude qu'il leur faudra bien, dans un avenir proche, se familiariser avec ces processus de pensée. Que l'homme ait des mécanismes innés de déclenchement d'une nature analogue à celle des animaux supérieurs, est un fait qui s'impose; que des processus producteurs d'excitation reposant sur des automatismes endogènes jouent un rôle important chez lui également, est aussi un fait qui s'impose. En revanche, — j'en suis parfaitement conscient —, tout ce que la recherche comparative sur le comportement peut dire sur le rôle que les altérations fonctionnelles des comportements spécifiques innés jouent dans les imbroglios sociaux catastrophiques où se trouve l'humanité, a pour le moment un caractère purement hypothétique. Je vois néanmoins dans l'approfondissement ultérieur de cette hypothèse la tâche la plus fondamentale de notre domaine de recherche. Qu'on songe à l'extraordinaire importance qu'aurait du point de vue de la pédagogie, de la médico-pédagogie, et au premier chef de la psychologie sociale, la simple possibilité d'identifier quelles sont les altérations sociales du comportement qui sont influençables par la morale rationnelle et partant, par l'éducation, et quelles sont celles qui ne le sont pas. Nous ne savons qu'une chose : c'est qu'il existe des altérations sociales du comportement de l'une et de l'autre espèce. Qu'on songe au fait que les dangers qui menacent de ruiner l'humanité contemporaine, proviennent exclusivement des altérations sociales du comportement : ce n'est pas le monde extérieur, mais c'est l'humanité qui menace l'humanité. Qu'on songe au symbole effrayant de la tourterelle qu'un caprice cruel de la nature a dotée du bec du grand Corbeau. Personne ne peut nier que l'humanité ne se trouve en pareille situation.

Mais il est un point qui n'est pas une hypothèse mais une vérité certaine : *l'unique moyen d'éliminer l'altération qui affecte le fonctionnement d'un système, consiste dans l'analyse causale du système et de l'altération.* Peut-être est-il possible, par une vue intuitive de la totalité, de « comprendre » une voûte sans connaître la forme et la fonction des pierres élémentaires qui la composent, mais alors il n'est pas possible de la *réparer.* La reine des sciences appliquées elle-même, la médecine, ne doit exclusivement son aptitude à remettre dans la bonne direction un tout fonctionnel qui a dévié de sa voie, qu'à l'analyse causale des fonctions partielles de ce Tout. L'humanité est aussi pour le moment un tout fonctionnel qui s'est complètement égaré en dehors de sa voie. Le décalage entre le développement des armes et les mécanismes inhibant leur emploi menace d'anéantir l'humanité. L'effort humain collectif vers la connaissance et la responsabilité collective de tous les hommes parviendront-ils à rétablir l'équilibre rompu entre les puissances exterminatrices et les inhibitions sociales, — cet équilibre qu'il a fallu, comme tant d'autres dont le caractère statique fait la force, offrir en sacrifice pour permettre le développement dynamique de la pensée et de l'action humaines? Cette question tranchera le destin de l'humanité.

Psychologie et phylogénèse

(1954)

1. Introduction

Chaque être vivant est un système, résultat d'un devenir historique, et chacune de ses manifestations vitales ne peut être vraiment comprise que si une recherche causale rationnelle étudie le processus de sa genèse phylogénétique. Il s'agit là d'un fait évident à l'heure actuelle pour quiconque réfléchit sur la biologie. En revanche, l'idée que le même point de vue est valable pour tous les phénomènes du comportement psychique et que nos productions psychiques et intellectuelles ne sont pas indépendantes de tout le reste des phénomènes de la vie, cette idée ne se fraie un chemin que difficilement et avec une extrême lenteur. Même chez les psychologues contemporains, on rencontre encore une grande réticence à admettre qu'à tout comportement — mais aussi à tout ce qui se passe dans notre conscience — correspond aussi d'une façon parallèle un processus neuro-psychologique. A une époque très récente, des psychologues célèbres, comme Sombart (1938) et Buytendijk (1940), ont encore contesté avec une insistance indéniable la dépendance de l'esprit humain vis-à-vis des lois biologiques, en particulier vis-à-vis de celles de l'hérédité. D'autre part, et pour des motifs diamétralement opposés, les associationnistes et les behavioristes ont nié la présence de structures psychiques héréditaires, car leur interprétation mécaniste et atomiste de tout processus psychique voyait dans le réflexe conditionné le seul élément à partir duquel on devait expliquer absolument « tout ». L'histoire de la connaissance trouve donc, par une curieuse ironie, les écoles de psychologie les plus fortement opposées entièrement d'accord pour nier qu'il existe des modes de comportement nettement structurés et transmis héréditairement d'une façon phylogénétique.

Les écoles des psychologues en renom ne sont toujours pas d'accord à l'heure actuelle sur la question de savoir si l'objet de la psychologie est vraiment un phénomène de la nature en général et un phénomène de la vie en particulier; mais elles sont d'accord pour affirmer que cet objet n'a rien à voir avec la théorie de l'hérédité et la phylogénèse. La psychologie médicale a commencé récemment, il est vrai, à prendre en considération les résultats des recherches sur l'hérédité; en revanche, l'importance de la phylogénétique pour la psychologie n'a pas été reconnue jusqu'à maintenant par la plupart des psychologues, pour la simple raison que les recherches de phylogénèse leur sont restées inconnues. Seule une infime minorité d'entre eux possède une connaissance relativement sérieuse de la problématique, de la méthode et des résultats de la phylogénétique moderne; il en est à peine un seul qui possède un matériel de représentation tiré de son propre travail et l'autorisant à porter des jugements autonomes sur la base d'induction, quant à la vraisemblance et la valeur de la théorie de la dérivation. Derrière le masque d'un scepticisme qui se donne pour de l'objectivité, se cache souvent un manque d'enthousiasme à accomplir l'immense travail d'apprentissage qui serait la condition préalable sans laquelle une discussion de la théorie de la dérivation est illégitime. C'est pourquoi la synthèse entre la phylogénèse et la psychologie, déjà reconnue par Wundt comme nécessaire, reste encore aujourd'hui pour l'essentiel un simple programme. Je veux maintenant, le plus brièvement possible, rendre compte du devenir, de la problématique, de la méthode et des résultats déjà acquis pour une direction de recherche qui est nouvelle en psychologie, ou plus exactement dont la reconnaissance comme discipline autonome est toute récente, et qui peut prétendre au qualificatif de « comparative », avec le sens qu'a ce mot lorsqu'il est appliqué aux branches morphologiques de la recherche comparative en phylogénèse. Pour dégager le rapport de dépendance mutuelle qui existe entre cette branche de la connaissance et la théorie de la descendance, je vais choisir — d'une façon quelque peu arbitraire — plusieurs domaines partiels dans lesquels ce rapport est particulièrement étroit.

2. Genèse de la problématique de la psychologie comparative

Il restera paradoxal pour l'histoire des sciences de l'esprit que la recherche dans le domaine qui nous occupe ait été initiée non pas par des psychologues désireux d'éclaircir le problème de la genèse des qualités psychiques animales et humaines, mais par des zoologistes qui, au départ, n'envisageaient nullement de faire des recherches en psychologie animale, mais s'intéressaient avant tout à des problèmes de phylogénèse. Les raisons en sont assez claires : plus que d'autres disciplines inductives parmi les sciences de la nature, la phylogénétique spéciale dépend d'un « savoir-faire », d'une activité qu'on a coutume ordinairement d'appeler « intuition ». Mais une étude plus poussée révèle que l'intuition est une activité particulière de la *perception de la forme*. Comme pour tout autre processus de perception, il y a, par l'intermédiaire de mécanismes du système nerveux central qui sont inconscients et absolument inaccessibles à l'introspection, constitution d'un « résultat » à partir d'une masse de données des sens isolés, et ce résultat est « tenu pour vrai » par le sujet humain. Helmholtz considérait ces processus comme des déductions inconscientes. Sans doute est-il absolument certain qu'il n'en est rien et que ces processus reposent au contraire sur le fonctionnement de structures nerveuses centrales beaucoup plus primitives; il est tout aussi certain qu'ils se déroulent d'une façon très mécanique et très peu réglée, et qu'ils montrent une incapacité absolue d'éducation pour tous les modes de réaction transmis par hérédité. Mais ils ont malgré tout quelque chose de commun avec de vraies inductions, telles qu'elles se déroulent à un niveau psychique supérieur : d'une pluralité d'éléments isolés reçus, on tire une « induction » unique intégrant tous ces éléments. La direction prise par le processus de connaissance dit intuitif va *du particulier au général,* tout comme celle du processus inductif. L'intuition n'est en aucune façon un « *miracle* », comme beaucoup le pensent d'une façon avouée ou inavouée, mais bien au contraire une activité physiologique parfaitement naturelle de notre appareil perceptif. Ce dernier dégage, à partir d'éléments concrets isolés, les structures « légiférantes » qui sont présentes en eux, et ceci par un processus qui, du point de vue fonctionnel, est analogue à celui de l'induction. *Comme l'induction, l'intuition est donc ramenée à une base d'éléments isolés reçus.* Toutes les fois que les « prémisses » sont falsifiées, l'intuition, prétendue si infaillible, indique des choses fausses d'une façon aussi opiniâtre et incorrigible que toute autre perception : par exemple la perception de la profondeur dans une expérience de stéréoscopie. La justesse du résultat obtenu par l'intuition dépend de la justesse et de l'étendue des données isolées qui sont à son origine, tout comme la justesse du résultat obtenu par l'induction.

Dans ce qu'on appelle le savoir-faire systématique de tous les phylogénéticiens couronnés de succès, l'activité nommée intuition, qui est une activité de la perception de la forme, joue un rôle particulièrement important. C'est pourquoi les théoriciens du système morphologique ont toujours été des hommes en possession, non seulement d'une vaste base d'induction constituée de faits isolés connus et disponibles au niveau conscient, mais surtout d'un trésor immense de données isolées, *non* disponibles au niveau conscient, et qui, insérées dans les qualités complexes de formes connues, constituent bien plutôt la « base d'intuition » pour les jugements du savoir-faire systématique. C'est pourquoi, souvent, ce sont précédemment les meilleurs et les plus fins de tous les systématiciens qui ne nous répondent pas lorsque nous leur demandons les raisons de leurs affirmations sur des rapports de systématique fine données — affirmations qui sont pour nous parfaitement claires. En effet, les « prémisses » aux « conclusions inconscientes » de la perception de la forme sont, fondamentalement, inaccessibles de prime abord à l'introspection. A titre d'expérience intellectuelle, Gadow (1891) a constitué, dans les *Classes et Ordres du royaume animal* de Bronn une « systématique à 30 caractères distinctifs » en regroupant dans un tableau les ordres et les sous-ordres des oiseaux d'après 30 caractères choisis en fonction de leur importance taxonomique. Le système des oiseaux ainsi établi se trouvait contenir une série d'écarts étonnants par rapport aux particularités « visiblement exactes » de la systématique traditionnelle. Gadow arrive sans le dire à la conclusion assez résignée que le savoir-faire systématique ne peut être remplacé par une exploitation statistique des caractères distinctifs. En ce qui nous concerne au contraire, nous voulons soumettre ici la contradiction, entre la systématique à 30 caractères distinctifs et le doigté du phylogénéticien, à une observation psychologique plus précise, et ceci essentiellement parce qu'il s'en dégage un rapport de dépendance réciproque, fort important au point de vue méthodologique, entre la science comparée du comportement et la systématique phylogénétique.

L'échec de la grille à 30 caractères est dû tout d'abord au simple fait que tout jugement de phylogénétique comparée, formulé par quelqu'un qui *connaît* vraiment son objet, repose sur l'exploitation d'un nombre de caractères distinctifs *beaucoup plus élevé.* En effet, le théoricien ne juge pas seulement un être vivant d'après les caractères qui sont reproduits dans son tableau, mais d'après une *impression générale,* dans laquelle justement un très grand nombre de traits distinctifs sont mêlés d'une façon telle qu'ils *définissent* les caractères propres et originaux de l'impression, bien sûr, mais aussi qu'ils se résolvent en même temps en elle. C'est pourquoi un travail analytique assez délicat est nécessaire pour les découper et les faire ressortir de cette qualité globale, à l'intérieur de laquelle on ne peut absolument pas les distinguer isolément d'une façon directe. La « qualité complexe » de figures perçues est, pour les psychologues, un phénomène parfaitement connu et relativement bien étudié. Le phylogénéticien doit l'analyser s'il veut être en mesure de reprendre exactement en sous-œuvre les meilleures et les plus importantes de ses propres activités; en effet, son activité ne sera exploitable scientifiquement que si l'on met à jour les caractères distinctifs sur l'exploitation inconsciente desquels se fonde le « savoir-faire systématique ».

Le nombre limité des caractères dans les tableaux systématiques, quels qu'ils soient, n'explique pas à lui seul leur insuffisance. Celle-ci a une autre cause, et certainement d'une plus grande importance : toute classification définissant *à l'avance* les traits distinctifs à utiliser se condamne par là même à être une grave source d'erreurs dans la mesure où *aucun* des caractères, isolés à l'intérieur des différentes parties du groupe de parenté qu'on veut ordonner du point de vue phylogénétique, n'a une importance systématique qui soit, *même approximativement,* stable. La rapidité avec laquelle un caractère isolé se modifie du point de vue phylogénétique peut être totalement différente même pour des formes animales et végétales très proches. Le fait qu'un caractère distinctif ait un comportement « conservateur » dans une des parties d'un groupe ne permet nullement de conclure qu'il n'est pas éventuellement soumis, dans une autre partie, à une variabilité privée de toute règle. Il en résulte une *modification constante du statut taxonomique de chaque caractère distinctif isolé.* Or la systématique par tableaux ne peut absolument pas rendre compte de ce changement, ce dont est au contraire capable le « savoir-faire systématique », qui se fonde sur un nombre fort considérable de traits retenus simultanément d'une façon inconsciente, et qui par suite est capable d'éliminer le « saut » imprévisible d'un caractère habituellement sûr, en se réglant sur l'importance plus grande du nombre considérable de caractères distinctifs demeurés identiques. Pour dire les choses d'une façon très grossière, aucune personne raisonnable n'aura l'idée d'exclure de la classe des oiseaux un perroquet totalement privé de plumes — ce qui n'est pas rare en captivité par suite de certains processus pathologiques; la chose peut arriver avec une grille constituée de caractères distinctifs déterminés à l'avance. C'est cette même différence de résultat qu'on trouve dans des cas moins évidents, et qui conditionne justement un échec de la systématique par tableaux. Si l'on examine attentivement le processus en question, l'activité spécifique du « savoir-faire systématique » consiste en ceci : ne pas attribuer, au départ un statut taxonomique déterminé à chacun des caractères isolés envisagés, mais déduire ce statut dans chaque cas isolé de la mobilité des caractères distinctifs les uns par rapport aux autres. Ce « calcul » du poids qui revient à un caractère distinctif isolé dans chaque forme animale se fonde sur des lois de vraisemblance : et il est fortement invraisemblable que *beaucoup* de caractères distinctifs aient effectué simultanément des sauts de mutation dans la même direction cependant qu'un seul trait — fût-ce le plus « conservateur » — serait resté inchangé; ou bien, pour garder notre comparaison grossière, il est fortement invraisemblable qu'un groupe d'animaux sans plumes ait produit une forme ressemblant pour tous les autres caractères distinctifs à un perroquet gris. Nous ne faisons pas non plus fausse route, semble-t-il, dans des cas moins clairs, si nous admettons que des caractères distinctifs apparaissant d'une façon sporadique et sortant du cadre du groupe sont récents, et que les très nombreux caractères concordants sont plus anciens, sans prendre en considération la nature particulière des traits distinctifs pris isolément. Mais il se trouve qu'il est très rare qu'un caractère distinctif soit identique chez deux espèces très voisines, et qu'au contraire, dans la plupart des cas, c'est la variation plus ou moins rapide des caractères qui fournit la base d'appréciation — appréciation diverse — pour le statut relatif d'un caractère distinctif isolé. C'est pourquoi tout le processus d'appréciation — lequel est d'une importance considérable — repose exclusivement sur l'appréhension de caractères en relation les uns avec les autres; en toute rigueur, il ne pourrait se dérouler d'une façon exacte que si l'observateur connaissait *tous* les traits distinctifs du groupe animal étudié qui se sont modifiés lors de la transformation de l'espèce. Naturellement, c'est absolument impossible. Toutefois, il s'avère qu'on approche beaucoup d'une exploitation vraiment exacte des caractères distinctifs en appréhendant le plus grand nombre possible de caractères propres à un groupe d'animaux ou de plantes. La capacité de rendement du phylogénéticien ne croît pas seulement en progression arithmétique par rapport au nombre des caractères distinctifs de groupes connus de lui, mais en progression géométrique, car la justesse de l'appréciation de tous les caractères déjà connus est accrue par l'adjonction de chaque trait distinctif nouveau. Comme on le sait, c'est uniquement et exactement sur le même procédé inductif que repose le diagnostic permettant de dire si deux jumeaux sont monovitellins : plus le nombre de caractères distinctifs héréditaires communs est élevé, plus il y a de chances qu'ils soient issus du même œuf. La probabilité de coïncidence fortuite pour n caractères distinctifs est de $1/2^n$.

Cette brève incursion dans le domaine méthodologique de la systématique phylogénétique était nécessaire, car elle nous révèle un rapport important entre la recherche sur le comportement et la phylogénétique. En effet, nous comprenons maintenant la raison pour laquelle celui qui peut parler de la façon la plus autorisée des problèmes phylogénétiques n'est pas celui qui — tels les spécialistes d'anatomie comparée — a étudié un *organe,* dans toutes les formes qu'il prend dans les groupes animaux les plus différents, mais celui qui connaît *un groupe,* avec si possible tous ses représentants et tous les caractères distinctifs accessibles. Et c'est tout particulièrement le cas lorsqu'un biologiste, pensant en termes phylogénétiques, connaît un groupe animal non pas seulement sous la forme de pièces empaillées, mais aussi sous la forme d'*êtres vivants.* Alors ce biologiste sera confronté avec un examen de phylogénèse comparative portant sur les caractères distinctifs de comportement innés; et ce gain en bases d'induction lui assurera des succès insoupçonnés dans ses études de phylogénétique. De la même manière et pour la même raison un homme qui, d'une certaine façon, « raffole » d'un groupe d'animaux, peut rendre d'incontestables services non seulement à la systématique de ce groupe, mais encore à la méthodologie phylogénétique en général. Ainsi Whitman, que nous devons considérer historiquement comme le pionnier de notre problématique, a étudié jusque dans les plus petits détails l'ordre des pigeons, et, dès 1898, il a écrit cette phrase, d'une importance indéniable, bien qu'elle soit restée d'abord totalement ignorée des psychologues spécialisés : « Les instincts et les organes doivent être étudiés du point de vue commun de leur origine phylétique. » Heinroth (1910) nous a révélé d'une façon absolument semblable l'anatomie et le comportement inné des canards. Antonius (1937) a entrepris des investigations analogues sur les Equidés. Souvent, on ne sait pas au juste si l'on doit considérer ces chercheurs comme des psychologues ou comme des phylogénéticiens; en tout cas, ils ont en commun un amour vraiment extraordinaire pour un objet précis, amour qui, il est vrai, provient, comme ils le reconnaissent eux-mêmes, d'une passion solidement établie dès leur première jeunesse, mais qui les a conduits à une recherche des groupes de parenté phylogénétiques. Cette recherche est « totale » (complète) par excellence, et c'est la meilleure dont nous disposions à l'heure actuelle. Ils ne sont redevables de leurs succès qu'à l'appréhension simultanée de la phylogénèse et du comportement psychique d'un groupe d'animaux, et ceci nous prouve de la façon la plus claire qui soit ce dont il s'agit ici : du rapport mutuel de dépendance entre les connaissances phylogénétiques et les connaissances psychologiques.

Ce dont nous sommes redevables à ces deux pionniers de la recherche comparative sur le comportement est en soi fort simple : il y a des formes d'activités invariables pour chaque individu et caractéristiques du genre, qui se transforment au cours de l'évolution de l'espèce avec la même lenteur que les organes du corps. Mais ce simple fait a montré d'un seul coup la totale fausseté de toutes les représentations que l'on s'était faites jusque-là du comportement « instinctif », tant du côté vitaliste que du côté mécaniste. D'après les conceptions des vitalistes, l'instinct était un facteur d'orientation, absolument inexplicable d'une façon causale, et qui fixait certains *buts* précis au comportement animal. Cette conception a logiquement conduit les représentants de la « Purposive Psychology » — surtout McDougall — à attribuer fondamentalement à tout comportement instinctif la variabilité caractéristique de tout comportement *orienté en vue d'une fin,* et à mettre tout simplement au même rang la fin poursuivie par le sujet animal et l'activité de conservation de l'espèce fournie par un tel mode de comportement. Au contraire, du point de vue mécaniste, il y avait *deux* opinions selon les écoles. Celle des behavioristes niait absolument l'existence des enchaînements de mouvements innés relativement complexes, ainsi que des « buts » innés du comportement. L'école pavlovienne des théoriciens des réflexes, au contraire, reconnaissait l'existence de suites de mouvements innés assez longues, mais se contentait de les expliquer comme des enchaînements de réflexes non-conditionnés. De bonne heure, McDougall a formulé une objection juste en soi contre cette théorie en affirmant que la spontanéité d'un grand nombre de modes de comportement « instinctifs » ne pouvait pas être expliquée à partir du principe du réflexe. « Il est visiblement inexact », a-t-il écrit à bon droit, « de parler de ré-actions à une excitation que l'organisme n'a même pas encore reçue! »

Ni Whitman ni Heinroth n'ont dit quoi que ce soit de la nature physiologique des enchaînements de mouvements hérités. Mais, cependant qu'ils observaient, sans faire d'hypothèses ni de suppositions, les modes de mouvement en question, cependant qu'ils les décrivaient et les ordonnaient, leur savoir-faire systématique accomplissait d'une façon parfaitement inconsciente quelque chose de très remarquable. En effet, il s'est vérifié entre-temps que presque tous les modes de comportement, chez des animaux très différents, exploités par Whitman et Heinroth en vue de considérations phylogénétiques révélaient une série de traits physiologiques très particuliers qui semblaient réclamer une explication causale unitaire — et qui l'ont d'ailleurs trouvée entre-temps; c'est là un exemple classique du fait que, dans l'évolution organique d'une science de la nature, le stade nomothétique se dégage entièrement par lui-même du stade systématique.

3. La découverte de la production endogène des excitations et ses conséquences analytiques

Ce qui frappa d'abord, ce fut une corrélation particulière *entre la spontanéité et l'invariance individuelle* des modes de mouvement hérités — corrélation parfaitement inattendue pour les conceptions vitalistes ou mécanistes esquissées plus haut. D'après la conception téléologique des vitalistes, le mode de comportement inné orienté vers un « but instinctif » précis devait révéler, *ipso facto,* la variabilité typique de toutes les actions orientées vers une fin, actions qui sont sans doute constantes quant à leur résultat final, mais largement variables dans leur déroulement par suite de leur faculté d'adaptation. En revanche, selon la théorie des chaînes de réflexes, il était absolument impossible qu'une chaîne de mouvements transmise héréditairement dans sa totalité révélât la moindre spontanéité. Mais en réalité, ce sont justement ces modes de comportement parfaitement rigides, et transmis héréditairement selon l'espèce dans tous les détails de leurs mouvements successifs, qui révèlent une certaine spontanéité parfaitement caractéristique et que nous allons maintenant étudier de plus près; car une analyse précise de cette spontanéité a permis de découvrir une activité élémentaire du système nerveux central parfaitement négligée jusque-là et parfaitement indépendante du processus de réflexe; et d'autre part une production d'excitations endogène, rythmique et automatique. Dans la découverte du rôle que joue cette activité autonome primaire du système nerveux dans l'ensemble du comportement des animaux supérieurs, et, très certainement aussi, de l'homme, nous voyons le résultat le plus important obtenu jusqu'à maintenant par la recherche comparative sur le comportement. D'une part, elle nous permet d'expliquer d'une façon satisfaisante la spontanéité de très nombreux modes de comportement animaux et humains; spontanéité que les vitalistes n'ont cessé de mettre en avant comme argument, non seulement contre la théorie mécaniste des chaînes de réflexes, mais aussi contre l'hypothèse elle-même selon laquelle on peut expliquer le comportement d'une façon causale sur le plan physiologique. Le vitalisme est ainsi contraint d'abandonner une position qu'il avait défendue opiniâtrement et, jusqu'à maintenant, toujours avec succès. Mais, d'autre part, la découverte de la production rythmique et automatique de certaines excitations réfute une fois pour toutes le monisme explicatif des behavioristes et des théoriciens des réflexes qui, avec le réflexe et la réaction conditionnée, croyaient posséder les seuls principes permettant d'expliquer la totalité du comportement animal et humain. Nous allons maintenant esquisser l'histoire de cette découverte.

Le fait, déjà souligné par Whitman, que certains modes de comportement évoluaient dans la phylogénèse comme des organes, incite à les interpréter comme des fonctions d'organes et à rechercher les structures du système nerveux central qui en sont à l'origine. Etant donné l'état de la neuro-physiologie à cette époque, il était presque inévitable de commencer par considérer ces structures comme des voies réflexes et d'expliquer globalement les modes de comportements innés comme des réflexes en chaîne; c'est H. E. Ziegler (1910) qui a donné de cette théorie la formulation la plus rigoureuse. A une époque où l'on considérait, sans faire d'analyse plus poussée, tous les modes de comportement appropriés à une fin d'une façon innée comme l'effet des « instincts », il a défini ces derniers comme des chaînes de réflexes qui suivaient des voies « kléronomes » transmises par hérédité. Certes, il a négligé de donner à cette théorie un fondement histologique ou physiologique. Mais il s'est avéré très vite que *c'est précisément la structure fondamentale (der Kern) de ces modes de comportement* — utilisés par les pionniers de la recherche comparative sur le comportement en vue de comparaisons phylogénétiques — qui différait des réflexes par de nombreux traits d'une extrême importance. Les réflexes existent indépendamment des excitations extérieures, aussi bien en ce qui concerne leur déclenchement que la forme particulière de leur déroulement. C'est un caractère distinctif, constitutif du réflexe, et qui lui donne son nom, de pouvoir rester disponible pendant un temps illimité sans être remarqué, tel, pour ainsi dire, une machine inutilisée, et d'être en mesure, lors de l'intervention de la situation d'excitation qui le déclenche, de répercuter vers l'extérieur, sous la forme d'une réponse de nature motrice ou sécrétrice, significative du point de vue de la conservation de l'espèce, le signal émotif après acheminement de ce dernier vers le centre intéressé.

Pour un certain groupe de modes de mouvements transmis héréditairement, toutes ces théories sont effectivement largement exactes : ainsi pour les *réactions d'orientation* que nous appelons taxies, comme l'a fait A. Kühn. *Mais, curieusement, il se trouve justement que ces modes de mouvement qui avaient été utilisés par Whitman et Heinroth pour des considérations phylogénétiques ont relativement peu de rapport avec les taxies.* Au contraire, un rôle particulier était joué parmi eux, par les modalités d'accouplement des oiseaux ainsi que par les mouvements d'expression au sens le plus large, et ces coordinations de mouvements, bien fixées en formules et si caractéristiques des groupes et des espèces, révélaient *une indépendance absolument incroyable vis-à-vis des excitations motrices*; en outre, d'une manière hautement significative, elles n'obéissaient pas à la règle déjà mentionnée de l'attente passive des excitations provoquant le déclenchement, règle valable pour tout processus réflexe pur. Lorenz (1937) a pu montrer expérimentalement que de vrais « mouvements instinctifs » se déclenchent d'autant plus facilement qu'ils n'avaient pas été mis en œuvre depuis plus longtemps. Cet abaissement du seuil des excitations provoquant le déclenchement peut aller si loin, dans le cas de certains modes de mouvement instinctifs fréquemment utilisés en temps normal que ces derniers fonctionnent à vide après une assez longue « contention » sans qu'on puisse trouver à leur origine une excitation extérieure. Au cours de ce phénomène, l'enchaînement des mouvements correspond avec une fidélité vraiment photographique au déroulement normal, mais, naturellement, sans lui donner son sens conservatoire du caractère de l'espèce. L'apparition d'une disponibilité constamment croissante, au cours de l'intervalle séparant deux déclenchements du mouvement instinctif, imposait déjà en soi l'idée de *processus* internes d'*accumulation*. Cette supposition fut fortement confirmée lorsqu'il s'avéra que le mouvement instinctif « contenu », outre qu'il entraîne un abaissement passif du seuil de déclenchement des excitations, amène surtout l'organisme en repos à quitter cet état de quiétude et à chercher activement la situation d'excitation provoquant le déclenchement. Dès 1910, pour cette recherche qui, partant de l'état d'agitation motrice la plus simple, va jusqu'aux modes de comportement humains complexes, orientés vers une fin et incluant les activités les plus diverses, Craig a créé un concept différent de celui de déroulement instinctif désiré et l'a nommé *comportement d'appétence* (*appetitive behaviour*). *Tous ces phénomènes ne peuvent être expliqués à partir du schéma du réflexe : excitation-réaction.* La physiologie nerveuse, et, avec elle, la physiologie générale s'étaient de tout temps appuyées sur l'hypothèse de travail selon laquelle le réflexe est l'élément à partir duquel se constituent toutes les fonctions nerveuses. C'est pourquoi leur méthode de travail se limitait à l'expérience qui consiste à provoquer un changement d'état et à enregistrer la réponse qui lui succède. Une telle méthode *devait* amener à penser que l'activité du système nerveux central se réduisait à *répondre* à des excitations extérieures. Mais ici intervenait quelque chose de fondamentalement nouveau : les coordinations de mouvements des actions instinctives avaient ceci de singulier qu'elles n'attendaient pas passivement le déclenchement de leur fonction, tels des réflexes ou des machines inutilisées, mais prenaient activement la parole, mettaient en mouvement l'organisme et le poussaient à agir; bref, elles se comportaient comme des *hormones* puisqu'elles *produisaient* des excitations. Nous sommes redevables à von Holst (1936, 1938) des recherches physiologiques sur les processus non-réflexes, qui ont expliqué en une seule fois tous les phénomènes que nous venons d'esquisser et qui n'étaient pas explicables à partir de la théorie des réflexes. Les résultats de ces recherches ont éliminé définitivement l'hypothèse selon laquelle le réflexe serait « l'élément » de tous les processus du système nerveux central. Selon ses travaux, des processus automatiques de production d'excitations envoient dans le système nerveux central de certains vers, de certains poissons et d'animaux vertébrés supérieurs, des impulsions qui, intégrées au niveau du centre lui-même, provoquent des processus de mouvement ordonnés, et signifiants du point de vue de la conservation du caractère de l'espèce, *sans la participation d'aucun canal d'excitation sensible*. Von Holst se fit une représentation concrète de ces processus de production des excitations et parvint ainsi, indépendamment de Lorenz, à l'hypothèse de processus d'accumulation d'énergies spécifiques de réactions.

La découverte du fait que le système nerveux produit spontanément des énergies qui relèvent de certains modes de mouvement parfaitement spécifiques et qui, d'une part, produisent une tendance (appétence) générale à leur déclenchement et d'autre part, abaissent le seuil d'excitation de ce déclenchement, n'a pas seulement une très grande importance physiologique. La psychologie sensualiste associationniste des dernières années du XIXe siècle, qui, par une imitation mal comprise des méthodes des sciences de la nature, avait tenté de construire à partir de l'élément « sensation » une nouvelle conception de la vie psychique humaine, avait également cherché dans le domaine psychique un rapport quantitatif régi par des lois entre la cause et l'effet. Elle ne voulait voir la « cause » que dans l'excitation des sens, et considérait l'utilisation de ces excitations extérieures et le fait de leur apporter une réponse comme la seule activité du système nerveux central; aussi est-il aisé de comprendre qu'elle n'ait eu de succès que là où cette hypothèse de travail très particulière était réellement applicable. C'était surtout le cas dans le domaine de la physiologie des sens, domaine où nous devons à la psychologie associationniste des découvertes fondamentales — je ne citerai ici que la loi de Weber-Fechner. Mais, à partir du moment où la quantité d'excitation extérieure devait être mise en rapport avec la réaction globale de l'organisme, donc à partir du moment où l'on entrait dans le domaine propre de la psychologie, toute tentative pour trouver des liens régis par des lois fut d'abord un échec. L'impossibilité de trouver, dans le domaine du comportement psychique, ce genre de rapports entre la cause et l'effet — considérés à l'époque comme les seuls pensables — entraîna malheureusement l'ensemble des psychologues à se détourner de la problématique des sciences de la nature. Grâce à la découverte des causes *internes* de la disponibilité variable de chaque organisme vis-à-vis de certains modes de réaction, l'étude des rapports quantitatifs entre l'excitation extérieure de déclenchement et la réponse que lui donne l'organisme dans sa totalité est entrée récemment dans un nouveau stade de l'analyse scientifique.

Pour qui ne sait rien de la production endogène des excitations et de leur « contention » en cas de repos assez long du mouvement instinctif considéré, pour qui ne connaît pas la montée rapide du seuil des excitations de déclenchement après plusieurs déclenchements de la suite des mouvements, il paraîtra tout d'abord parfaitement « arbitraire » que, lors d'une expérience, un animal réponde vigoureusement à une certaine situation d'excitation et reste parfaitement indifférent lors de l'expérience suivante. Mais si, comme l'a fait Seitz (1940) pour la première fois lors d'expériences orientées délibérément dans ce sens en étudiant le seuil d'efficacité des excitations de déclenchement, l'on envisage la disponibilité interne de l'animal d'expérience vis-à-vis de chacun des types de stimulations, on obtient une efficacité étonnamment constante des excitations prises isolément. Seitz a utilisé les réactions de combat et d'accouplement chez les poissons osseux, qui, par suite d'un enchaînement très rigoureux des niveaux d'intensité de ces réactions, constituent des sujets très favorables pour des expériences de quantification. Avec des leurres auxquels il pouvait ôter à sa guise certains caractères distinctifs des partenaires de combat et d'accouplement déclenchant normalement la réaction, il analysa quantitativement l'efficacité de ces caractères distinctifs pris isolément. En présentant l'objet adéquat, considéré comme le « miroir actualisant » de l'excitabilité « spécifique à la réaction » on étudie ainsi la disponibilité consécutive à chaque essai. De cette manière, on réussit pour ainsi dire à réduire les intensités de réaction obtenues à une valeur-miroir commune. Il était possible de déclencher la même intensité de réaction avec un leurre à effet puissant, dans le cas d'une disponibilité réduite à la réaction, et avec un leurre extrêmement pauvre en caractères distinctifs, après une assez longue « contention » du mouvement instinctif correspondant. On découvrit alors que *l'efficacité de déclenchement était parfaitement constante pour chaque caractère distinctif pris isolément;* et que l'effet de chaque leurre correspondait parfaitement à la somme des effets des caractères distinctifs qu'il comportait; ce que Seitz a appelé la *règle de la somme des excitations.*

Une autre conséquence analytique, peut-être plus importante

encore, de la découverte de la nature physiologique particulière du mouvement instinctif, fut l'analyse de tous les phénomènes moteurs désignés simplement jusque-là sous le nom de « taxies », ou d' « actions instinctives », d'après leur caractère d'automatismes endogènes ou de réflexes mûs par des excitations. Même la « taxie positive » la plus simple, celle d'un organisme en mouvement vers une excitation, n'est absolument pas un réflexe pur; mais elle est constituée par la libération d'un mouvement de locomotion relevant presque toujours d'automatismes endogènes, alors que seuls les petits mouvements d'orientation vers la droite et la gauche, le haut et le bas, dont l'amplitude est dictée par l'excitation, sont de véritables réflexes. Très souvent, on peut séparer d'une façon parfaitement claire les excitations qui libèrent l'automatisme de celles auxquelles obéit l'orientation tropique de l'ensemble du mouvement. Tinbergen (1938), Lorenz (1938), et Kuenen (1939) ont effectué de telles recherches sur les oiseaux.

Le schéma Craig-Lorenz de l'action instinctive que j'esquisse maintenant : production endogène des excitations — comportement d'appétence — intervention de la situation d'excitation spécifique qui met en mouvement le mécanisme inné de déclenchement — libération de la *consummatory action* (acte consommatoire) — s'est avéré entre-temps trop simpliste, mais, comme il arrive fréquemment, c'est justement ce côté simpliste qui lui a permis de porter des fruits en recherche analytique. Tinbergen et Baerends, ainsi que certains de leurs élèves, ont montré que la situation d'excitation dans laquelle est déclenchée la *consummatory action* n'est entraînée d'une façon immédiate par le comportement primaire d'appétence que dans des cas spéciaux relativement rares. Bien plus, un comportement primaire d'appétence, d'un type plus général, commence par mettre l'animal en situation d'excitation dans laquelle un certain mécanisme de déclenchement active une appétence *plus particulière*. Ainsi, l'épinoche prise d'une « humeur amoureuse » commence par chercher un biotope riche en plantes; il faut que des conditions d'environnement très précises soient remplies pour que le poisson choisisse un territoire, revête la parure nuptiale et entre dans l'état hormonal d'entière disponibilité à la procréation. Le poisson portant désormais la parure nuptiale se trouve alors dans un état plus particulier de disponibilité à l'action, il est « en humeur de parade » et manifeste des appétences nettes à rechercher des congénères. Quant à savoir s'il aura une conduite amoureuse ou guerrière, cela dépend d'une autre situation d'excitation de déclenchement : celle du comportement-réponse par lequel l'autre épinoche réagit à son approche. L'activation de chaque disponibilité à l'action, des « humeurs » (*Stimmungen*) au sens de Heinroth, se produit selon la succession de leurs niveaux d'intégration, du plus élevé au plus bas. Elle commence avec le jaillissement d'une disponibilité très générale à l'action et se situant à un niveau d'intégration élevé; disponibilité qui en contient plusieurs autres plus particulières dont elle constitue la condition préalable. Elle se termine par le déclenchement de l'action finale la plus spécifique, qui n'en contient plus d'autres et constitue un but, à savoir la *consummatory action* de Craig. Cette imbrication de disponibilités à l'action, plus ou moins lâches et plus ou moins étroites, fut qualifiée par Tinbergen et Baerends du terme très adéquat de « hiérarchie des humeurs » (*Hierarchie der Stimmungen*). Entre les instances de commandement appartenant au même niveau d'intégration il existe le plus souvent — mais pas toujours — un rapport d'inhibition réciproque qui peut aller jusqu'à l'exclusion réciproque totale. Ainsi la conduite guerrière et la conduite amoureuse ont, chez les poissons du type labyrinthiforme et les Cichlidés, le même niveau d'intégration; chez tous les deux, « l'humeur de parade » et l'acquisition de la parure nuptiale sont les conditions préalables communes. Il est vrai qu'il arrive à l'occasion que les deux réactions se mélangent; toutefois, le passage de l'une des disponibilités à l'autre exige un intervalle de temps mesurable (paresse de réaction) qui, en général, est d'autant plus grand que le niveau d'intégration des disponibilités d'action correspondantes est plus élevé. Les disponibilités à chaque enchaînement moteur des automatismes endogènes ne voisinent donc pas les unes avec les autres en une mosaïque anarchique, mais forment les membres finaux de chaînes (ordonnées hiérarchiquement et se ramifiant de haut en bas) plus générales et plus particulières d'appétences. C'est seulement dans des cas isolés, dont la situation est particulièrement simple, que le système d'activité d'une espèce animale correspond à une mosaïque d'actions-réactions qui correspondent vraiment au schéma de Lorenz et Craig cité plus haut. Chez les animaux supérieurs, ce système forme presque toujours un ensemble hiérarchique très complexe consistant en inclusions et exclusions réciproques de disponibilités d'action plus ou moins lâches et plus ou moins étroites. Ces divers cycles et épicycles ont des structures très différentes chez les diverses espèces animales, et, surtout, sont en nombre très variable. Toute déduction généralisatrice d'une forme à l'autre conduit à des erreurs. Jusqu'à maintenant, le nombre, le genre et l'activité d'intégration des instances ou « centres » ordonnés hiérarchiquement les uns par rapport aux autres et intégrés les uns aux autres, n'ont été étudiés précisément que chez deux espèces animales, à savoir l'épinoche (*Gasterosteus aculeatus L.*) étudiée par Tinbergen et l'ammophile champêtre (*Ammophila campestris Jur.*) étudiée par Baerends.

Notre conception d'une hiérarchie de centres du système nerveux central, ordonnés les uns par rapport aux autres de haut en bas ou de bas en haut par niveaux, est obtenue exclusivement à partir de l'observation d'organismes intacts. Le concept que nous nous sommes forgé de ces instances ou « centres » a donc une définition d'abord purement fonctionnelle. Cependant on a parfaitement le droit de parler de centres au sens propre du terme, et ceci parce que toutes ces conceptions issues de la recherche comparative sur le comportement coïncident d'une façon fort instructive avec les découvertes de la physiologie nerveuse expérimentale pratiquant la vivisection et sont confirmées par elle. Aussi bien les études de von Hess que celles de von Holst ont révélé des choses essentielles sur la *localisation* des « instances de commandement » (*Kommandierenden Instanzen*) qui activent, chez une espèce les disponibilités d'action plus générales ou plus particulières. Une concordance riche de sens entre ces découvertes et les résultats de la recherche comparative sur le comportement réside avant tout en ceci que les centres trouvés par von Hess qui se situent à un endroit *supérieur* du système nerveux central, à savoir l'hypothalamus, commandent aussi en réalité les disponibilités d'action les plus générales appartenant à un niveau d'activité supérieur, par exemple celles du sommeil, de la nourriture ou du combat; y compris tout le système des appétences partielles et des modes de mouvement subordonnés, qui, chez l'espèce animale étudiée, le chat, appartiennent à ces cycles supérieurs. En revanche, les centres étudiés par von Holst, et localisés au plus bas, c'est-à-dire immédiatement au-dessus des cellules motrices des cornes antérieures de la moelle épinière, n'ont activé chacun qu'une seule suite de mouvements au niveau d'intégration le plus faible; de ce fait, cette suite porte le caractère d'une *consummatory action.* Les faits d'observation trouvés chez les organismes intacts sont, comme nous l'avons dit, parfaitement en accord avec ces résultats; toutefois, ils laissent cependant prévoir qu'entre les centres très élevés et les centres très inférieurs découverts jusqu'à maintenant par la vivisection, on doit pouvoir démontrer l'existence de toute une série de niveaux intermédiaires de centres intégrateurs. L'analyse précise du comportement des organismes intacts peut donner ici des indications d'une très grande valeur en ce qui concerne le *nombre* des centres intermédiaires prévisibles, nombre qui est fixé avec une grande précision chez le *Gasterosteus* et l'*Ammophila.* Barcroft et von Holst ont déjà essayé de préciser l'ordre hiérarchique des centres subordonnés les uns aux autres par une nouvelle méthode de narcose progressive ou d'anesthésie du système nerveux central.

Les succès, brièvement esquissés ici, d'une analyse expérimentale — qui, en particulier par ses possibilités propres de quantification relativement exacte en psychologie, inaugure effectivement un nouveau stade dans la recherche scientifique —, *n'ont été* possibles que par la description et la classification du comportement *animal;* celles-ci, *comparatives* et *phylogénétiques,* ont été exposées plus haut. Le fait qu'on puisse exploiter des types de comportement innés comme des caractères distinctifs taxonomiques rompit d'abord brutalement avec toutes les opinions qui avaient cours jusque-là, en créant une impulsion pour de nouvelles recherches analytiques. Surtout, cette impulsion elle-même apporta réellement un *ordre* dans le matériel des faits déjà décrit; ordre qui contient déjà en lui la distinction entre mouvements dirigés, du type taxie, et automatismes endogènes et qui posa la question de leur particularité physiologique. Il est aisé de comprendre que tous les modes d'activité dans lesquels jouent un grand rôle les mouvements réflexes dirigés par des excitations, donc les taxies au sens actuel le plus étroit du mot, sont, en raison de leur dépendance vis-à-vis des stimulations extérieures souvent très spécifiques, beaucoup moins utilisables d'un point de vue taxonomique que des mouvements automatiques. Pour les taxies, la structure spéciale du mouvement dépend dans chaque cas particulier de la nature et de la direction de l'excitation, alors que l'automatisme produit des types de mouvement parfaitement constants, qui sont exécutés d'une façon caractéristique de l'espèce, même dans le cas où les excitations adéquates manquent totalement. Pour la réaction d'orientation, la norme de réponse est innée, par exemple celle qui consiste à placer le dos vers la source de lumière. Selon les conditions propres à chaque cas, l'animal exécute alors une rotation de quelques secondes d'arc ou de 180 degrés; et la loi de la réaction ne peut se déduire que de l'observation d'un grand nombre de cas isolés. En revanche, dans le cas d'un automatisme endogène, la forme même du mouvement, en tant que caractère distinctif inné de l'espèce, peut être immédiatement décrite et comparée. A vrai dire, la norme de réaction du mouvement d'orientation est tout aussi « conservatrice », au sens actuel étroit du mot, que n'importe quel mouvement instinctif. Mais les taxies au sens plus ancien et plus large du mot, qui se présentent à notre analyse comme des agencements complexes de modalités de mouvement, les uns dirigés par des réflexes et les autres par automatismes endogènes, sont, d'un point de vue phylogénétique, des formations très plastiques, ne serait-ce qu'en raison du grand nombre de leurs éléments; et, pour cette raison, Whitman aussi bien que Heinroth ont évité, avec la fine intuition qui caractérise le systématicien compétent, d'utiliser de tels assemblages de chaînes de mouvements comme caractères distinctifs phylogénétiques. Ainsi, ils avaient déjà établi grosso modo la distinction sur laquelle on pouvait fonder l'analyse causale ultérieure.

4. La phylogénèse particulière des mouvements expressifs

Whitman et Heinroth ont déjà attiré tout particulièrement nos regards sur un certain groupe de mouvements instinctifs, dont nous savons à l'heure actuelle qu'ils sont presque « purement » automatiques, c'est-à-dire qu'ils n'interfèrent pas avec des réactions d'orientation sinon d'une façon très simple et aisément négligeable. Ce sont ces automatismes dont la valeur de conservation de l'espèce tient à l'émission d'excitations auxquelles les congénères répondent selon des lois précises. Ces mouvements instinctifs ont pour autre avantage d'être de simples traits distinctifs, qui, néanmoins, sont caractéristiques et faciles à décrire; ce qui provient tout simplement de leur fonction de « signaux » ou de « supports d'information ». Mais, en troisième lieu, ils possèdent l'avantage, vraiment inestimable en recherche phylogénétique, de permettre l'élimination, avec la plus grande probabilité, d'un facteur de perturbation qui a causé par ailleurs tant de difficultés aux phylogénéticiens; je veux parler du *phénomène de convergence*. Si, par exemple, on constate chez deux formes de canards, par ailleurs peu apparentées, la présence d'un « bec d'oie » avec des lamelles de corne renforcées en incisives, cette similitude peut fort bien provenir du fait que les deux formes, pour des raisons extérieures — par exemple en devenant herbivores — ont parcouru le même chemin d'adaptation, et, indépendamment l'une de l'autre, en sont venues à la même transformation du bec en lamelles; lequel, à l'origine, est certainement commun à tous les anatidés. Si facile qu'il soit d'identifier chez différentes classes d'animaux les cas grossiers d'adaptation convergente — que l'on pense par exemple aux similitudes constructives konstruktiven Ahnlichkeiten) entre les poissons, les ichthyosauriens et les cétacés —, la perturbation provoquée par l'éventualité de leur présence n'en est pas moins perceptible lors d'un examen phylogénétique assez poussé. Vis-à-vis de cette source d'erreurs, la recherche phylogénétique sur les mouvements-signaux ou les « déclencheurs » se trouve dans la même situation agréable que le linguiste : lorsque celui-ci trouve dans deux langues des mots dont la structure est largement identique, il admet sans ambages qu'ils ont la même origine étymologique; et d'ailleurs à bon droit, car il est effectivement fort invraisemblable que, par exemple, l'identité de structure des mots indo-européens *Vater, pater, padre,* père, etc., soit le seul fait du hasard. En ce qui concerne leur *signification,* et donc leur fonction de signal, ils pourraient tout aussi bien avoir une autre figure phonique, ce qui est d'ailleurs le cas pour d'autres langues ne provenant pas de la même langue d'origine. Quelque chose de tout à fait analogue est valable pour les mouvements instinctifs qui développent des fonctions de déclencheurs. Lorsque les mâles de deux espèces différentes de canards se dressent dans l'eau pendant la période des amours, puis plongent leur tête tendue et, le dos courbé, lancent une petite fontaine en l'air par un mouvement latéral du bec en émettant simultanément un sifflement aigu, il est peu vraisemblable que l'identité de cette suite complexe de mouvements, ainsi que la réaction de sollicitation innée chez les femelles correspondantes, soient issues d'une évolution convergente chez les deux espèces. Un autre avantage pour la recherche phylogénétique comparée tient au fait que, visiblement, les mouvements instinctifs de déclenchement sont nés la plupart du temps à une époque géologique récente, et qu'ils sont souvent présents, chez des espèces proches parentes, à des stades de différenciation variés et permettant des comparaisons fructueuses. Tous ces avantages « techniques » des déclencheurs, en tant qu'objets de recherche phylogénétiques, ont pour effet commun de permettre souvent au savant qui effectue des analyses comparatives sur le comportement d'énoncer des résultats phylogénétiques avec une très grande précision; ce qui n'est presque jamais le cas en morphologie comparative. C'est pourquoi nous en savons beaucoup plus sur le devenir phylogénétique des mouvements-signaux que sur celui des autres mouvements instinctifs. Ici aussi, une recherche phylogénétique des homologies a contribué à éclaircir le problème des rapports physiologiques de causalité. Une description comparée des mouvements expressifs chez des formes animales proches parentes avait amené Heinroth (1910), Huxley (1914) et Lorenz (1935) il y a déjà un certain temps, à l'idée que certains mouvements-signaux sont issus très certainement d'autres mouvements instinctifs, dont l'intérêt du point de vue de la conservation de l'espèce était à l'origine purement mécanique et ne tenait absolument pas à leur qualité « d'agent d'information ». Au cas où l'intensité de la réaction est minime tous les mouvements instinctifs ont la particularité d'être décelables grâce aux déroulements incomplets qui ne donnent alors pas son sens conservatoire de l'espèce à l'enchaînement des mouvements en question. Ces ébauches de certains modes de comportement par elles-mêmes dénuées de sens et auxquelles on donne le nom de mouvements d'intention, peuvent indiquer à l'observateur dans quelle direction il doit attendre les actions de l'animal si l'on augmente ce même type d'excitation. Leur apparition régulière selon des lois entraînait évidemment la possibilité qu'au cours de l'évolution phylogénétique pût se former également chez le congénère une réaction, signifiante et parfaitement innée, intéressant ces expressions porteuses d'une excitation aux qualités spécifiques; dans de nombreux cas, cette réaction consiste en la sollicitation du même type d'excitation. Nous connaissons aussi, par ailleurs, de telles corrélations réceptives à des associations hautement spécialisées d'excitations extérieures, et nous les désignons par le terme de « *mécanismes innés de déclenchement* ». Or, de même qu'avec la présence d'un mouvement instinctif de déclenchement, et d'un appareil récepteur le sollicitant d'une façon spécifique, était donné un appareillage fonctionnel de signalisation, de même le « mouvement intentionnel », de sous-produit neurophysiologique dénué de sens qu'il était, devint un « agent d'information » dont la valeur conservatoire de l'espèce est solidement affirmée chez les êtres sociaux. Ainsi donc est visiblement apparue partout une *différenciation plus élevée* du mouvement émetteur d'excitation, côte à côte avec celle du « schéma » inné qui la perçoit. Nous possédons justement pour ce processus un très grand nombre de références sûres. Dans tous les cas, la nouvelle fonction du type de mouvement a entraîné une plus grande différenciation, dans une direction bien précise, et son sens est avant tout le suivant : le mouvement a été rendu plus efficace, dans son rôle de signal, par certaines *exagérations* de parties ayant une action optique, et il a été simplifié par l'abandon de détails qui, certes, furent essentiels en raison de leur fonction mécanique originelle, mais qui étaient d'une faible importance quant à l'émission d'excitations. Dans de très nombreux cas, il s'y ajoute des différenciations matérielles de structure, dans la forme et la couleur, qui augmentent encore l'effet optique. L'association de la simplification et de cette exagération mimique, concernant les caractères distinctifs particuliers à action optique, équivaut parfaitement, d'un point de vue fonctionnel, à la formation de véritables *symboles*. C'est pourquoi nous désignons sous le nom de *mouvements-symboles* les mouvements instinctifs de déclenchement issus des mouvements d'intention selon le processus que nous avons décrit. Sans une recherche d'homologies procédant selon la méthode de l'anatomie comparée classique, les mouvements-symboles sont tout simplement incompréhensibles. Très souvent, en effet, ils se sont éloignés de la forme du mouvement initial à un point tel que, sans une comparaison avec des formes apparentées, personne ne pourrait soupçonner leur origine. Par ailleurs, on réussit (pour les motifs exposés p. 195 sq.) à trouver leur filiation phylogénétique avec une marge d'erreur particulièrement réduite.

L'étude phylogénétique comparative des mouvements d'expression a mis à jour, en outre, un second mode de constitution des mouvements signaux parfaitement indépendant de la formation des symboles et différent d'elle quant aux causes. Tinbergen (1940) et Kortland (1938) ont reconnu séparément l'un de l'autre que, dans le cas d'une forte excitation générale, il intervient fréquemment des modes de mouvement parfaitement inattendus auxquels correspond, certes, une activité conservatoire de l'espèce aux contours nets, mais qui ne s'accordent pas du tout à la situation biologique actuelle. Il se produit pour ainsi dire la *projection* d'une excitation non spécifique (ou, plus exactement, dont la spécificité est *autre*) à l'intérieur de la voie suivie par le mouvement instinctif qui, normalement, est en rapport avec un type d'excitation très précis et bien spécifique de la réaction, et n'est activé d'une façon « autochtone » que par elle. Ce phénomène de la projection d'une excitation « allochtone » est très largement répandu. Un bruant de neige mâle, qui se trouve en désaccord avec son voisin sur des questions de terrain de chasse et n'ose pas vraiment en venir à des voies de fait, se met soudain à picorer le sol comme s'il cherchait de la nourriture. Dans la même situation, un jars gris se secoue. L'épinoche qui menace exécute des mouvements semblables à ceux qu'il fait pour manger. Les pigeons, les canards et d'autres oiseaux se nettoient lorsqu'ils sont en état d'excitation sexuelle. Lorsqu'on refuse la récompense habituelle à un chimpanzé ayant accompli son travail de dressage, il se gratte sur tout le corps. Immédiatement avant l'accouplement, l'avocette devient d'une humeur belliqueuse, et même présente un type de mouvement apparemment tout à fait hors de propos : elle enfonce son bec sous les plumes de l'épaule, comme pour dormir! Dans tous ces cas, l'excitation spécifique étrangère s'introduit par une projection dans des voies bien précises et qui ne relèvent pas d'elle. Or, Tinbergen a essayé d'analyser les conditions dans lesquelles ces mouvements projectifs ont lieu. Dans de très nombreux cas, mais non dans tous les cas, il y a conflit entre deux instincts plus ou moins antagonistes, par exemple, chez le bruant de neige, l'oie, et l'épinoche, conflit entre l'instinct de combat et l'instinct de fuite. De même, chez l'homme, le grattement de tête, intervenant comme une projection se produit dans des situations de conflit. Mais des projections se produisent exactement de la même façon quand la situation excitatrice du déclenchement est donnée pour un mouvement instinctif spécifique précis mais seulement lorsque ce dernier est lui-même paralysé pour des raisons quelconques. Si l'on fatigue, chez une oie grise, les mouvements instinctifs de roulement des œufs à l'intérieur du nid jusqu'à abaisser à un niveau très bas le « miroir actualisant de l'énergie spécifique de la réaction », alors apparaissent les mouvements instinctifs de construction du nid à la place des mouvements intéressant le roulage des œufs dans la situation d'excitation adéquate. De même, lorsqu'un animal atteint avec une rapidité inattendue un but instinctif, de telle sorte qu'il lui reste encore de l'énergie après la « satisfaction » obtenue par l'activité spécifique de réaction, l'excitation intervient par une projection dans des voies inadéquates; par exemple, les oiseaux et de nombreux poissons osseux passent « à l'improviste » sur la voie des réactions de procréation lorsqu'au milieu du combat l'adversaire fuit brusquement ou est enlevé par l'expérimentateur. Tous ces cas ont un trait commun : il reste de l'énergie d'excitation inutilisée qui doit visiblement être employée d'une manière quelconque. Une autre manifestation commune à de très nombreuses activités de projection consiste, chez des animaux très divers, dans le fait que l'énergie spécifique « étrangère » se déverse presque toujours dans les voies d'activité des automatismes endogènes; de plus, parmi ces derniers, il s'agit le plus souvent de ceux qui sont très généralement *fréquents,* comme par exemple les mouvements pour se nettoyer, se gratter et manger. Des mouvements purement réflexes semblent ne *jamais* être suscités par la projection d'une excitation spécifique étrangère; même pour les modes de mouvements dans lesquels les automatismes endogènes et les réactions réflexes d'orientation forment normalement un tout signifiant, les *réactions réflexes d'orientation* manquent lorsque le mouvement est mis en marche par une excitation allochtone. Ainsi, l'épinoche en train de manger normalement sur le fond, fixe des deux yeux la proie qu'elle s'apprête à gober; mais lorsque, menaçante, elle « mange par projection », elle fixe l'ennemi d'un seul œil. Le comportement est le même chez le coq de basse-cour qui picore lorsqu'il est menaçant : chez lui aussi, on peut voir immédiatement que les mouvements de picorement par projection n'ont aucun but. Donc, la projection ne déclenche pas l'ensemble du système signifiant et conservatoire de l'espèce que forment les mouvements orientés et automatiques, mais seulement la partie constituée par les automatismes endogènes.

D'une façon analogue à celle que nous avons décrite p. 197 pour les mouvements intentionnels, le mouvement de projection, qui, comme tout mouvement primaire, est un sous-produit parfaitement dénué de sens, « atélique », des activités spéciales du système nerveux central —, peut susciter la naissance de déclencheurs à effet optique. Comme dans le cas des mouvements-symboles activés d'une façon « autochtone », on aboutit ici à une exagération et une simplification de l'activité qui lui donnent une valeur « rituelle » assez poussée, et, comme dans le cas de ces mouvements, on ne peut les redécouvrir à partir des activités instinctives mises originellement en branle par projection — que grâce à une recherche d'homologie comparée. Une telle étude manifeste à l'évidence des parallèles vraiment étonnants avec la linguistique comparée, tant sur le plan du contenu que sur celui de la méthode. La forme particulière du mouvement instinctif de déclenchement reste fréquemment, au cours du développement phylogénétique, beaucoup plus constante que les schémas innés qui les sollicitent, de telle sorte que la recherche historique comparée peut découvrir avec certitude un changement de signification d'un mouvement signal. Ainsi, le battement de queue, chez de nombreux poissons, est une action symbolique fortement formalisée, dont la signification, la menace, est immédiatement claire et qui peut être reconnue avec certitude, en comparant un très grand nombre de formes apparentées, comme étant une exagération mimique du mouvement latéral particulier grâce auquel les poissons s'approchent de leur but avant de le toucher, qu'il s'agisse d'une proie ou d'un adversaire. Chez les cichlidés des deux sexes surveillant le frai, ce mouvement de menace, — par le détour d'une parade réciproque des époux —, s'est transformé en mouvement nuptial, et plus particulièrement en cérémonie de la délivrance. Chez *Hemichromis bimaculatus,* il est devenu, par de petites différences de modalités discernables toutefois pour un observateur humain un mouvement expressif fondamentalement distinct, voire contraire dans sa signification, de celui du coup de queue menaçant qui était à son origine, et qui continue à exister tel quel avec sa propre signification. Pour le linguiste, il est très fréquent de rencontrer des clivages semblables dans l'histoire de l'évolution des mots; l'analogie fonctionnelle qui existe, justement dans cette évolution historique, entre les mouvements déclencheurs hérités dans leur totalité, et l'ensemble des mots du langage humain transmis par la tradition, continue à être stupéfiante, en dépit des différences fondamentales dans la genèse et la production causale de ces deux moyens de communication sociale. En particulier, les divergences très réduites qu'on découvre dans la signification des modes de mouvement homologues chez des formes apparentées de très près, rappelle d'une façon vraiment contraignante les divergences réduites existant entre les concepts qui, dans des langues étroitement apparentées, sont liés à un mot identique, qui, toutefois, n'est presque jamais absolument synonyme. Ainsi, chez le *Nannacara,* le *Geophagus* et un certain nombre d'autres Cichlidés, un bref mouvement latéral de la tête, qui, à l'origine, est né pour symboliser une fuite dont la nage est exagérée de façon mimique, n'a d'autre signification que celle d'un mouvement destiné à attirer doucement les petits réunis autour des parents, mouvement exécuté d'une manière presque continue; par analogie avec le mouvement exécuté par la poule domestique dans le même but, nous le nommons « gloussement ». Le *Cichlasoma biocellatum* exécute cet acte qui, même dans sa forme originelle, s'amplifie et tout comme le gloussement de la poule, d'une façon notable en cas de danger, — c'est-à-dire à peu près uniquement en cas d'alarme. Chez *Cichlasoma nigrofascium,* le cichlidé zébré du Honduras, ce mouvement possède, lorsqu'il est exécuté avec une plus grande intensité, une véritable valeur de signal avertisseur et invite la troupe des petits à se regrouper sous la mère pour chercher une protection, comme des oisons qui ont entendu un signal du même type. Chez *Neetroplus carpintis,* le mouvement de la tête est considérablement exagéré et ne présente plus que la valeur d'avertissement, telle que nous venons de la décrire; mais celle-ci est très renforcée, alors que la signification plus primitive d'appel a disparu.

Les exemples peuvent être multipliés presque à volonté; ceux que nous avons introduits devraient suffire à montrer l'importance irremplaçable que la problématique phylogénétique possède pour la compréhension des modes de comportement innés. Par ailleurs, ces exemples révèlent la valeur que l'analyse des mouvements d'expression peut présenter pour une étude des rapports phylogénétiques, à condition qu'on ait une méthode de recherche exacte. Dans une perspective plus large, l'étude comparative des signaux — issus de mouvements-symboles et de la projection d'actes spécifiques différents — est une tâche de la plus grande importance théorique et pratique, car, pour l'instant, elle offre la seule possibilité que nous ayons d'apporter avec quelque exactitude des éclaircissements sur l'évolution phylogénétique du comportement inné, *et, par là, sur les phénomènes psychiques tout court.* Elle exige de la part du chercheur exactement la même patience et la même disposition (empreinte de la plus grande modestie) à s'attacher à des détails apparemment sans importance, qu'exigea en son temps la systématique comparée s'appuyant sur l'analyse des formes, et vis-à-vis de laquelle nous n'avons actuellement que trop tendance à l'ingratitude. C'est de cette façon, et de cette façon seulement, que nous pouvons acquérir la connaissance des faits dont nous avons besoin comme base d'induction pour n'importe quel travail analytique ultérieur. Nous avons entrepris ce travail sur deux groupes d'animaux qui, pour des raisons purement techniques —, telles que leur entretien facile et leur élevage aisé, le grand nombre d'espèces étroitement apparentées et faciles à comparer, la richesse de ces espèces en modes de mouvement comparables, etc. —, constituent des sujets particulièrement favorables pour une recherche comparative sur le comportement; il s'agit des Anatidés chez les oiseaux, et des Cichlidés chez les poissons osseux. D'après ce que nous avons dit en introduction, sur le rapport de dépendance réciproque entre recherche sur le comportement et systématique phylogénétique, il est évident que ces études, purement psychologiques en ce qui concerne *le but qu'elles poursuivent,* doivent fournir en même temps une systématique fine des groupes d'animaux étudiés, en quelque sorte comme un sous-produit. Dans mon travail intitulé *Etudes comparatives de mouvements sur les anatidés* (1941), qui expose les résultats acquis pour l'instant, j'ai consacré une place particulièrement importante à cette systématique fine. Quant au travail sur les Cichlidés, il est pour l'instant en cours.

5. La génétique des modes de comportement innés

Le problème des facteurs de transformation de l'espèce a déjà été posé dans le domaine de la morphologie avec un succès tel que l'on est facilement amené à envisager son transfert dans le domaine de la recherche sur le comportement. Tout particulièrement à l'heure actuelle, où une psychologie dominée par l'idée d'hérédité tend à gagner de plus en plus d'importance, il est nécessaire de savoir avec plus de précision de quelle façon peuvent intervenir des modifications héréditaires de structures mentales et quelles en sont les causes. Pour exécuter un tel programme de recherches, il faudrait commencer par satisfaire à la condition préalable que représente la connaissance des mécanismes de transmission héréditaire des modes de comportement innés. Whitman a déjà réalisé des expériences de croisement avec ses pigeons. Heinroth, sur des sujets obtenus par métissage d'anatidés, a fait l'importante constatation suivante : le plus souvent, le métis n'occupe pas quant à son comportement, une situation moyenne entre les espèces de ses parents, au contraire, il correspond à un type plus ancien, réalisé chez d'autres membres du groupe eux-mêmes plus anciens; ce fait était déjà connu auparavant pour les caractères distinctifs morphologiques, et il permet d'en tirer certaines déductions quant à la façon dont les phénomènes en question sont transmis héréditairement.

Malheureusement, l'étude génétique du comportement inné caractéristique de l'espèce est, à l'heure actuelle, encore si peu avancée qu'il n'est pas un seul caractère distinctif de comportement inné descriptible pour lequel nous puissions donner des indications sur les facteurs génétiques dont dépend sa formation. Notre hypothèse, d'après laquelle la transmission héréditaire des modes de comportement a lieu exactement de la même façon que celle des caractères distinctifs physiques, n'est fondée pour l'instant que sur des observations dont le nombre restreint ne garantit pas statistiquement contre le hasard. C'est pourquoi le programme de travail de la recherche génétique sur le comportement contient pour l'instant des tâches très élémentaires. Il faut commencer par élever des sujets métissés, d'espèces ou de races animales apparentées de manière suffisamment étroite, pour produire des hybrides féconds sans limitation; mais il faut en même temps que les derniers se distinguent suffisamment l'un de l'autre, dans l'inventaire du mode de comportement inné qui leur est propre, pour qu'on puisse retrouver la façon dont chaque caractère distinctif isolé est transmis héréditairement. Naturellement, il serait idéal de posséder des « races d'instinct » qui ne se distingueraient que par un seul trait ou par un très petit nombre de traits; malheureusement, un tel objet, susceptible d'être en même temps facilement maintenu et facilement élevé, n'est pas connu de nous jusqu'à ce jour. La meilleure possibilité que je connaisse en matière de recherche génétique sur le comportement m'a semblé l'élevage — pratiqué pour cette raison par moi-même depuis de nombreuses années — de sujets obtenus par métissage entre le canard col-vert et le canard pilet, dont les parents ne se distinguent que très peu dans l'inventaire des mouvements instinctifs d'accouplement, mais d'une façon malgré tout caractéristique. Il y a deux variétés de canards pilets, le canard des Bahamas (*Anas (poecilonetta) bahamensis*) et le canard pilet du Chili (*Anas (dafila) spinicauda*), qui, d'un point de vue zoologique, sont très proches l'une de l'autre, donnent des métis féconds et pourtant se distinguent très nettement dans leur comportement lors de l'accouplement. Notre intention est d'étudier sur ces deux variétés la façon dont certains mouvements instinctifs sont transmis héréditairement.

6. Les conditions préalables à l'apparition de l'homme

L'immense fossé qui sépare l'homme des Primates supérieurs, des Pongides, — fossé que l'homme a bien été obligé de franchir à un moment donné de sa phylogénèse, ou, comme Heberer (1952) a coutume de le nommer, champ de passage entre l'homme et l'animal —, constitue l'un des problèmes centraux de la recherche sur l'évolution. Les penseurs les plus différents se sont occupés de ce problème, et un certain nombre d'entre eux ont cru avoir découvert la nature du changement qualitatif qui permet de passer de l'animal à l'homme. Wihelm Wundt considérait que l'étape la plus importante séparant l'animal et l'homme était le passage d'une action purement associative — qu'il ne reconnaissait qu'aux animaux — au comportement intelligent (*intelligent*) et capable de discernement (*einsichtig*). Arnold Gehlen (1950) considère que la qualité la plus essentielle de l'homme réside dans l'absence d'adaptation à un environnement précis, ce qui lui permet d'être « ouvert au monde entier » et de se bâtir activement son univers. D'autre part, Bolk (1926) a considéré que la « fœtalisation » de l'homme, ou, en d'autres termes, certains phénomènes de néoténie qui lui sont propres, ainsi que le ralentissement de son ontogénèse, formaient les caractères les plus constitutifs de l'homme.

Il est de fait que tous ces caractères sont des qualités de l'homme qui définissent sa nature propre, mais aucun d'entre eux pris isolément n'est spécifique de l'homme, et même, pris ensemble ces caractères ne le sont pas davantage. Mon propos n'est pas ici d'essayer de donner une « explication » de l'apparition de l'homme, pas plus que de chercher à trouver une « définition ». Bien au contraire, je veux, en partant du comportement animal, reprendre la question de Johann Gottfried Herder : « Que manque-t-il à celui des animaux qui se rapproche le plus de l'homme (c'est-à-dire le singe) et expliquant qu'il ne soit pas devenu un homme? » En d'autres termes, je ne veux discuter ici qu'une série de *conditions* qui sont nécessaires toutes ensemble pour rendre simplement *possible* le grand saut. Voici quelles sont ces conditions.

1. La représentation centrale de l'espace et la main préhensile

Avant de tenter de répondre à la question de Herder, qu'il nous soit permis d'en poser une autre : qu'est-ce que l'animal le plus semblable à l'homme, le pongide, *possède* qui a permis à l'homme de se dégager précisément de *lui*? La réponse à cette question va tout à fait dans le sens de Wundt : il s'agit d'une certaine forme de comportement *intelligent (einsichtig)* qui n'appartient ni n'a jamais appartenu à aucun autre animal avec le même degré de développement. Mais sur la naissance phylogénétique de ce comportement, nous pouvons nous faire certaines idées. Notre intention dans ce chapitre est de présenter ces idées.

La définition courante de l'intelligence se contente de donner des déterminations négatives. Un mode de comportement est intelligent ou manifeste du discernement s'il satisfait aux conditions suivantes : premièrement, il ne doit pas être conditionné par des mouvements instinctifs spéciaux correspondant à une situation donnée; deuxièmement, il doit dominer la situation aussitôt qu'elle a été perçue, sans essai ni erreur, ni aucun autre processus d'apprentissage. On serait alors tenté d'ajouter à cette définition exclusive un appendice qui, sur la base de *réactions d'orientation* innées ou de taxies, ne ferait plus dépendre la solution du problème de la notion de comportement intelligent. Ceci s'avère impossible, ce qui, à première vue, paraît très étonnant; mais un examen plus approfondi nous révèle que cette constatation a une signification très importante.

Prenons l'exemple très simple du comportement d'un poisson osseux supérieur qui perçoit une proie derrière une plante aquatique, à travers laquelle il peut voir, mais qui l'empêche de passer. Dans ce cas, le poisson contourne l'obstacle et happe la proie. On peut sans aucun doute comprendre ce fait en faisant intervenir le jeu simultané de deux réactions d'orientation qui, en tant que telles, sont propres au poisson d'une façon innée. Il réagit par une réaction « tigmotactique négative » à la plante et par une réaction « télotactique positive » à la proie; son comportement est la résultante de ces deux composantes aussi exactement que, par exemple, le chemin suivi par un corps lancé est la résultante de la force d'inertie et de la pesanteur. Mais — et là est le point capital — à partir de cette simple résultante de deux taxies, on trouve toutes les étapes intermédiaires imaginables, jusqu'à des modes de comportement qui sont considérés d'une façon univoque et par tous comme des comportements intelligents. Entre le détour du poisson et la « méthode » (du grec μέθονος, signifiant « détour ») intelligente des êtres vivants les plus évolués, il n'y a pas de frontière nette, mais une zone de passage parfaitement fluide. Mais si l'on essaie d'utiliser d'une façon introspective *l'expérience vécue* de l'intelligence, que Karl Bühler a si justement nommée « l'expérience du oh! », pour définir l'intelligence, il est caractéristique qu'on ne puisse tirer aucune frontière nette entre elle et les réactions d'orientation les plus simples. Il est facile de montrer que cette expérience intervient d'une façon qui, qualitativement, est toujours la même, chaque fois qu'un état de non-orientation *cède le pas* à un état d'orientation. Cela est vrai aussi bien des réactions de posture les plus simples, dirigées certainement sans intermédiaires par le labyrinthe, que des activités scientifiques intelligentes les plus complexes.

Si l'on compare — et d'abord d'une façon naïve — divers animaux en ce qui concerne leur « intelligence », on constate une fois de plus l'existence d'un rapport étonnamment étroit entre celle-ci et la formation de réactions d'orientation. Les organismes qui vivent dans des espaces peu structurés ont besoin d'un comportement d'orientation beaucoup moins précis et différencié que ceux qui doivent affronter à chaque pas des données spatiales complexes. Le plus homogène de tous les espaces vitaux est la haute mer, et, dans celle-ci, des êtres vivants se déplacent librement qui sont *totalement* dépourvus de réactions d'orientation véritables. La méduse, *Rhizostoma pulmo,* par exemple, ne possède pas la moindre réaction d'orientation dans l'espace vis-à-vis d'excitations extérieures, qu'il s'agisse de la proie qu'elle retient en filtrant l'eau de la mer (relativement homogène en ce qui concerne son contenu en petits animaux constituant la nourriture de la méduse), ou de la pesanteur (étant donné que la répartition du poids entre l'ombrelle et le manubrium stomacal maintient d'une façon automatique l'animal en équilibre). La seule réponse de cette méduse à une excitation consiste en ceci qu'une contraction de l'ombrelle déclenche la contraction suivante au moyen de certains récepteurs nommés rhopalies. « Elle ne perçoit rien d'autre que le battement de sa propre cloche », comme l'a dit Jacob von Uexküll d'une façon aussi juste que poétique, et la méduse est ainsi le plus « bête » de tous les animaux pluricellulaires capables de mouvements libres que nous connaissions.

Mais même des animaux de haute mer bien plus élaborés sont souvent étonnamment pauvres en réactions d'orientation. Sur la côte adriatique, j'ai vu un jour des milliers de jeunes poissons, une sorte d'Orphée (*Belone,* une variété adaptée à la vie de haute mer) —, nager tout simplement vers la rive. Ils arrivaient en nageant séparément, mais exactement parallèles les uns aux autres, visiblement guidés par une réaction commune à une excitation d'orientation; lumière, chaleur, salinité ou autre chose. Les animaux éloignés de quelques mètres encore des rochers de la rive étaient parfaitement sains, ceux qui se trouvaient dans la zone du ressac combattaient avec la mort, et, sur la rive, il y avait un petit mur de cadavres. Cette expérience inoubliable m'a fait prendre conscience du fait que les *organes des sens* ne sont pas les seuls éléments décisifs pour déterminer les données du monde environnant qu'un animal est capable de se « représenter » dans sa vie intérieure. Les organes des sens, en effet, sont aussi hautement différenciés chez le *Belone* que chez n'importe quel poisson d'eau douce apte non seulement à « comprendre » ce qu'est un obstacle vertical en tant que tel, mais aussi à résoudre, même du premier coup, des problèmes d'environnement simples. Le *Belone,* comme d'ailleurs tous les poissons qui chassent en utilisant les yeux, est lui aussi capable de localiser très exactement la *proie* par une activité binoculaire « télotactique », mais il n'est pas capable, comme nous venons de le voir, de localiser un mur rocheux qui se dresse en travers de sa route.

Chez les *animaux des steppes,* on décèle des capacités de représentation centrale dont la spécialisation est tout aussi étroite. Dans une certaine mesure, la steppe est en deux dimensions ce que la haute mer est en trois dimensions. Même chez les oiseaux et les mammifères qui habitent les steppes, il s'en trouve qui ne comprennent pas ce qu'est un obstacle perpendiculaire et qui sont incapables de le maîtriser, même par apprentissage. Par exemple, les perdrix courent pendant des heures de-ci de-là le long du mur le plus éclairé lorsqu'elles se trouvent dans des espaces fermés — donc, dans une pièce, c'est toujours le long du mur opposé à la fenêtre — et, ce faisant, elles ne cessent d'en approcher de telle sorte que, bientôt, leurs plumes du cou et du thorax, et souvent même la couche cornée du bec supérieur sont usées par le frottement. Si, comme je l'ai fait pour des animaux nouveau-nés, on isole une partie de la pièce par la planche haute d'un empan, les oiseaux n'apprennent jamais à surmonter cet obstacle en volant, même lorsqu'ils sont passés plusieurs fois en volant par-dessus la planche à un moment où ils avaient envie de voler. Si je montrais par en haut à mes oiseaux bien apprivoisés, un ver de farine situé sur un rebord de fenêtre qui ne faisait pas saillie mais qui se minait sans décrochement avec le mur, ils allaient aussitôt sur ce rebord en volant. Mais ils étaient incapables de maîtriser le même problème lorsqu'il s'agissait d'une table au lieu d'un rebord de fenêtre, car ils se retrouvaient régulièrement *sous* la table et ne savaient plus que faire alors. Ils étaient donc parfaitement capables de se diriger *vers le haut*; ce dont ils étaient incapables, c'était de prendre en considération un obstacle solide situé perpendiculairement à leur direction d'intention. Mais les mêmes oiseaux avaient un comportement totalement différent dès qu'ils cessaient de courir pour voler. Malgré la vitesse et la fougue de leur vol, ils ne se fracassaient jamais contre les murs. La perdrix *qui court* n'est pas apte à prendre en considération des obstacles perpendiculaires, mais la perdrix qui *vole* en est capable : d'ailleurs, il est nécessaire qu'elle en soit capable, car, dans son vol, elle doit être en mesure d'analyser correctement des lisières de forêts, des murs de loess verticaux, etc. Il est vraiment remarquable que, lorsqu'il se trouve au sol, l'animal ne dispose visiblement pas de la représentation centrale de l'espace qui lui est nécessaire pour voler. D'ailleurs, nous connaissons de nombreux exemples de comportements intelligents liés à des situations bien définies.

Si l'on compare au comportement de la perdrix celui d'une forme étroitement apparentée, mais qui vit dans la forêt, comme par exemple la caille huppée de Californie, on est très surpris de voir les structures spatiales extrêmement complexes qu'un tel oiseau est capable de dominer sur-le-champ par un comportement intelligent, bien que, ni dans ses organes sensoriels ni dans son système nerveux central, on ne puisse trouver de différence anatomique notable avec l'animal des steppes. La même chose est valable pour une comparaison entre les antilopes vivant dans des steppes et la forme proche parente qui vit dans les montagnes, le chamois.

Si maintenant nous nous demandons quels sont les animaux qui, dans leur vie quotidienne, sont contraints de maîtriser les structures spatiales les plus complexes, la réponse est parfaitement claire : ce sont les *habitants des arbres,* et, parmi ceux-ci, plus spécialement ceux qui ne grimpent pas avec des griffes ou des ventouses, mais en saisissant la branche avec des « mains qui prennent » à la façon d'une tenaille. Pour les grimpeurs à griffes et à ventouses il suffit seulement de localiser d'après sa direction l'objet vers lequel il saute. Lorsqu'il le rejoindra, il y aura certainement au moins l'un de ses organes de préhension qui trouvera une prise. Ainsi, nous voyons les grenouilles rainettes, et, — pour des sauts plus longs, les écureuils et les loirs eux-mêmes, se lancer d'une façon très approximative dans la direction de l'arbre qu'ils veulent atteindre, sans pourtant jamais tomber. Les choses sont entièrement différentes en ce qui concerne la « main préhensile ». Là, il faut que, non seulement la direction, mais encore l'éloignement et plus précisément la position exacte dans laquelle se trouve le but du saut, son épaisseur, etc., soient représentés avec une exactitude parfaite dans le système nerveux central de l'animal, *avant* le saut. Car la « main préhensile » doit se refermer dans une situation spatiale bien définie et exactement au moment qui convient; elle ne peut saisir ni quand elle est ouverte ni lorsqu'elle est refermée le poing serré.

C'est d'ailleurs sur les mammifères qui grimpent aux arbres que j'ai découvert pour la première fois l'existence d'une corrélation très solide entre la nature physiologique de la perception optique de l'espace et la « représentation » centrale des données spatiales. Parmi les Marsupiaux, mais aussi parmi les Placentaires, tous les grimpeurs à main préhensile, mais surtout tous ceux qui sautent loin et qui saisissent ensuite le but avec la main, ont *des yeux dirigés vers l'avant;* le fait est universellement connu pour les singes et les lémuriens. En revanche, les grimpeurs munis de griffes ont des yeux situés sur le côté, très en arrière et proéminents, qui, comme c'est par exemple le cas chez l'écureuil, ne se distinguent en rien de ceux d'animaux apparentés vivant au sol. Sans aucun doute, ceci tient à ce que les sauteurs à main préhensile *fixent leur but par une vision binoculaire,* alors que la perception stéréoscopique de la profondeur suffit pour localiser la situation spatiale du but avec une exactitude suffisante.

Mais cette corrélation, entre une assez grande précision dans la saisie de l'espace et le fait de fixer les objets du monde environnant, remonte beaucoup plus loin dans la série phylogénétique que la vision binoculaire de l'espace. Déjà, chez les poissons, nous trouvons une frontière très nettement tracée entre ceux qui s'orientent simplement par une vision périphérique et par le mouvement parallactique apparent des objets du monde environnant et ceux qui, en fixant continuellement toutes les directions, tâtent en quelque sorte l'espace; et, parmi ces poissons, toutes choses étant égales par ailleurs, les premiers sont des animaux d'eau libre, tandis que les derniers sont des animaux sachant se débrouiller dans des structures spatiales complexes. Par exemple, une ablette ou un orte, qui s'orientent seulement selon la première méthode, réagissent aux obstacles essentiellement lorsqu'ils sont en mouvement. Si le poisson s'est arrêté par hasard tout à côté d'une plante aquatique, lorsqu'il reprend son mouvement, il commence par nager directement vers la plante, et n'adopte une autre direction que lorsqu'il se déplace à nouveau et que l'obstacle, par son mouvement apparent, lui indique sa situation spatiale. Les choses sont absolument différentes chez une épinoche, une perche soleil ou un labre. Un tel animal passe, avec la vitesse de l'éclair, comme un boulet entre des pierres ou des plantes; il reste par à-coups parfaitement immobile dans l'eau, dirige avec vivacité ses yeux dans toutes les directions en fixant les objets; puis il repart avec la même soudaineté et la même rapidité, contournant des obstacles complexes avec la plus grande sûreté de direction et disparaît dans des fentes étroites. Ce comportement, et même simplement la mobilité du regard face à l'objet considéré donnent à l'observateur naïf l'impression d'une intelligence bien plus développée que celle que donne « l'œil de poisson » fixe des individus à orientation patiale parallactique.

Dans la classe des poissons, on trouve donc déjà des rapports entre la position des yeux et l'orientation spatiale, analogues à ceux que nous avons découverts plus haut chez les mammifères. Les poissons qui vivent au fond de la mer et qui possèdent une vessie natatoire réduite, cherchent leur chemin au milieu de l'enchevêtrement des blocs rocheux et doivent véritablement « ramper ». Ils ont toujours des fronts étroits, qui laissent la possibilité de faire converger le regard vers l'avant; c'est, par exemple, le cas des Blenniidés, d'un grand nombre de Gobiidés et de certains autres poissons. Tout particulièrement chez les Gobiidés, parmi lesquels il y a des formes nageant librement, avec une vessie natatoire qui fonctionne, on peut retrouver d'une façon parfaitement convaincante la corrélation entre position des yeux et nécessité de ramper. Le « record », aussi bien pour l'orientation dans l'espace que pour la position des yeux, la directivité du regard et l'intelligence spatiale, est détenu par un poisson des « eaux de surface », le *Pericophtalmus,* appartenant à l'espèce des Gobiidés, qui rampe entre les racines des forêts aquatiques : il fixe littéralement l'objet comme un singe regarde le rameau sur lequel il veut sauter. Mais le plus bel exemple de cette corrélation dont nous parlons nous est fourni par l'hippocampe, dont la forme de la tête et la position des yeux sont universellement connues. Il est le seul poisson à posséder un véritable organe de préhension, avec sa queue capable de s'enrouler, et c'est un charmant spectacle de voir ce petit animal fixer, d'une façon binoculaire en s'en approchant, le rameau de corail qu'il veut relever pour se « mettre à l'ancre » sur lui.

Déjà chez l'épinoche et chez d'autres poissons, nous avons l'impression d'intelligence lorsque l'orientation précède dans le temps le mouvement comme une sorte de prévision, de telle sorte que le déplacement apparaît comme une solution *déjà prête* à un problème spatial. A un niveau beaucoup plus élevé, nous rencontrons chez les plus intelligents des mammifères un processus analogue, au moins du point de vue fonctionnel, qui ne concerne pas seulement un acte de locomotion simple et unique, mais qui anticipe toute une série de mouvements complexes orientés vers une fin. Le haut niveau d'élaboration de la représentation centrale des objets de l'environnement propre, dans toutes leurs structures spatiales et leurs rapports mutuels, permet à ces mammifères peu nombreux de résoudre des problèmes spatiaux non seulement par le déplacement de leur propre corps, mais aussi par le déplacement d'objets du monde environnant. Nous ne sommes pas étonnés d'apprendre alors que les animaux qui en sont capables grimpent tous aux arbres, que les plus doués d'entre eux sont les singes, et que la seule bête de proie chez laquelle on ait pu établir l'existence de faits analogues est le raton laveur, c'est-à-dire un animal qui possède une habileté proprement digne d'un singe dans l'usage de ses « mains préhensiles. » La faculté, observée pour la première fois par Wolfgang Köhler sur les chimpanzés, d'utiliser d'une façon intelligente comme outils des cannes, et d'entasser les unes sur les autres des caisses et autres objets analogues pour atteindre un appât situé à une hauteur inaccessible autrement, a été entre-temps relevée aussi chez le singe capucin du Nouveau-Monde, et, d'une façon limitée, chez le raton laveur. Mais, tandis que les deux derniers animaux, très mobiles, « pensent, chaque fois, en même temps qu'ils agissent », de telle sorte qu'un certain ensemble d'essais et d'erreurs n'est pas absolument exclu dans les solutions qu'ils découvrent, les grands singes anthropoïdes ont un comportement qui laisse à tous ceux qui l'ont vu une impression inoubliable. Un exemple peut éclairer cela. On suspend une banane à un fil au plafond d'une pièce et à une hauteur telle qu'elle soit inaccessible à l'orang-outang situé au sol (dans le cas que j'ai pu observer et je n'ai pu le faire que d'après un film, il s'agissait d'un orang-outang). Dans un coin de la pièce, on place une caisse suffisamment haute pour pouvoir servir d'échelle au singe. L'orang-outang, qui a certainement déjà accompli diverses expériences de comportement intelligent, mais qui ne connaît pas ce nouveau problème, commence par regarder la banane, puis la caisse, puis son regard va un certain nombre de fois de l'une à l'autre; ce faisant, tout comme un homme réfléchissant intensément, il se gratte la tête ainsi que d'autres parties du corps. Puis, il est pris d'un accès de colère, il trépigne, il crie, et, comme vexé, tourne le dos à la banane et à la caisse. Mais la chose ne le laisse pas en repos, il revient au problème et se remet à regarder alternativement la banane et la caisse. Soudain, son visage, auparavant grognon, « s'éclaire » — je ne peux employer d'autre expression —, ses yeux vont maintenant de la banane à l'endroit vide situé au sol *sous* la banane, puis de cet endroit à la caisse, et revient, et, de là, à la banane. L'instant suivant, il pousse un cri de joie, va à la caisse en faisant une cabriole exubérante, puis, aussitôt, absolument sûr de la réussite, il pousse la caisse sous la banane pour attraper celle-ci. Aucun homme ayant vu ce genre de choses ne doutera de la présence d'une « expérience du oh! » chez le singe.

Alors que l'épinoche, lorsqu'elle fixe du regard des objets de l'espace d'une façon pseudo-planificatrice, ne fait certainement que créer les conditions dans lesquelles les actes locomoteurs qui vont suivre mettront la réaction en branle, le singe anthropoïde *agit* réellement lorsqu'il regarde autour de lui dans l'espace, mais il ne le fait que dans la « représentation » centrale des objets. Il introduit dans son espace de représentation — le terme est certainement à sa place ici — la représentation centrale de la caisse et la représentation centrale de la banane, et il utilise ainsi ce « modèle central d'espace » d'une façon qui économise au plus haut point l'énergie, pour exécuter en quelque sorte l'ensemble de l'opération « au brouillon », sans mettre encore en branle son activité motrice. Et c'est là le commencement de toute pensée!

Il est plus que vraisemblable que l'ensemble de la pensée de l'homme a tiré son origine de ces opérations détachées de l'activité motrice et situées dans l'espace « représenté », et même que cette fonction originelle constitue la base irremplaçable de nos actes de pensée les plus élevés et les plus complexes. Je ne suis pas en mesure de trouver une forme quelconque de pensée qui soit indépendante du modèle central d'espace. Le *langage* nous renforce dans l'idée que toute pensée est spatiale à son origine. Porzig (1950) a écrit dans son livre fort instructif intitulé *le Miracle de la langue* : « La langue traduit tous les rapports abstraits en données spatiales. Et ce phénomène ne caractérise pas une langue isolée ou un groupe de langues, mais toutes les langues sans exception. Cette particularité fait partie des traits immuables (des « invariants ») du langage humain. Ainsi, les rapports temporels sont exprimés d'une façon spatiale : avant ou après Noël, à l'intérieur d'un laps de temps de deux ans. Pour les processus psychologiques, nous ne parlons pas seulement d'extérieur et d'intérieur, nous disons aussi « au-dessus et au-dessous du seuil » de la conscience, nous parlons de « subconscient », de premier plan ou d'arrière-plan, de profondeurs de l'âme ou de niveaux psychologiques. D'une façon générale, l'espace sert de modèle pour tous les rapports abstraits. On dira : à côté de son travail, il donne des cours; l'amour fut plus grand que l'amour-propre; derrière cette mesure, il y avait l'intention de... — il serait superflu d'accumuler les exemples que l'on pourrait multiplier à l'infini à partir de n'importe quel texte parlé ou écrit. Ce phénomène tire son importance du fait qu'il est très généralement répandu et de ce qu'il joue un grand rôle dans l'histoire du langage. On peut le retrouver, non seulement dans l'usage des prépositions, qui, à l'origine, désignent tout ce qui est spatial, mais aussi dans des mots qui expriment des activités ou des qualités. » Je veux seulement ajouter à ces développements du linguiste que ce phénomène, présent dans le langage, est visiblement d'une importance fondamentale, non seulement pour l'histoire de ce dernier, mais encore et bien plus pour l'évolution phylogénétique de la pensée tout court, et donc aussi pour la pensée antérieure au langage ou se passant de langage. Pour voir à quel point son importance a peu diminué, même dans les activités les plus hautes de la pensée humaine — laquelle, en apparence, n'est liée qu'au langage —, il suffit de citer les termes que nous employons encore à l'heure actuelle pour les activités les plus hautes et les plus abstraites de l'esprit humain. Ce sont en effet justement celles-là qui sont liées de la façon la plus immédiate à la représentation centrale de l'espace. Nous arrivons ainsi à « voir clair » (« *Einsicht* ») dans un « ensemble » (« *Zusammenhang* ») « embrouillé » (« verwickelt ») — comme un singe dans un enchevêtrement de branches —, mais nous n'avons vraiment « saisi » (« *erfasst* ») un « objet » (« *Gegenstand* ») que lorsque nous l'avons véritablement « compris » (« *begriffen* »). D'ailleurs, dans les trois dernières expressions, nous voyons se manifester de la plus belle façon l'antique primat du « haptique » par rapport au visuel. Puisse cette remarque inciter à la modestie maint savant qui refuse de croire que l'homme descend des primates, justement en raison des activités intellectuelles de l'homme : jusque dans l'exécution de leurs opérations philosophiques les plus hautes, ces savants sont contraints d'employer des expressions qui manifestent leur origine de la façon la plus claire qui soit.

2. La spécialisation dans un état non-spécialisé et la curiosité

Arnold Gehlen (1950) appelle l'homme « l'être du manque », et il pense que l'homme a été contraint, par manque d'adaptations morphologiques spéciales, à se fabriquer lui-même des outils, des armes, des vêtements, etc. Il ne s'agit pas là d'une démarche de pensée biologique — il n'y a pas d'êtres non-adaptés, ou bien il s'agit d'êtres isolés, condamnés à la disparition, et frappés de facteurs létaux. Gehlen néglige aussi le fait que le *cerveau,* avec sa taille imposante, représente une adaptation morphologique spéciale parfaitement évidente. Pourtant, sa théorie renferme quelque chose de fondamentalement vrai et de fondamentalement important : un être possédant des adaptations morphologiques nettement spécialisées n'aurait jamais pu donner l'homme. Peut-être pouvons-nous mieux saisir la valeur d'un *manque* d'adaptations spéciales si nous adoptons un autre point de vue et si nous regardons la multiplicité des possibilités offertes à un être vivant ne possédant pas d'adaptations spéciales. Comparons quelques rongeurs hautement spécialisés dans des directions différentes, mais étroitement apparentés, la gerboise (adaptation à la course), l'écureuil volant (adaptation à grimper et à sauter), la taupe (adaptation à la vie souterraine), et le castor (adaptation à la nage), avec un rongeur non-spécialisé, le surmulot. Celui-ci fait mieux que chacun des quatre autres dans les trois activités pour lesquelles il *n'est pas* spécialiste, et, pour ce qui est du résultat biologique final, il les dépasse considérablement par le nombre des individus et l'extension de l'espèce. Si maintenant nous comparons entre elles la multiplicité des activités purement corporelles, parfaitement non intellectuelles de l'*homme,* et les activités de mammifères ayant approximativement la même taille, l'homme se révèle comme un être qui n'est pas du tout aussi fragile et handicapé par des manques qu'on pourrait le penser. Si l'on impose les trois obligations suivantes : marcher pendant 35 kilomètres dans une journée, grimper 5 mètres à une corde de chanvre, nager pendant 15 mètres et à 4 mètres de profondeur sous l'eau en ramenant un certain nombre d'objets à chercher à un endroit précis du fond, il s'agit là d'activités que même un homme de bureau non sportif, comme moi, peut accomplir sans aucune difficulté. *Aucun mammifère n'est capable d'en faire autant.*

Mais, dans tous les cas, l'absence d'adaptations spéciales dans l'anatomie va de pair avec une grande variété de comportement qui est caractéristique. En présence d'organes hautement spécialisés, il y a toujours en même temps un système nerveux central différencié dans la même direction, des *mouvements instinctifs* du même type, et, le plus souvent, des *mécanismes innés de déclenchement* encore plus particuliers qui dirigent chaque mouvement instinctif vers son objet d'une nature très précise. En revanche, les êtres non-spécialisés possèdent, dans chaque cas, un petit nombre de mouvements instinctifs peu différenciés, mais qui, en revanche, sont *d'un usage beaucoup plus général* que ceux, merveilleusement affinés, d'un organisme adapté à des conditions spéciales. Quant aux mécanismes innés de déclenchement qui mettent en branle ces mouvements instinctifs non-spécialisés, ils sont encore beaucoup moins précis et sélectifs. Chez un jeune animal qui manque encore d'expérience, ces actes instinctifs interviennent immédiatement, dans les situations d'environnement les plus variées qui soient, et c'est seulement un *apprentissage* latent d'exploration (c'est le « *explora-*

tory learning », le « *latent learning* » des auteurs de langue anglaise) qui donne à des *objets précis* une possibilité d'utilisation signifiante. Pour des raisons de clarté, nous prendrons dans la classe des oiseaux deux types extrêmes de spécialisation et de non-spécialisation : ce n'est pas un hasard si le premier de ces oiseaux est un des oiseaux les plus bêtes et le second l'un des oiseaux les plus intelligents qui soient.

Dans l'environnement d'un *grèbe huppé, Podiceps cristatus* Pontopp, presque toutes les références qu'utilise l'oiseau, qu'il s'agisse de la surface de l'eau, de la proie, de l'endroit où se trouve le nid, etc., sont fixées dès le départ, c'est-à-dire déjà chez le jeune animal qui manque d'expérience, par des mécanismes innés de déclenchement hautement spécialisés, et ceci jusque dans les plus petits détails. Et ces mécanismes innés provoquent des mouvements instinctifs remarquables dont l'adaptation est tout aussi spéciale. Il n'est pas nécessaire à l'oiseau d'apprendre beaucoup de choses, et, d'ailleurs, il en est *incapable*. Par exemple, le mouvement du poisson fait partie des mécanismes innés qui déclenchent la capture de la proie et la nutrition chez cet oiseau qui n'apprend jamais à manger en quantité suffisante des poissons morts, même s'ils sont absolument frais, et parfaitement convenables à sa nourriture d'un point de vue énergétique. Dans son comportement, la capacité d'adaptation fondée sur l'apprentissage se limite, pour l'essentiel, à des dressages qui lui servent à trouver les lieux et les situations dans lesquelles ses modes d'actions et de réactions « marchent ». En revanche, chez un jeune *grand corbeau, Corvus corax L.*, presque rien n'est déterminé au départ, à l'exception de quelques actions instinctives peu nombreuses aux multiples applications. Si bien que le jeune corbeau les applique à *tous les objets inconnus*. Il commence par s'approcher d'un tel objet tout en étant *prêt à prendre la fuite* et passe littéralement des jours à le regarder fixement. Le premier critère d'action consiste toujours en un très vigoureux coup de bec, après lequel le jeune corbeau s'enfuit immédiatement pour observer l'effet produit à partir d'un point d'observation élevé. C'est seulement lorsqu'il s'est exercé à fond à de telles manœuvres de sécurité que l'oiseau tente d'exécuter sur l'objet en question les mouvements instinctifs *circulaires autour de la proie*. Se déplaçant en cercle, il fait alors le tour de l'objet de tous les côtés, le saisit dans ses griffes, le hache de son bec, le tiraille, le déchire en morceaux si c'est possible et finit toujours par le cacher. Le jeune corbeau s'approche toujours des animaux vivants avec une prudence plus grande que lorsqu'il s'agit d'objets inanimés : il peut se passer des semaines avant qu'il n'ose suffisamment s'avancer pour leur donner de vigoureux coups de bec. Si en pareil cas, l'animal s'enfuit, le corbeau le poursuit avec un courage accru et le tue s'il le peut. Mais si l'animal riposte avec vigueur, le corbeau se retire et cesse rapidement de s'intéresser à la question. Les mécanismes innés de déclenchement qui provoquent tous ces comportements d'essai et d'erreur sont extraordinairement peu sélectifs; ce n'est que dans le cas d'animaux vivants que de tels mécanismes indiquent visiblement au corbeau « où est l'avant et l'arrière »; de même, la concentration de l'attaque sur l'arrière de la tête et sur les yeux d'autres animaux semble être dirigée par des mécanismes innés d'orientation. Mais ceci épuise à peu près complètement l'équipement instinctif inné dont le corbeau dispose pour traiter le monde extérieur différent de lui. Tout le reste est accompli par l'apprentissage de l'exploration et le *désir (Gier),* le plus souvent violent, d'objets nouveaux *(neu),* c'est-à-dire par curiosité (*Neugier* au sens littéral du mot). Le fait suivant montre bien à quel point la curiosité est forte : lorsque tous les appâts les plus puissants, œufs crus et sauterelles, étaient restés inefficaces, il m'était toujours possible de faire rentrer mes corbeaux dans leur cage, en y mettant ma *caméra* que, pour des raisons faciles à comprendre, ils n'avaient encore jamais eu le droit d'étudier. Chez notre mungo, et pour des raisons analogues, c'était le diplôme de docteur de mon frère qui jouait le même rôle.

La valeur conservatoire de l'espèce, certainement considérable, attachée à ce comportement de curiosité, tient certainement au fait que l'animal, par la généralisation la plus grande, considère tout simplement *tout objet* comme ayant une importance biologique possible, et, comme nous l'avons vu, envisage chaque objet successivement comme ennemi, comme proie et comme nourriture, aussi longtemps qu'un auto-dressage poussé ne lui a pas appris qu'il s'agissait d'un ennemi, d'une proie ou de nourriture, ou d'un objet n'ayant aucune importance pour lui. Il est toujours possible que le corbeau revienne plus tard à des objets dont il a, en faisant l'essai de tous les mouvements intinctifs du groupe ennemi, proie, nourriture, acquis une « connaissance intime », et qu'il a « mis de côté » — comme le dit si bien Gehlen — comme dénués d'importance pour ces fonctions. Il peut se faire alors que le corbeau utilise ces objets, devenus ainsi indifférents, pour recouvrir un morceau de nourriture qu'il veut cacher, ou, tout simplement, pour se poser dessus.

Cette méthode d'apprentissage, curieuse de toutes les possibilités, implique que les animaux spécialistes de la non-spécialisation sont capables de vivre dans les espaces vitaux *les plus divers,* car, un jour ou l'autre, ils y trouveront ce qui est nécessaire à leur conservation. Le grand corbeau mène sur les îles à oiseaux une vie tout à fait semblable à celle des stercoraires et des prédateurs analogues des grandes colonies de couvée : il vole des œufs, des petits et de la nourriture apportée par d'autres. Dans le désert, le grand corbeau vit comme un charognard, et il cherche des animaux morts en naviguant dans les courants thermiques ascendants. En Europe centrale, il vit exactement à la façon d'un mangeur d'insectes et de petits animaux.

Parmi les mammifères, le *surmulot, Epimys norvegicus L.* est le prototype d'un être curieux non spécialisé. Chez lui, la tendance à la curiosité et le penchant à apprendre par cœur tous les *chemins* possibles dans un terrain donné, en particulier le chemin de fuite qui ramène à son trou, sont un des traits caractéristiques les plus manifestes. Chez lui aussi, on peut trouver de la plus belle façon qui soit la « reprise en main » des chemins qu'il avait commencé par laisser de côté comme n'ayant pas d'importance. Ici encore, l'expression d'apprentissage *latent* convient particulièrement bien. Dans le système de couloirs d'un labyrinthe, le rat commence par parcourir *tous* les chemins; plus tard, il renonce à parcourir tous ceux « qui ne conduisent à rien ». Mais, si l'on change quelque peu les conditions ultérieures, par exemple en modifiant le lieu où se trouve la nourriture, il s'avère que l'animal n'a aucunement oublié ce qu'il avait « mis aux archives »; en effet, il ne lui est pas nécessaire de réapprendre les combinaisons de chemins devenues *maintenant* les plus appropriées à la fin qu'il recherche : il retrouve sur-le-champ ce qu'il connaissait jusqu'alors d'une façon latente. La réussite biologique d'un être curieux non spécialisé est particulièrement évidente chez le rat. Le rat est présent littéralement partout où l'homme civilisé est apparu, il vit aussi bien dans les bateaux que dans le système d'égouts des grandes villes, dans les granges des paysans, et même, indépendamment de l'homme, sur des îles où il est le seul mammifère terrestre. Partout, il se comporte exactement comme s'il était spécialisé précisément pour le milieu où il se trouve.

Tous les vertébrés supérieurs *cosmopolites* sont des êtres curieux non spécialisés caractéristiques — et, parmi eux, il faut sans aucun doute compter l'homme. Lui aussi construit, — par un affrontement actif, en forme de dialogue, avec l'environnement étranger —, un monde de significations et est par là capable de s'adapter à des conditions de milieu si variées que plusieurs auteurs pensent qu'il est parfaitement impossible de parler d'un environnement propre à l'homme, au sens qu'Uexküll donne à ce mot. Je voudrais simplement ajouter que cette analyse et cette construction du monde environnant, actives et en forme de dialogue, sont, au fond, étroitement apparentées au comportement de curiosité dont j'ai parlé.

Le trait dominant et le plus essentiel du comportement de curiosité est son rapport direct avec l'objet. Lorsque nous regardons un grand corbeau expérimenter un objet nouveau pour lui en se conformant à des « mesures de sécurité » exploratrices, et tous ses mouvements instinctifs servant à se procurer une proie, on est d'abord tenté de penser qu'il faut en définitive comprendre toute l'activité de l'oiseau comme un *comportement d'appétence* à la prise de nourriture. Toutefois, il est aisé de montrer qu'il n'en est pas ainsi. En premier lieu, la recherche curieuse cesse dès que l'animal est sérieusement affamé : dans ce cas, il se tourne aussitôt vers une source de nourriture déjà *connue* de lui. Chez les jeunes grands corbeaux, la phase du comportement de curiosité la plus intensive correspond à la période qui précède immédiatement le moment où ils prennent leur envol, donc à une époque où ils sont encore nourris par leurs parents. S'ils ont faim, ils poursuivent d'une façon pressante les parents ou l'homme qui les élève, et c'est *seulement* lorsqu'ils sont rassasiés qu'ils s'intéressent à des objets inconnus. En second lieu, en cas de faim plus modérée, mais toutefois nettement reconnaissable, l'appétence à l'inconnu domine par rapport à celle manifestée vis-à-vis d'une nourriture de meilleure qualité. Si l'on offre une friandise quelconque à un jeune corbeau qui est en train d'étudier avec ardeur un objet inconnu de lui, il la repousse presque toujours. Tout cela signifie, en termes humains : l'animal ne veut pas manger, mais il veut *savoir* si tel objet précis est mangeable « théoriquement »! De même que le jeune corbeau n'est pas en humeur de repas lors de ses « recherches », de même le jeune *surmulot* n'est pas en humeur de fuite lorsqu'il passe son temps à regagner, en faisant comme s'il fuyait, l'entrée de son trou à partir des points les plus divers de son domaine. Ce qui est extraordinairement important, c'est justement que le processus d'apprentissage exploratoire est *indépendant* du besoin de l'instant, ou, en d'autres termes, du *motif de l'appétence.* Bally (1945) considère comme la caractéristique la plus essentielle du *jeu* le fait que des modes de comportement appartenant au domaine des actions d'appétence se déroulent « dans un champ détendu ». Or, le champ détendu, — condition sine qua non de tous les comportements de curiosité aussi bien que du comportement de jeu —, est, comme nous l'avons vu, un trait commun aux deux comportements très important!

L'indépendance vis-à-vis d'un but instinctif, dominant l'animal sur le moment, implique que *diverses* qualités de l'objet adéquates à différents buts puissent être connues d'une façon intime et mises aux archives en même temps; et ces « archives », sous la forme d'engrammes, sont visiblement ordonnées en rapport avec ces objets dans le système nerveux central de l'animal. Car c'est seulement la reconnaissance concrète de l'objet, — reconnaissance pour laquelle il faut tout l'arsenal des phénomènes de fidélité de la perception —, qui permet à l'animal d'y revenir et d'utiliser ses qualités qu'il connaît d'une façon latente, ce qui se produit — on peut le montrer — lorsqu'intervient une appétence grave. Par cet apprentissage des qualités inhérentes aux *choses,* indépendamment de l'état physiologique momentané et des besoins de l'organisme, le comportement de curiosité a un effet d'*objectivation,* au sens le plus littéral et le plus profond du mot. *C'est seulement par l'apprentissage issu de la curiosité que des objets naissent dans le monde environnant de l'animal aussi bien que dans celui de l'homme.* En ce sens, Gehlen a tout à fait raison de dire que l'homme édifie lui-même le monde qui l'environne, car ce monde est un monde d'objets! Mais la chose est vraie aussi, dans une plus faible mesure il est vrai, de tous les êtres curieux non spécialisés.

Une deuxième qualité constitutive du comportement de curiosité consiste en ceci : l'être vivant fait quelque chose pour apprendre quelque chose. En effet, il n'y a rien de plus et rien de moins dans ce comportement que le principe de *l'interrogation.* L'organisme qui, par son comportement de curiosité et par son activité propre, « construit des objets » en découvrant les qualités réunies dans une même chose, se trouve, dans une certaine mesure, dans un rapport de *dialogue* avec la réalité extérieure à sa subjectivité. Mais cela, comme Baumgarten (1950) l'a souligné avec raison, est une des qualités essentielles de *l'homme*!

Mais, à partir de cette analyse dialectique des choses, l'homme a développé une activité qui, de même que le langage, est à peine indiquée chez les animaux, même chez les animaux supérieurs. Lorsqu'un homme s'intéresse à un objet, son activité consiste à enregistrer sans cesse la « réponse » de l'objet *au cours* de l'action et à orienter son activité ultérieure d'après cette réponse. Par exemple, lorsqu'on enfonce un clou chaque coup de marteau doit compenser l'écart latéral imperceptible que le coup de marteau précédent a imprimé à la pointe. Celui qui ne connaît pas les animaux et dont la représentation des animaux supérieurs (conformément à l'expérience qu'il en a, et malgré les idées exagérées sur l'aspect exceptionnel de l'homme), est beaucoup trop calquée sur celle de l'homme, ne sait pas, en général, que la capacité de régler ainsi l'action sur l'observation constante du succès de celle-ci *manque* d'une façon pratiquement totale aux animaux supérieurs, même au singe anthropoïde.

Ceci est particulièrement frappant chez les chimpanzés qui mettent des caisses les unes sur les autres mais qui ne les alignent jamais correctement; c'est seulement lorsque l'une d'entre elles dépasse beaucoup d'un côté qu'ils placeront, éventuellement, la caisse suivante plus loin du côté opposé, pour compenser. C'est tout. Jusqu'à maintenant, la meilleure activité de ce type que nous connaissions a été accomplie par Sultan, le chimpanzé de Köhler; ce chimpanzé rongeait une baguette qu'il avait détachée du mur jusqu'à ce qu'elle pût être introduite dans le creux d'une tige de bambou, et ceci afin d'allonger une gaule démontable. Il essayait à plusieurs reprises de voir si la baguette était assez amincie et continuait à la ronger tant que ce n'était pas encore le cas. Mais, pour produire un véritable outil, par exemple un coup de poing en pierre, il faut une différenciation incomparablement plus grande de l'action, constamment réglée par le contrôle du succès; et il semble que cette relation très étroite entre l'agir et le connaître, entre la *praxis* et la *gnosis,* suppose l'existence d'un organe central particulier que l'homme est seul à posséder, et qui est le *Gyrus supramarginalis* de la circonvolution temporale inférieure gauche. Lorsque cette partie du cerveau dans laquelle — et ceci en dit long — se trouve aussi le « centre de la parole », est détruite, il se produit chez l'homme, à côté de troubles du langage, certaines carences de l'agir et du connaître, des « apraxies » et des « agnosies », et, jusqu'à maintenant (Küver, 1933), on n'a pas encore réussi à démontrer l'existence de centres analogues ni à provoquer des carences semblables chez le singe.

Si, tout à l'heure, j'ai opposé les corbeaux, comme êtres non spécialisés caractéristiques, au grèbe huppé spécialisé quant à l'instinct et aux organes, cela ne veut pas dire que le comportement de curiosité manque entièrement chez d'autres êtres un peu plus spécialisés. Le rôle que joue l'apprentissage par curiosité dépend, non seulement de l'absence de spécialisation, mais aussi du niveau général de différenciation du système nerveux central. Un jeune chien ou un jeune chat manifestent des comportements de curiosité dans une mesure non négligeable, et un jeune orang-outang dépasse d'une façon considérable le rat ou le corbeau dans les activités de son apprentissage exploratoire, bien que son espèce soit hautement spécialisée dans certaines directions. Si l'on observe un jeune singe anthropoïde, de préférence un chimpanzé, dans son comportement merveilleusement conséquent de curiosité dirigé vers l'objet, comportement qui a chez lui le caractère du jeu bien plus nettement que chez le corbeau et le rat, on ne cesse de s'étonner lorsqu'on constate que son expérimentation étonnamment intelligente, et presque créatrice, ne produit pas autre chose que la connaissance des noix qu'on peut croquer, des branches sur lesquelles on peut grimper et, dans le meilleur des cas, de la baguette avec laquelle on peut le mieux attraper les objets. Lorsque je vois un de ces jeunes animaux jouer avec des blocs de bois ou bien emboîter des caisses les unes dans les autres, je me demande à chaque fois si ces êtres n'ont pas eu, autrefois, un niveau intellectuel *bien supérieur* à leur niveau actuel et si, au cours de leur spécialisation, ils n'ont pas perdu des capacités qui ne se manifestent plus maintenant que dans le jeu du jeune animal!

En effet, il est un trait qui distingue fondamentalement le comportement de curiosité de *tous* les animaux de celui de l'homme : ce trait est lié seulement à une courte phase d'évolution dans la jeunesse de l'animal. Ce que le corbeau acquiert dans sa jeunesse au cours d'une expérimentation d'allure si humaine, se fige rapidement en des dressages qui, plus tard, sont si peu modifiables et si peu adaptables qu'on peut alors à peine les distinguer des comportements instinctifs. Le désir de nouveauté se transforme en une répulsion violente contre tout ce qui est inconnu, et un corbeau adulte, et non pas même âgé, auquel on impose une modification fondamentale de son entourage, ne peut plus du tout s'adapter à celui-ci, et tombe dans une névrose d'angoisse où il ne reconnaît même plus le gardien qui lui est pourtant familier. Le corbeau qui vient juste d'atteindre l'âge adulte se comporte, dans une telle situation, d'une façon qui rappelle fortement celle d'un homme sénile : chez celui-ci, la perte de la capacité d'adaptation ne se remarque pas aussi longtemps qu'il se trouve dans l'entourage qui lui est habituel, mais il manifeste une démence poussée dès qu'on lui impose un changement d'environnement. Pour prévenir tout malentendu, insistons nettement sur le fait que ce n'est pas la capacité d'apprendre en tant que telle qui est éteinte, mais seulement la faculté d'utiliser positivement cette capacité pour des choses inconnues. Le vieux corbeau, par exemple, est tout à fait capable d'apprendre le caractère dangereux d'une situation nouvelle pour lui, à la suite d'une seule expérience fâcheuse. Mais désormais cet apprentissage a lieu uniquement sous la pression immédiate d'une situation biologique particulière bien précise. Les vieux rats, ou même les vieux singes anthropoïdes se comportent, il est vrai, d'une façon beaucoup plus plastique que les vieux corbeaux, mais, dans le principe, le fossé qui sépare le jeune animal et l'animal âgé reste le même.

Nous pouvons maintenant donner déjà deux réponses très précises à la question de Herder : « Qu'est-ce qui manque à l'animal qui ressemble le plus à l'homme, et qui fait qu'il n'est pas devenu un homme? ». Bien que la représentation de l'espace et l'intelligence soient présentes à un degré d'élaboration presque humain, bien que l'association (obligatoire chez les autres animaux), entre intentionnalité spatiale et action, soit abolie, et bien que se produise déjà — au moins chez l'animal jeune — une analyse du monde environnant présentant vraiment un caractère de dialogue qui relève de la curiosité et qui a une fonction d'objectivation, il manque au singe anthropoïde deux choses. *Premièrement,* il lui manque cette influence réciproque entre l'agir et le connaître, entre la praxis et la gnosis, qui permet une action constamment réglée par le succès et qui ne peut visiblement être produite que par le centre nerveux humain des praxis et des gnosis, le *Gyrus supramarginalis*; manque qui prive en même temps le singe d'une condition fondamentalement nécessaire à la possession du langage. Et, deuxièmement, le pongide adulte, ayant complètement terminé sa croissance, est presque totalement dépourvu du comportement de curiosité qui, chez l'homme, se maintient presque jusqu'à la limite de la vieillesse : seul l'homme demeure un être *en devenir* jusque dans sa vieillesse.

3. La domestication et l'ouverture au monde

La domestication de certaines espèces animales est la plus ancienne expérience biologique de l'humanité. En cela déjà, elle est plus que toute autre convenable pour servir à la synthèse entre la théorie de la généalogie et celle de l'hérédité. On désigne traditionnellement par « domestiquée » une race d'animaux, lorsqu'elle se distingue de la souche qui vit à l'état sauvage par certaines manifestations typiques et héréditaires qui se sont développées au fur et à mesure de leur domestication. On trouve chez presque tous les animaux domestiques une tacheture, un raccourcissement des extrémités et de la base du crâne, un relâchement des tissus conjonctifs, ce qui amène la formation de fanons, les oreilles tombantes, la baisse du tonus musculaire etc., et, entre autres, une tendance à engraisser, mais surtout un élargissement absolument général et héréditaire du champ des variations de toutes les caractéristiques d'espèce. Corrélativement à ces signes et à bien d'autres, il y a entre les espèces les plus diverses d'animaux domestiques des traits profondément parallèles. Ainsi par exemple, certaines expériences de croisement montrent que même chez des espèces qui font partie de familles différentes, comme par exemple le canard musqué, *Cairina moschata,* et le canard col-vert, *Anas platyrhynchus,* la moucheture ou le ventre tombant, entre autres, reposent sur des dispositions héréditaires similaires. De là à penser que des conditions de vie identiques, par exemple la limitation de la liberté de mouvement, le manque d'air et de lumière, une nourriture monotone, pauvre en vitamines mais abondante, favorisent ces variantes, il n'y a peut-être qu'un pas. Néanmoins il ne semble pas que ce soit le cas. L'absence de sélection naturelle est apparemment responsable de la persistance de ces caractéristiques. D'après les recherches de Herre, le renne de l'Europe septentrionale, *Rangifer tarundus,* possède pratiquement toutes les caractéristiques typiques de la domestication, même si elles ne sont pas parvenues à un stade de développement extrême, ceci bien que l'animal vive dans son milieu d'origine et en totale liberté; ses conditions de vie ne se distinguent de celles de la forme sauvage que par une meilleure protection face au danger des loups, qui n'est elle-même pas absolue, et par une sélection particulière des rennes reproducteurs : les Lapons châtrent précisément les rennes les plus forts afin de les rendre moins méchants.

Qu'on ne puisse imputer à une plus grande claustration et à des déficiences l'apparition de modifications du schéma héréditaire, dont il est question ici, voilà qui est démontré aussi chez d'autres êtres vivants qui se sont en quelque sorte domestiqués eux-mêmes : l'ours des cavernes et l'homme. Il semble que l'ours des cavernes fut, au temps où il était le plus répandu, le « seigneur de la terre », un peu de la même façon que l'homme aujourd'hui; il est en tout cas difficile de penser qu'un autre animal carnassier de cette époque ait été supérieur à ces bêtes colossales. Et c'est précisément cette espèce qui montre, au cours de la période d'apogée qui précède immédiatement sa disparition, des signes typiques de domestication. Dans la « Caverne des Dragons » de Mixnitz, en Styrie, on a trouvé des squelettes d'ours des cavernes, les uns à côté des autres : ils montraient pratiquement toutes les modifications qu'a subies le chien domestique au cours de sa domestication. On trouve là, couchés côte à côte, des géants et des nains, des animaux hauts sur pattes, dont la tête présente des proportions très voisines de celles du lévrier, à côté d'animaux dont la boîte crânienne, plus courte, évoque à s'y méprendre les bouledogues et les carlins, et dont les pattes torses rappellent le basset. Il ne faut qu'un peu d'imagination paléontologique pour se représenter les propriétaires de ces crânes du temps de leur existence, avec des oreilles tombantes et une fourrure tachetée.

C'est Schopenhauer qui a constaté le premier, et cela n'est pas sans intérêt, que l'homme aussi présente de véritables symptômes de domestication. Il déclare sans ambages que le teint clair et les yeux bleus de l'Européen n'ont absolument « rien de naturel », mais sont comparables « aux souris blanches ou pour le moins aux chevaux blancs ». On notera ici l'intuition biologique très fine qui réside dans ce « pour le moins ». Il y a très longtemps déjà que Eugen Fischer a attiré l'attention sur le fait que la répartition de la pigmentation, que l'on trouve dans un œil humain bleu ou gris n'apparaît chez aucun animal vivant à l'état sauvage, mais que de la même façon elle se manifeste chez presque tous les animaux domestiques. Il est inutile d'entrer dans la casuistique des signes typiques de domestication chez l'homme moderne. Tous ceux qui savent regarder ce genre de choses les considèrent comme une évidence, et il ne viendrait à l'idée de personne de douter de leur analogie fondamentale avec ceux qui marquent les animaux domestiques.

Il est certain que toute une série de modifications dues à la domestication font partie de ces conditions requises pour l'émergence de l'homme et qui manquent aux anthropoïdes d'aujourd'hui. La plus importante d'entre elles est cette inhibition dans le développement, que Bolk appelle *retardation* ou *fœtalisation,* et qui fixe les signes de jeunesse de la forme sauvage, en en faisant des caractères persistants. Je ne vois pas pourquoi on n'appliquerait pas le terme de *néoténie,* utilisé habituellement en biologie, ne serait-ce que partiellement, aux manifestations dont il est question ici. Le retrait des os de la face par rapport à la voûte du crâne, la petitesse relative des extrémités, les oreilles flasques, le poil ras et la queue arrondie chez le chien domestique, l'atrophie des cornes chez les ruminants peuvent suffire pour illustrer la persistance des caractères corporels de jeunesse propres à la forme sauvage. Bolk (1926),

Schindewolf et d'autres ont relevé chez l'homme un nombre significatif de signes qui sont étroitement parallèles à ceux que l'on observe chez les très jeunes anthropoïdes, ou même dès l'état fœtal de ce dernier. Les proportions de la tête, les courbures de la colonne vertébrale et surtout celles des éléments du bassin, la répartition de la pilosité, la pauvreté relative de la pigmentation sont autant d'exemples de ces caractères néoténiques.

Mais les phénomènes de néoténie dans le comportement sont bien plus importants pour le problème de l'émergence de l'homme. Chez de très nombreux animaux hautement domestiqués, l'instinct combatif du mâle adulte fait totalement défaut, en même temps que le développement complet du dimorphisme sexuel de la forme sauvage. Un verrat, un taureau ou un étalon qui tout en étant apprivoisés seraient aussi agressifs qu'un sanglier, un taureau sauvage ou un cheval sauvage s'avéreraient en fait extrêmement dangereux et absolument inutilisables comme animaux de tâche. Mais l'animal domestique chez qui la néoténie des types de comportement est la plus décisive, pour l'utilisation qu'on en fait, est le chien. Son attachement et sa fidélité proverbiales à une personne bien précise proviennent en effet sans aucun doute des instincts qui, chez ses parents sauvages, se rapportent à l'animal maternel et peut-être aussi plus tard, au chef de la harde. Pendant leur première année d'existence le chacal, le dingo ou le loup, pris en élevage suffisamment tôt, ont à l'égard de l'homme le même comportement que le chien domestique. Par la suite, toutefois, l'éleveur constate avec déception combien son pupille, à la différence du chien, devient tout à fait indépendant, même si une fois adulte il entretient à l'égard de son maître une certaine camaraderie « de collègue ». Il est pour moi évident que le chien doit son caractère le plus fondamental, à savoir sa fidélité au maître, autant à une néoténie du comportement due à la domestication, et que l'homme doit à cette dernière son « *ouverture au monde* » constitutive.

En effet cette communication constante et curieuse avec la réalité extra-subjective, dans laquelle nous voyons avec Gehlen l'un des caractères constitutifs de l'homme, est sans aucun doute un caractère de jeunesse qui persiste. Même chez des animaux fortement néoténiques, comme le chien par exemple, le jeu curieux demeure! Et si Gehlen, — qui pourtant traite longuement dans son livre des manifestations de néoténie corporelle —, n'a pas vu le rapport étroit entre néoténie et persistance de la curiosité, c'est simplement parce qu'il ne connaissait pas le comportement de curiosité des jeunes êtres « spécialisés dans la non-spécialisation »; il pensait que l'animal n'apprend que sous la pression de contraintes immédiatement biologiques, ainsi que le prétendaient à cette époque de nombreux chercheurs qui étudiaient le réflexe conditionné. Toute la recherche purement objective de l'homme de science n'est rien d'autre qu'un authentique comportement de curiosité, qu'un comportement d'appétence *dans un champ détendu,* et en ce sens un *jeu.* Toutes les connaissances dans le domaine des sciences de la nature, auxquelles l'homme doit sa suprématie sur la terre, proviennent d'activités ludiques dans un champ détendu, menées alors exclusivement pour elles-mêmes. Quand Benjamin Franklin tirait des étincelles du fil de son cerf-volant il pensait aussi peu au paratonnerre que Hertz à la radio en découvrant les ondes électriques. Quiconque a éprouvé lui-même combien le travail d'une vie de chercheur peut procéder — par toute une série de passages fluctuants — de l'attitude de jeu et de curiosité propre à l'enfant, ne doutera pas un instant de l'identité de nature fondamentale du jeu et de la recherche. L'enfant curieux qui a si complètement disparu du chimpanzé adulte devenu totalement animal, n'est pas du tout, comme dit Nietzsche, *caché* dans « l'homme véritable » : il le domine au contraire totalement.

Il faut attacher beaucoup plus d'importance qu'on ne le fait parfois à la réalité indiscutable de la néoténie partielle chez l'homme, dès lors que l'on veut reconstruire sa généalogie probable. *La loi de Dollos sur l'irréversibilité de la spécialisation connaît en effet une exception très importante dès qu'il y a des manifestations de néoténie.* L'axolotl néoténique à branchies descend très certainement d'animaux terrestres à poumons et non pas d'anciens stegocéphales aquatiques —, comme on devrait le déduire d'après la loi de Dollos sans tenir compte de ce qu'est la néoténie —, étant donné que les axolotl terrestres sont sans aucun doute parvenus à un niveau de spécialisation supérieur à celui de la forme larvaire! Mais on peut dire exactement la même chose de toutes les hypothèses sur la généalogie de l'homme; hypothèses qui veulent écarter tous les pongides de nos ancêtres possibles, étant donné que ceux-ci sont parvenus à un plus haut niveau de spécialisation que l'homme, chez qui le « primitivisme » de certains organes interdit donc qu'on le fasse descendre d'un pongide. Certes le plus récent ancêtre commun du chimpanzé et de l'homme était moins spécialisé que le chimpanzé actuel. J'ai déjà dit qu'il fut peut-être de loin « plus humain » que ce singe ne l'est, mais il était certainement parvenu à un niveau de spécialisation plus élevé que l'homme, car la main préhensile et la représentation centrale de l'espace qui en est le corollaire ne pouvaient se développer que dans une vie arboricole.

Ainsi l'homme doit à sa néoténie partielle, et cela par l'intermédiaire de son autodomestication, deux particularités constitutives : en premier lieu le maintien, pendant pratiquement toute son existence, de sa curiosité et de son ouverture au monde, mais en second lieu sa déspécialisation qui le marque ne serait-ce que corporellement et en fait finalement un être curieux non spécialisé.

Mais l'autodomestication lui a en outre conféré d'autres dons qui, en partie, sont indispensables à son développement mental et à la construction de sa vie culturelle, et en partie mettent le maintien de son espèce en péril. Nous parlerons d'abord brièvement des analogies dans le comportement des animaux domestiques et nous nous intéresserons ensuite à leur signification dans le détail. Le comportement inné et propre à leur espèce de certains animaux domestiqués est régulièrement soumis, sous des formes extrêmement variables, à des perturbations déterminées de façon rigoureusement identiques, que l'on peut sommairement classer en trois groupes.

D'abord l'excitation endogène de certains mouvements instinctifs est soumise à des modifications quantitatives considérables qui peuvent mener dans un sens à une hypertrophie majeure et dans l'autre à la disparition totale. La production de mouvements locomoteurs diminue chez presque tous les animaux domestiques, le plus souvent en corrélation avec une baisse du tonus musculaire et une tendance à engraisser. On observe la même tendance à la disparition pour tous les instincts sociaux, plus spécialisés, de la plupart des animaux domestiques, comme par exemple celui de la couvaison, tandis que les instincts alimentaires et ceux de l'accouplement se multiplient le plus souvent à l'infini.

En second lieu chez la plupart des animaux domestiques la sélectivité spécifique des mécanismes innés de déclenchement se perd presque totalement. Certaines réactions qui chez la forme sauvage ne répondent avec toute leur intensité qu'à des situations d'excitation, et sont caractérisées par toute une série d'éléments de détermination, peuvent être déclenchées chez l'animal domestique par un grand nombre d'excitations de remplacement plus simples.

En troisième lieu enfin certains types de comportement fonctionnellement solidaires et qui ne déploient qu'ensemble leur utilité pour la conservation de l'espèce, peuvent devenir complètement indépendants les uns des autres. C'est ainsi que chez l'oie domestique les actes instinctifs de l'amour, c'est-à-dire ceux qui président à la formation des couples et à leur maintien dans la monogamie, se distinguent de ceux de l'accouplement.

Mais, après une caractérisation aussi schématique de ces processus de dégénérescence du comportement instinctif et quelqu'évidente que soit la comparaison avec les manifestations semblables chez l'homme, nous envisagerons d'abord son côté *positif*. Whitman (1898) avait déjà bien vu que ces défauts de comportement instinctif dus à la domestication ne signifient nullement un recul par rapport aux performances plus grandes de l'apprentissage et de l'intelligence. Dans son livre « Animal Behaviour » il parle de certains défauts d'instinct observés chez les pigeons domestiques : « Je crois que ces « fautes d'instinct » loin de signifier un recul psychique sont le premier signe d'une plasticité plus grande à l'intérieur des coordinations instinctives, et par là d'une capacité accrue pour la formation de nouvelles combinaisons, lesquelles mènent à un libre choix des actions. » A un autre endroit il dit : « Ces défauts d'instinct ne sont pas l'intelligence, mais ils sont la porte ouverte par laquelle le grand Educateur qu'est l'Expérience fait son entrée et opère ensuite tous les miracles de l'intelligence. »

Il n'y a que très peu de choses à ajouter à ces mots du grand pionnier de la recherche comparée sur le comportement. Sans aucun doute les ancêtres pongides de l'homme étaient aussi sténophiles — c'est-à-dire attachés à des espaces vitaux très déterminés et très limités — que tous les anthropopithèques actuels. Il est également hors de doute qu'une réduction de nombreux mécanismes innés de déclenchement a été nécessaire, pour permettre que l'homme devienne en un laps de temps si court d'un point de vue géologique, le plus euryphile de tous les organismes vivants, capable de subsister aussi bien sur les glaces de l'Arctique que dans la forêt équatoriale. De même la différence des individus en fonction de leur situation, différence qui résulte du champ de variation des défauts d'instinct et n'existe chez aucune espèce sauvage, est extrêmement importante. Elle est la condition immédiate de cette *division du travail* très développée qui est, de son côté, la condition primordiale pour la naissance de toute culture humaine. Mais surtout, comme l'indique si clairement Whitman, la liberté constitutive de l'activité humaine est la conséquence directe de cette réduction du comportement instinctif qui est due à la domestication.

La liberté est rarement sans danger, et la façon dont l'homme a conquis la liberté d'action qui lui est propre, — grâce à la modification ou à la disparition progressive et régulière des normes d'action et de réaction qui maintiennent l'espèce —, est particulièrement dangereuse. Les modifications du comportement instinctif dues à la domestication sont en soi des processus qui frôlent le pathologique, et les défauts auxquels l'homme doit ses libertés spécifiques sont très voisins de ceux qui le poussent à l'abîme. Nous ne pouvons que confirmer l'affirmation de Gehlen quand il dit que l'homme est l'être du « risque », l'être qui a constitutivement des chances de faire naufrage, comme le montrent les réflexions suivantes.

L'hypertrophie des instincts d'accouplement et d'alimentation que nous désignons à tort comme « animale », car en fait elle n'est qu' « animale domestique », existe sans aucun doute en tant que manifestation de dégénérescence chez les hommes civilisés, tout autant que la disparition des instincts sociaux et des inhibitions plus subtilement différenciées. La dissociation de l'amour et de l'accouplement est chez l'homme, et avant tout chez le mâle humain, presque plus fréquente que leur association, pourtant plus logique du point de vue de la conservation de l'espèce. Afin de bien apprécier les conséquences fâcheuses de cette seule dissociation des instincts, il faut bien voir que le « coup de foudre », le choix du meilleur et du plus beau partenaire accessible sont pratiquement les seuls facteurs qui opèrent encore aujourd'hui chez l'homme cultivé une *sélection au sens positif*. Dans la concurrence « spatiale » des civilisés, la quasi-totalité des perturbations de l'instinct que nous avons décrites et qui sont dues à la domestication ont hélas une valeur sélective positive. La diminution des instincts sociaux et des inhibitions est extrêmement utile dans la bataille de la concurrence moderne, et c'est ainsi que des êtres peu sociaux ou même asociaux ont de loin beaucoup plus de succès que les valeureux, aux frais desquels en définitive ils vivent. Les éléments sujets à ces défauts pénètrent les peuples, les états et les sphères culturelles exactement de la même façon, et exactement pour les mêmes raisons, que les cellules cancéreuses pénètrent le corps par une infiltration proliférante. Et comme celles-ci, ils peuvent anéantir l'organisme qui les accueille et par là finalement s'anéantir eux-mêmes. Je suis persuadé que l'anéantissement régulier des cultures constaté par Spengler est dû en grande partie à ce processus. Ce n'est pas une inéluctable « logique du temps » qui amène ce « vieillissement » des nations cultivées comme le pense Spengler, mais ce sont des processus extrêmement perceptibles et que l'on peut explorer expérimentalement.

A la limite, il est difficile de conserver le moindre optimisme à l'égard de l'évolution à venir de l'humanité, quand on connaît tous ces dangers qui la menacent, d'autant qu'à ceux déjà mentionnés il convient d'en ajouter d'autres tout aussi importants. Le développement supérieur, « par bonds successifs », de l'esprit humain qui, dans des périodes historiques très courtes, a modifié de fond en comble toute son écologie avait pour conséquence nécessaire une *insuffisance (Insuffisienz)* de son équipement en instincts et en inhibitions. De nombreux types de comportement social, s'adressant en général à tel membre de la société connu personnellement, ont dû cesser lorsque, du fait de la croissance du nombre des individus à l'intérieur des communautés humaines, s'est développée l'exigence voulant que l'on se comporte de la même façon à l'égard de tous les inconnus anonymes. Les inhibitions qui empêchent que l'on tue un compagnon d'espèce se sont avérées insuffisantes lorsque la première arme a facilité et accéléré cet acte à un tel degré que les facteurs qui jadis déclenchaient l'inhibition sont devenus sans effet.

Toutes les *découvertes* par lesquelles l'homme construisant activement son monde a modifié son écologie, auraient pu contribuer à son altération s'il n'avait pas tiré de la même faculté, — qui lui permit de faire ces découvertes —, ce régulateur qui jette un pont au-dessus de l'abîme séparant l'inclination *(Neigung)* et le devoir moral *(Sollen)*. Ce régulateur c'est la faculté de prévoir les conséquences de sa propre activité. Le développement supérieur de l'activité dirigée vers son propre succès, que nous ne trouvons que chez l'homme et qui fut certainement nécessaire à la fabrication de l'arme la plus primitive, la massue, rendait en outre désormais possible l'interrogation élémentaire : « Qu'est-ce que j'ai fait? »; interrogation qui contient les fondements de toute la morale responsable de l'homme. Si l'on se représente correctement tout ce que peut signifier le fait qu'un être pourvu d'une agressivité tenace et brutale, comme l'étaient très certainement nos ancêtres préhominiens, ait eu tout d'un coup, avec la massue, la possibilité d'anéantir ses semblables en les frappant une seule fois, on s'étonne presque que cette découverte n'ait pas mené à l'auto-extermination de l'espèce. En tirera-t-on la conclusion pleine d'espoir que la morale responsable de l'humanité est capable de dominer les innombrables dangers qui la menacent aujourd'hui de tous côtés? La dégénérescence en pleine extension, de ses instincts sociaux, la progression constante du caractère terrifiant de ses armes, la surpopulation croissante de la terre semblent annoncer la fin prochaine de l'humanité. Ou bien tous ces maux ne sont-ils en définitive que des éléments de cette force qui veut constamment le Mal et fait constamment le Bien?

Les trois conditions de l'émergence de l'homme dont nous venons de parler : premièrement la maturation de la représentation centrale de l'espace qui se développe à partir de l'usage préhensif de la main, dans l'acte de grimper; deuxièmement, l'intérêt multilatéral et la curiosité explorative de l'être non spécialisé; et enfin la néoténie et l'indépendance acquise à l'égard d'instincts rigides, ces trois conditions ne sont certainement pas les seules. Encore moins ne peut-on les prendre pour une *explication.* Nous ne savons pratiquement ni comment ni pourquoi est apparu ce centre de la praxis, de la gnosis et de la parole qu'est le *gyrus supramarginalis,* ni comment ni pourquoi le cerveau de l'homme a subi ce développement considérable et cette différenciation ultérieure à partir desquels s'élaborent ensuite la pensée notionnelle et l'ensemble du développement spirituel. De même nous ne pouvons pratiquement pas donner d'explication causale sûre pour de nombreux phénomènes épigéniques très étendus qui apparaissent au cours de l'évolution. Il est toutefois significatif de voir comment toutes les étapes ultérieures paraissent à l'évidence étroitement liées aux trois conditions dont nous avons parlé.

7. Conclusion

Si dans tout ce qui précède j'ai, par-delà la genèse de la psychologie comparée, parlé de certains domaines particuliers de cette science relativement peu dépendants les uns des autres, c'est parce que dans ces branches du savoir apparaît précisément de façon extrêmement claire la nécessité de poser les problèmes en termes de phylogénétique comparée.

On peut déjà trouver dans les premiers travaux des pionniers de notre science le terrain tout préparé pour une analyse causale du comportement humain et animal, infiniment plus exacte que ce à quoi était jamais parvenue précédemment une psychologie expérimentale apparemment scientifique. L'ordre apporté dans les phénomènes par la perspective phylogénétique a conduit immédiatement à l'analyse du mouvement instinctif automatique endogène, et a de ce fait contribué à détrôner le réflexe en tant que seul élément possible de tous les phénomènes neurologiques (p. 186 sq.); ce qui en outre a entraîné une conception plus exacte de la notion de réflexe. L'effet de déclenchement que provoquent les excitations extérieures a été examiné d'un autre point de vue qui, précisément grâce à l'aperception des phénomènes endogènes qui entrent en jeu nous a conduit à un nouveau stade d'analyse causale quantitative que seule pouvait atteindre une rationalisation profonde du rapport, jusqu'ici semble-t-il totalement chaotique, entre la force de l'excitation et celle de la réaction (p. 189). En outre, la distinction rigoureuse opérée entre les notions d'automatisme et de réflexe a fait apparaître la possibilité d'un analyse des mouvements orientés dans l'espace (p. 191). L'introduction de la phylogénèse comparée a abouti à l'élaboration d'un programme de recherche qui fournira partout les bases d'une étude du comportement de la notion d'hérédité (p. 203). Enfin, en posant la question en termes de comparaison phylogénétique nous avons été conduits au problème de cette mystérieuse zone de transition qui va de l'animal à l'homme. Sans que l'on ait aspiré à une quelconque « explication » ou même simplement à une définition de l'homme, trois *conditions* de l'hominisation ont été discutées. La première est cette représentation centrale de l'espace, produite par les réactions d'orientation chez les animaux qui grimpent en se servant de leurs mains; elle parvient à son plus haut niveau de différenciation et constitue sans doute la base de la *représentation* humaine *de l'espace,* principe de toute pensée (p. 205). La deuxième condition est le comportement de curiosité et d'exploration active que l'on ne trouve que chez des êtres non fixés par une différenciation très spécialisée des organes et des types de comportement instinctif. La « choséité » *(Sachlichkeit),* la relation à l'objet (*Objektbezogenheit*) qui caractérise le comportement de curiosité mène à l'élaboration active d'un environnement propre constitué d'objets (*Gegenstände*). Ses rapports avec le jeu et la recherche pratiquée par l'homme font apparaître le comportement curieux comme le point de départ de toutes les confrontations procédant du « dialogue » avec le milieu et par là comme une condition du langage. Mais aucun animal ne remplit une autre condition indispensable, à savoir l'association étroite de la praxis et de la gnosis dans le centre nerveux praxique et phasique (p. 221). La troisième condition est constituée par l'autodomestication de l'homme (p. 223 sq.). Celle-ci mène à une néoténie partielle de l'homme qui a pour conséquence ce comportement curieux exploratoire qui n'est lié chez les animaux qu'à une courte phase du développement, tandis que chez l'homme il s'étend jusqu'à la fin de la vieillesse. En outre la domestication, en détruisant les instincts efficaces crée de nouveaux degrés de liberté dans l'action (p. 228 sq.) et du même coup, il est vrai, de graves dangers. Le rôle de la morale responsable dans la compensation de l'insuffisance des instincts humains est brièvement esquissé.

8. Rétrospective et perspectives

Il n'est sans doute pas nécessaire d'insister plus longtemps sur le fait qu'en posant le problème en termes de phylogénèse dans le domaine de la psychologie comparée, on parvient à des études qui dépassent de loin la pure description, toute « systématique », et que l'on pénètre profondément dans la troisième phase de développement de toute science de la nature : l'analyse causale qui recherche des lois. Ce serait toutefois faire preuve d'un optimisme prématuré de penser que désormais la description phylogénétique systématique a déjà rempli sa tâche dans l'étude du comportement et que de ce fait on peut maintenant s'en passer. Certes nous ne soumettrons pas notre sympathie pour la recherche expérimentale inductive et exacte à la contrainte d'un interdit d'école quel qu'il soit. Nous permettrons encore moins qu'on nous empêche d'aborder directement les tâches importantes de l'analyse dans la recherche. Mais ceci dit, nous n'oublions pas qu'avec la création d'une base inductive nous n'avons pas encore dépassé même les tous premiers stades de notre branche scientifique, et que la description la plus simple de « ce qui est » dans le comportement humain et animal, — qui ne peut procéder, et ceci sans a priori, que de « tout ce qu'il y a » —, a encore devant elle une tâche gigantesque à accomplir. Nous ne possédons aujourd'hui que très peu de travaux qui proposent des descriptions de comportement pour des groupes apparentés d'un point de vue phylogénétique, et qui offrent des détails suffisamment exacts, en envisageant un nombre suffisant d'espèces pour que l'on y trouve le minimum de points d'appui requis pour énoncer le problème en termes de phylogénèse comparée; minimum requis qui paraît évident depuis des dizaines d'années pour n'importe quel travail morphologique. Ces travaux sont les recherches de Whitman sur les pigeons, l'ouvrage de Heinroth sur les anatidés, les études d'Antonius sur les équidés et de Faber sur les orthoptères (1929, 1932). Il faut ajouter à cela toute une série de fragments, comme par exemple le travail de Xerwey (1936) sur le héron ou les recherches de Goethe (1940) sur les mustélidés. Parmi les groupes étudiés récemment, et sans vouloir donner ici un aperçu complet, il faudrait citer entre autres : les orthoptères

(Jakobs 1950), les diptères (mouvements de nettoyage : Heinz 1949; *Drosophila* : Milani 1951, Spieht 1951, *Weidmann* 1951), salticidés (Cranes 1949), épinoches (Tinbergen et Van Iersel), cichlidés (Baerendts 1950, Seitz 1950; Lorenz), anoures (Eibl-Eibesfeldt 1953), oiseaux (mouvements intentionnels, Daanje 1950, mouettes, Tinbergen et Moynihan 1952; moineaux, Nice 1943, Prechtl 1950; héron, Koenig 1952; canards, Lorenz 1941), mammifères (canides : Seitz 1950; rongeurs, Eibl-Eibesfeldt 1950-1951). Toutefois notre connaissance de « tout ce qu'il y a » est si limitée que nous devons persister avec modestie et patience à créer d'abord, — par une description exacte et sans a priori du comportement naturel —, la base d'induction nécessaire à la mise en place des problèmes, mise en place à partir de laquelle pourrait ultérieurement se construire tout l'édifice d'une recherche analytique exacte.

L'étude comparée du comportement se doit, de façon particulièrement impérieuse, d'observer exactement les lois méthodologiques de la recherche inductive. Dans un proche avenir lui échoira sans aucun doute le rôle important d'établir la liaison entre la science inductive et les disciplines qui traitent de l'homme lui-même et qui ont aujourd'hui une existence pratiquement indépendante sans aucun rapport avec cette recherche inductive (comme par exemple la sociologie humaine, la psychologie sociale ainsi qu'une partie importante de la psychologie humaine). On comprend difficilement pourquoi ces sciences qui ont toutes leur origine dans la philosophie n'ont pas trouvé, ou du moins pas encore, leur rattachement au système organisé et rigoureux des branches du savoir qui procèdent inductivement.

Pour la science inductive aussi bien que dans la langue parlée de tous les jours, expliquer un certain phénomène ne signifie rien d'autre que rapporter une loi particulière, fruit d'une observation, à une loi plus générale et déjà connue. C'est pourquoi celui qui étudie les lois particulières a constamment besoin d'une science connexe plus générale, aux lois plus fondamentales de laquelle il peut ramener celles que lui-même a explorées. Le physiologiste qui s'intéresse aux échanges organiques a besoin de la chimie organique, le chimiste de la physique atomique, afin de donner une explication qui aille plus profondément au cœur des phénomènes observés. Dans l'ensemble de l'histoire des sciences, les lois générales de la nature ont été connues plus tôt que les lois particulières pour l'explication desquelles celles-là étaient nécessaires. C'est la plupart du temps en approfondissant leur analyse que les domaines de recherche particuliers ont rejoint la base bien préparée d'un domaine scientifique immédiatement plus général, aux lois duquel cette analyse pouvait ramener les phénomènes explorés. Ainsi le progrès apporté par la chimie physique dans toute la science de l'atome a disposé d'un large appui de la part de faits et de lois connues; et lorsque la physiologie des échanges organiques a commencé à pénétrer dans le domaine des processus chimiques, la chimie organique disposait déjà depuis longtemps de la base dont la physiologie avait besoin pour ses explications. Pour toutes les autres sciences spécialisées de la nature, les relations ont été du même ordre.

Pour la psychologie, et pour toutes les autres disciplines qui s'occupent de l'homme lui-même, la situation historique est tout à fait différente. La notion de psychologie comme science est très ancienne, et on la trouve déjà dans l'antiquité! Elle existait en tant que discipline purement introspective de l'esprit longtemps déjà avant que n'apparaisse la moindre science naturelle véritablement inductive au sens où nous l'entendons aujourd'hui. Et sous cet aspect, la psychologie est certes extrêmement jeune, mais néanmoins toujours beaucoup plus ancienne que les sciences voisines d'un niveau immédiatement plus général. Lorsque la théorie de Darwin sur l'origine des espèces eut gagné peu à peu en influence jusque sur la psychologie, et que celle-ci commença à explorer comme phénomène biologique le comportement humain ainsi que les phénomènes de sa vie intérieure, on ne savait alors pratiquement rien des lois immédiatement plus générales qui dominent le comportement et la vie mentale des êtres vivants dans leur ensemble. Lorsque Wilhelm Wundt souleva le premier la nécessité d'une psychologie comparée au sens phylogénétique du terme, il manquait encore la base inductive d'une monographie descriptive établie sans a priori sur laquelle une science de ce type aurait pu s'échafauder.

Dans les décades qui suivirent, la divergence néfaste entre les vitalistes et les mécanistes a empêché la constitution de toute monographie descriptive dans l'étude du comportement. Le petit nombre de chercheurs qui ne se soient pas laissés blesser par ce combat, C. O. Whitman et O. Heinroth, étaient des zoologistes et se trouvaient déjà, de ce fait, si totalement éloignés des cercles de spécialistes du comportement et des psychologues professionnels, que ceux-ci n'entendirent jamais parler de leurs travaux. En d'autres termes, la psychologie humaine en tant que science est restée suspendue dans les airs, isolée et indépendante jusqu'à la période la plus récente. Un abîme infranchissable la séparait de sciences plus générales. Partout où la psychologie humaine tentait de procéder scientifiquement, elle faisait évidemment de vaines tentatives pour se rattacher à des domaines fondamentaux bien trop éloignés d'elle, c'est-à-dire qu'elle tirait à elle des lois bien trop simples et bien trop lointaines pour expliquer les phénomènes mentaux les plus particuliers. Le seul substrat dont une science de la nature puisse tirer des forces saines est d'abord celui de son propre fondement inductif, et puis celui du domaine voisin le plus proche et le plus immédiatement lié à elle. Ces deux choses manquaient à la psychologie prétendument scientifique des années 1900 qui ne produisit que des rudiments désespérés, aspirant en vain à tirer quelque nourriture du sol pierreux de l'étude mécaniste du comportement.

Les échecs de cette attitude, si manifestement imputables à des questions de méthode, furent si évidents qu'un changement complet s'opéra dans toute la recherche en psychologie humaine. Ce changement n'eut malheureusement pas pour seule conséquence que l'on abandonnât les tentatives d'explication mécanistes et atomistes, fausses d'un point de vue méthodologique, mais aussi que l'on se détournât du mode de pensée scientifique en tant que tel. La psychologie américaine, dite de l'intention (*purposive psychology*) a adopté un point de vue tout à fait univoque, téléologico-vitaliste. De même la psychologie gestaltiste allemande, — qui, en soi, aurait eu vocation d'introduire une perspective véritablement fidèle à la totalité, en même temps qu'inductive et analytique —, s'est teintée pour une très grande part d'aspects proprement vitalistes, dans la mesure où les notions de forme et de totalité *(Gestalt und Ganzheit)* ont pris de plus en plus le caractère de « facteurs » qui ne furent pas considérés comme nécessitant une explication naturelle, ni même comme pouvant en relever.

Quiconque envisage la psychologie de l'homme comme une science et pense devoir la développer en tant que telle, doit admettre comme une tâche et un devoir impérieux le rejet de tout cet état de choses qui n'a de fondement que dans l'histoire de l'esprit et qui s'avère extraordinairement gênant pour le progrès de la recherche, ainsi que la transformation en sciences au sens strict des domaines de cette recherche qui explorent les activités mentales et spirituelles de l'homme.

Quiconque veut pratiquer la psychologie humaine comme une science inductive ne peut absolument pas perdre de vue le fait que l'homme est un être vivant et que, comme tous les êtres vivants, il est issu d'autres êtres plus simples, selon un processus d'évolution naturelle. Si l'on veut, en tant que chercheur scientifique, expliquer d'une manière naturelle les lois particulières et immensément complexes qui dominent le comportement et la vie mentale de l'homme, c'est-à-dire les ramener aux lois naturelles plus proches et plus immédiatement générales, on soulève alors le problème de savoir quelles sont ces lois plus fondamentales; problème auquel il ne peut y avoir d'autre réponse que celle-ci : ce sont les *lois qui dominent en général le comportement des êtres vivants!*

A ce point de vue général sur la méthode vient s'ajouter encore un point de vue phylogénétique plus particulier. Le fait incontestable et incontesté de l'hérédité, nous oblige à reconnaître qu'un nombre immense de caractéristiques structurales du comportement et de la vie mentale de l'homme, doivent le fait d'être ainsi et non autrement au développement historique unique de la phylogénèse, et ne peuvent que rester absolument incompréhensibles aussi longtemps que l'on n'examine pas leurs rapports. Ceci vaut particulièrement pour les normes sociales du comportement humain, car, plus que toutes autres, elles sont liées aux types d'action et de réaction acquis, propres à l'espèce.

Ce n'est donc nullement par un souci de préséance relevant d'un quelconque chauvinisme de compétence, mais sur la base de considérations rigoureusement irréfutables du point de vue de la recherche inductive que je prétends que toutes les branches scientifiques qui s'occupent de l'homme, dans la mesure où elles veulent être des sciences, nécessitent une étude comparée du comportement pour des raisons exactement similaires à celles pour lesquelles la physiologie des échanges organiques a besoin de la chimie, ou la chimie de la physique atomique. Inversement, celui qui effectue une étude comparée du comportement n'est pas astreint, en tant que représentant d'un domaine scientifique général, à se soucier des domaines limitrophes particuliers! Le physicien de l'atome n'a pas besoin de dominer la chimie, ni le spécialiste de chimie organique, la physiologie des échanges. L'étude comparée du comportement a son propre champ de recherche qui est immensément grand et, non seulement elle n'est pas contrainte mais elle n'est pas du tout en état de faire de la psychologie ou de la sociologie humaine spécialisée. Elle commettrait alors (ainsi que l'ont constamment fait les écoles mécanistes), un empiétement illégitime du point de vue des lois de la recherche inductive, si elle voulait tenter de fournir des explications à n'importe quelle loi complexe et spécifique de la vie mentale ou sociale de l'homme qu'elle ignore totalement, du fait de sa spécialité.

La perspective d'un tel empiétement illégitime n'apparaît pas si nous attirons l'attention sur certaines lois comportementales humaines, qui peuvent être décelées à partir de notre propre base inductive de la phylogénèse comparée, et à partir d'elle seulement. Quand par exemple l'étude comparée du comportement fournit la preuve que des processus d'excitation endogène automatiques et des mécanismes de déclenchement instinctifs, ainsi surtout que les troubles fonctionnels dus à la domestication qui y sont attachés, jouent aussi un certain rôle dans le comportement de l'homme, nous avons le devoir de nous soucier de ces résultats, dans le domaine exclusif de cette science particulière. Par elle-même l'étude comparée du comportement ne peut affirmer qu'une chose : que tout cela influence aussi sans aucun doute le comportement humain; mais elle ne peut pas dire comment, parce qu'elle ne connaît pas, du fait de sa propre base d'induction, les nombreuses autres lois plus spécifiques qui régissent la psychologie et la sociologie de l'homme. Mais une science plus spécialisée commet la pire des atteintes contre les lois de la recherche inductive quand elle laisse ces choses de côté : c'est un *refus de savoir.*

Cette prise de conscience commence à s'opérer, certes très lentement mais sa vitesse suit une progression géométrique, dans tous les cercles où les psychologues pensent scientifiquement. Il est probable, quasi certain que, dans un avenir prévisible, l'ensemble de la psychologie scientifique au sens propre du mot aura trouvé son point de rattachement à l'étude phylogénétique comparée du comportement et, par là, à l'organisation collective de toutes les sciences inductives. Il est symptomatique que ce soient les psychologues de l'enfant, authentiques savants depuis toujours, et cela du fait de leur rôle d'observateurs sans a priori, qui commencèrent les premiers à exploiter nos résultats et à parler notre langue. C'est pour nous une intime satisfaction que les psychanalystes et les « psychologues des profondeurs » *(Tiefenpsychologen),* doués eux aussi pour l'observation sans a priori aient commencé à les suivre. Bien des errements indubitables de ces deux écoles pourraient être rectifiés grâce à une synthèse effectuée avec l'étude comparée du comportement; et si cette synthèse exige très certainement le travail de toute une existence de plus d'un chercheur, elle rendra en revanche accessible à la recherche inductive exacte un champ immensément grand et fécond.

C'est seulement lorsque la psychologie de l'homme et la psychanalyse reposeront sur une base scientifique commune que sera réalisée leur synthèse qui fait encore aujourd'hui douloureusement défaut. Mais ainsi naîtrait aussi une science fondamentale qui pourrait de son côté fournir une base au rattachement de la sociologie humaine à la science inductive. La sociologie aussi est fille des « sciences de l'esprit » et se situe encore aujourd'hui en position de refus à l'égard de la recherche scientifique inductive; attitude dans laquelle elle fut hélas renforcée par sa défense justifiée contre les empiètements illégitimes (mentionnés plus haut) commis par une biologie et une psychologie de type mécaniste. L'expression « psychologisme » a pris dans la sociologie moderne une signification aussi péjorative que celle de « biologisme ». Mais si toute la psychologie de l'homme, y compris la « psychologie des profondeurs » (Tienfenpsychologie) et la psychanalyse (Psychoanalyse) trouvent un ancrage scientifique solide dans leur domaine voisin sans aucun doute considéré comme le plus proche; si la psychologie de son côté propose à la sociologie humaine une base tout aussi solide de lois connues, alors la sociologie non seulement pourra, mais devra utiliser cette base pour ses tentatives d'explication dans la mesure où elle veut conserver le caractère d'une science.

Mais nous avons aujourd'hui besoin d'une sociologie scientifique de l'homme de façon plus pressante que de toute autre science, car les problèmes les plus urgents de l'humanité sont les problèmes sociaux : leur solution ne relève pas de la spéculation idéologique, mais seulement d'un patient travail de recherche inductive.

Notes

SUR LA FORMATION DU CONCEPT D'INSTINCT

Première publication dans les Naturwissenschaften, 25e année, cahier 19, 1937.

1. Ceci s'applique en particulier aux vues du prof. Dr. Wallace Craig qui seront à maintes reprises évoquées ici. La plus grande partie du présent travail tire son origine des idées avancées dans un échange de correspondance avec ce chercheur.

2. Cf. « Le compagnon dans l'environnement propre de l'oiseau », *in Essais sur le comportement animal et humain*, Editions du Seuil, Paris, 1970.

LE TOUT ET LA PARTIE DANS LA SOCIETE ANIMALE ET HUMAINE

Première publication dans *Studium Generale*, 3/9, 1950.

1. D'après Tinbergen et Kuenen, *Zeitschrift für Tierpsychologie*, 3.

2. D'après Tinbergen et Kuenen, *Zeitschrift für Tierpsychologie*, 3.

3. Il pourrait à première vue sembler plus exact de dire au contraire que le déclencheur est constitué par des spécialisations structurelles et chromatiques particulièrement frappantes qui seraient devenues opérantes grâce à des comportements innés particuliers. Mais la recherche comparative montre que le comportement est presque toujours phylétiquement plus ancien que les signes distinctifs morphologiques qui servent de support à sa manifestation.

PSYCHOLOGIE ET PHYLOGENESE

Première publication dans G. Heberer, *Psychologie und Stammesgeschichte*, Iéna, 2e édition 1954.

1. Quand les psychologues humains (tel von Allesch) me font le reproche sans appel de « ne rien connaître à la psychologie humaine », j'accepte ce jugement bien volontiers. Mais « mes connaissances » en psychologie humaine valent toujours bien celles des meilleurs chimistes organiciens de ma connaissance en ce qui concerne la physiologie du métabolisme.

Table

SUR LA FORMATION DU CONCEPT D'INSTINCT (1937)

LE TOUT ET LA PARTIE DANS LA SOCIÉTÉ ANIMALE ET HUMAINE (1950)

PSYCHOLOGIE ET PHYLOGÉNÈSE
(1954)

FIRMIN-DIDOT S.A. PARIS-MESNIL (5-81)
D.L. 1er TR. 1974. N° 3357-5 (8036)

Collection Points

1. Histoire du surréalisme, *par Maurice Nadeau*
2. Une théorie scientifique de la culture, *par Bronislaw Malinowski*
3. Malraux, Camus, Sartre, Bernanos, *par Emmanuel Mounier*
4. L'Homme unidimensionnel, *par Herbert Marcuse* (épuisé)
5. Écrits I, *par Jacques Lacan*
6. Le Phénomène humain, *par Pierre Teilhard de Chardin*
7. Les Cols blancs, *par C. Wright Mills*
8. Stendhal, Flaubert, *par Jean-Pierre Richard*
9. La Nature dé-naturée, *par Jean Dorst*
10. Mythologies, *par Roland Barthes*
11. Le Nouveau Théâtre américain, *par Franck Jotterand*
12. Morphologie du conte, *par Vladimir Propp*
13. L'Action sociale, *par Guy Rocher*
14. L'Organisation sociale, *par Guy Rocher*
15. Le Changement social, *par Guy Rocher*
16. Les Étapes de la croissance économique, *par W. W. Rostow*
17. Essais de linguistique générale, *par Roman Jakobson* (épuisé)
18. La Philosophie critique de l'histoire, *par Raymond Aron*
19. Essais de sociologie, *par Marcel Mauss*
20. La Part maudite, *par Georges Bataille* (épuisé)
21. Écrits II, *par Jacques Lacan*
22. Éros et Civilisation, *par Herbert Marcuse* (épuisé)
23. Histoire du roman français depuis 1918
    par Claude-Edmonde Magny
24. L'Écriture et l'Expérience des limites, *par Philippe Sollers*
25. La Charte d'Athènes, *par Le Corbusier*
26. Peau noire, Masques blancs, *par Frantz Fanon*
27. Anthropologie, *par Edward Sapir*
28. Le Phénomène bureaucratique, *par Michel Crozier*
29. Vers une civilisation du loisir ?, *par Joffre Dumazedier*
30. Pour une bibliothèque scientifique, *par François Russo* (épuisé)
31. Lecture de Brecht, *par Bernard Dort*
32. Ville et Révolution, *par Anatole Kopp*
33. Mise en scène de Phèdre, *par Jean-Louis Barrault*
34. Les Stars, *par Edgar Morin*
35. Le Degré zéro de l'écriture, *suivi de* Nouveaux Essais critiques
    par Roland Barthes
36. Libérer l'avenir, *par Ivan Illich*
37. Structure et Fonction dans la société primitive
    par A. R. Radcliffe-Brown
38. Les Droits de l'écrivain, *par Alexandre Soljénitsyne*
39. Le Retour du tragique, *par Jean-Marie Domenach*
41. La Concurrence capitaliste, *par J. Cartell et P.-Y. Cossé* (épuisé)
42. Mise en scène d'Othello, *par Constantin Stanislavski*
43. Le Hasard et la Nécessité, *par Jacques Monod*
44. Le Structuralisme en linguistique, *par Oswald Ducrot*
45. Le Structuralisme : Poétique, *par Tzvetan Todorov*
46. Le Structuralisme en anthropologie, *par Dan Sperber*

47. Le Structuralisme en psychanalyse, *par Moustafa Safouan*
48. Le Structuralisme : Philosophie, *par François Wahl*
49. Le Cas Dominique, *par Françoise Dolto*
51. Trois Essais sur le comportement animal et humain *par Konrad Lorenz*
52. Le Droit à la ville, *suivi de* Espace et Politique, *par H. Lefebvre*
53. Poèmes, *par Léopold Sédar Senghor*
54. Les Élégies de Duino, *suivi de* les Sonnets à Orphée *par Rainer Maria Rilke* (édition bilingue)
55. Pour la sociologie, *par Alain Touraine*
56. Traité du caractère, *par Emmanuel Mounier*
57. L'Enfant, sa « maladie » et les autres, *par Maud Mannoni*
58. Langage et Connaissance, *par Adam Schaff*
59. Une saison au Congo, *par Aimé Césaire*
61. Psychanalyser, *par Serge Leclaire*
63. Mort de la famille, *par David Cooper*
64. A quoi sert la Bourse ?, *par Jean-Claude Leconte* (épuisé)
65. La Convivialité, *par Ivan Illich*
66. L'Idéologie structuraliste, *par Henri Lefebvre*
67. La Vérité des prix, *par Hubert Lévy-Lambert* (épuisé)
68. Pour Gramsci, *par Maria-Antonietta Macciocchi*
69. Psychanalyse et Pédiatrie, *par Françoise Dolto*
70. S/Z, *par Roland Barthes*
71. Poésie et Profondeur, *par Jean-Pierre Richard*
72. Le Sauvage et l'Ordinateur, *par Jean-Marie Domenach*
73. Introduction à la littérature fantastique *par Tzvetan Todorov*
74. Figures I, *par Gérard Genette*
75. Dix Grandes Notions de la sociologie, *par Jean Cazeneuve*
76. Mary Barnes, un voyage à travers la folie *par Mary Barnes et Joseph Berke*
77. L'Homme et la Mort, *par Edgar Morin*
78. Poétique du récit, *par Roland Barthes, Wayne Booth Wolfgang Kaiser et Philippe Hamon*
79. Les Libérateurs de l'amour, *par Alexandrian*
80. Le Macroscope, *par Joël de Rosnay*
81. Délivrance, *par Maurice Clavel et Philippe Sollers*
82. Système de la peinture, *par Marcelin Pleynet*
83. Pour comprendre les média, *par M. Mc Luhan*
84. L'Invasion pharmaceutique *par Jean-Pierre Dupuy et Serge Karsenty*
85. Huit Questions de poétique, *par Roman Jakobson*
86. Lectures du désir, *par Raymond Jean*
87. Le Traître, *par André Gorz*
88. Psychiatrie et Anti-Psychiatrie, *par David Cooper*
89. La Dimension cachée, *par Edward T. Hall*
90. Les Vivants et la Mort, *par Jean Ziegler*
91. L'Unité de l'homme, *par le Centre Royaumont*
    1. Le primate et l'homme, *par E. Morin et M. Piattelli-Palmarini*
92. L'Unité de l'homme, *par le Centre Royaumont*
    2. Le cerveau humain, *par E. Morin et M. Piattelli-Palmarini*

93. L'Unité de l'homme, *par le Centre Royaumont*
3. Pour une anthropologie fondamentale
par E. Morin et M. Piattelli-Palmarini
94. Pensées, *par Blaise Pascal*
95. L'Exil intérieur, *par Roland Jaccard*
96. Semeiotiké, recherches pour une sémanalyse
par Julia Kristeva
97. Sur Racine, *par Roland Barthes*
98. Structures syntaxiques, *par Noam Chomsky*
99. Le Psychiatre, son « fou » et la psychanalyse
par Maud Mannoni
100. L'Écriture et la Différence, *par Jacques Derrida*
101. Le Pouvoir africain, *par Jean Ziegler*
102. Une logique de la communication
par P. Watzlawick, J. Helmick Beavin, Don D. Jackson
103. Sémantique de la poésie, *collectif*
104. De la France, *par Maria-Antonietta Macciocchi*
105. Small is beautiful, *par E. F. Schumacher*
106. Figures II, *par Gérard Genette*
107. L'Œuvre ouverte, *par Umberto Eco*
108. L'Urbanisme, *par Françoise Choay*
109. Le Paradigme perdu, *par Edgar Morin*
110. Dictionnaire encyclopédique des sciences du langage
par Oswald Ducrot et Tzvetan Todorov
111. L'Évangile au risque de la psychanalyse
par Françoise Dolto
112. Un enfant dans l'asile, *par Jean Sandretto*
113. Recherche de Proust, *collectif*
114. La Question homosexuelle, *par Marc Oraison*
115. De la psychose paranoïaque dans ses rapports
avec la personnalité, *par Jacques Lacan*
116. Sade, Fourier, Loyola, *par Roland Barthes*
117. Une société sans école, *par Ivan Illich*
118. Mauvaises Pensées d'un travailleur social
par Jean-Marie Geng
119. Albert Camus, *par Herbert R. Lottman*
120. Poétique de la prose, *par Tzvetan Todorov*
121. Théorie d'ensemble, *par Tel Quel*
122. Némésis médicale, l'expropriation de la santé, *par Ivan Illich*
123. La Méthode, t. I, *par Edgar Morin*
124. Le Désir et la Perversion, *collectif*
125. Le langage, cet inconnu, *par Julia Kristeva*
126. On tue un enfant, *par Serge Leclaire*
127. Essais critiques, *par Roland Barthes*
128. Le Je-ne-sais-quoi et le Presque-rien
1. La manière et l'occasion, *par Vladimir Jankélévitch*
129. L'Analyse structurale du récit, Communication 8, *ouvrage collectif*
130. Changements, Paradoxes et Psychothérapie
par P. Watzlawick, J. Weakland et R. Fish

Collection Points

SÉRIE ACTUELS

DERNIERS TITRES PARUS

A10. Les Dossiers noirs de la justice française
par Denis Langlois
A11. Le Dossier confidentiel de l'euthanasie
par Igor Barrère et Étienne Lalou
A12. Discours américains, *par Alexandre Soljénitsyne*
A13. Les Exclus, *par René Lenoir*
A14. Souvenirs obscurs d'un Juif polonais né en France
par Pierre Goldman
A15. Le Mandarin aux pieds nus, *par Alexandre Minkowski*
A16. Une Suisse au-dessus de tout soupçon, *par Jean Ziegler*
A17. La Fabrication des mâles
par Georges Falconnet et Nadine Lefaucheur
A18. Rock babies, *par Raoul Hoffmann et Jean-Marie Leduc*
A19. La nostalgie n'est plus ce qu'elle était
par Simone Signoret
A20. L'Allergie au travail, *par Jean Rousselet*
A21. Deuxième Retour de Chine
par Claudie et Jacques Broyelle et Evelyne Tschirhart
A22. Je suis comme une truie qui doute, *par Claude Duneton*
A23. Travailler deux heures par jour, *par Adret*
A24. Le rugby, c'est un monde, *par Jean Lacouture*
A25. La Plus Haute des solitudes, *par Tahar Ben Jelloun*
A26. Le Nouveau Désordre amoureux
par Pascal Bruckner et Alain Finkielkraut
A27. Voyage inachevé, *par Yehudi Menuhin*
A28. Le communisme est-il soluble dans l'alcool ?
par Antoine et Philippe Meyer
A29. Sciences de la vie et Société
par François Gros, François Jacob et Pierre Royer
A30. Anti-manuel de français, *par Claude Duneton*
A31. Cet enfant qui se drogue, c'est le mien, *par Jacques Guillon*
A32. Les Femmes, la Pornographie, l'Érotisme
par Marie-Françoise Hans et Gilles Lapouge
A33. Parole d'homme, *par Roger Garaudy*
A34. Nouveau Guide des médicaments
par le Dr Henri Pradal
A35. Rue du Prolétaire rouge, *par Nina et Jean Kéhayan*
A36. Main basse sur l'Afrique, *par Jean Ziegler*
A37. Un voyage vers l'Asie, *par Jean-Claude Guillebaud*
A38. Appel aux vivants, *par Roger Garaudy*
A39. Quand vient le souvenir, *par Saul Friedländer*
A40. La Marijuana, *par Solomon H. Snyder*
A41. Un lit à soi, *par Evelyne Le Garrec*
A42. Le lendemain, elle était souriante, *par Simone Signoret*